História de um grande amor

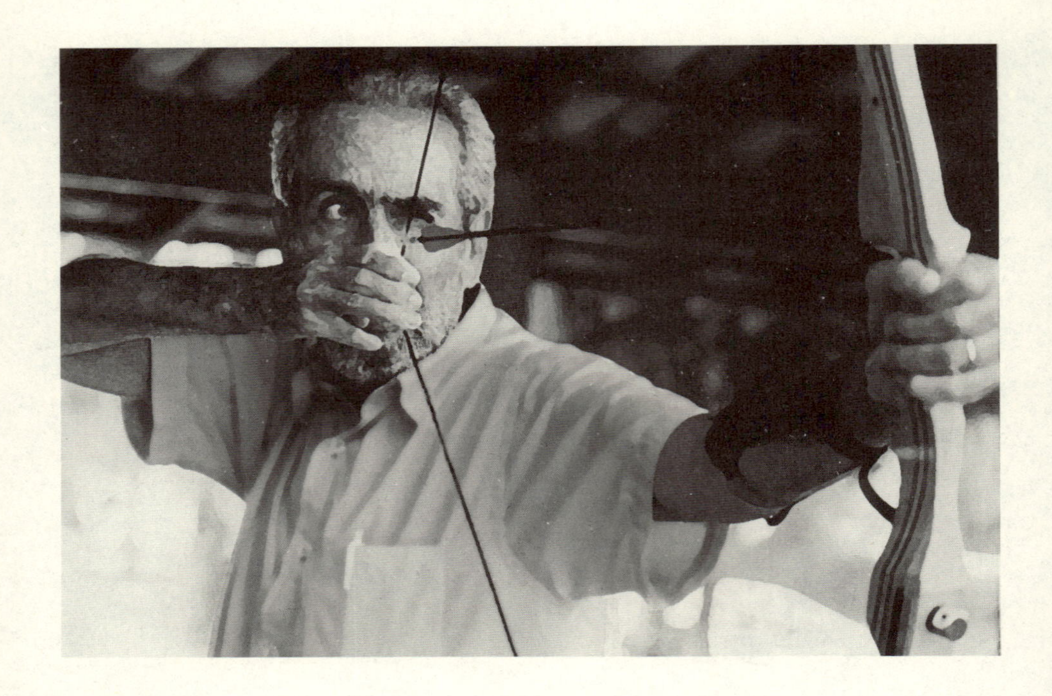

O Arqueiro

Geraldo Jordão Pereira (1938-2008) começou sua carreira aos 17 anos, quando foi trabalhar com seu pai, o célebre editor José Olympio, publicando obras marcantes como *O menino do dedo verde*, de Maurice Druon, e *Minha vida*, de Charles Chaplin.

Em 1976, fundou a Editora Salamandra com o propósito de formar uma nova geração de leitores e acabou criando um dos catálogos infantis mais premiados do Brasil. Em 1992, fugindo de sua linha editorial, lançou *Muitas vidas, muitos mestres*, de Brian Weiss, livro que deu origem à Editora Sextante.

Fã de histórias de suspense, Geraldo descobriu *O Código Da Vinci* antes mesmo de ele ser lançado nos Estados Unidos. A aposta em ficção, que não era o foco da Sextante, foi certeira: o título se transformou em um dos maiores fenômenos editoriais de todos os tempos.

Mas não foi só aos livros que se dedicou. Com seu desejo de ajudar o próximo, Geraldo desenvolveu diversos projetos sociais que se tornaram sua grande paixão.

Com a missão de publicar histórias empolgantes, tornar os livros cada vez mais acessíveis e despertar o amor pela leitura, a Editora Arqueiro é uma homenagem a esta figura extraordinária, capaz de enxergar mais além, mirar nas coisas verdadeiramente importantes e não perder o idealismo e a esperança diante dos desafios e contratempos da vida.

Julia Quinn

História de um grande amor

TRILOGIA BEVELSTOKE 1

ARQUEIRO

Título original: *The Secret Diaries of Miss Miranda Cheever*

tradução: Thaís Paiva

preparo de originais: Marina Góes

revisão: Hermínia Totti e Livia Cabrini

diagramação: Adriana Moreno

capa: Emma Graves / LBBG

adaptação de capa: Ana Paula Daudt Brandão

ilustrações de capa: Yoco / Dutch Uncle

impressão e acabamento: Associação Religiosa Imprensa da Fé

CIP-BRASIL. CATALOGAÇÃO NA PUBLICAÇÃO
SINDICATO NACIONAL DOS EDITORES DE LIVROS, RJ

Q64h Quinn, Julia
História de um grande amor/ Julia Quinn; tradução Thaís Paiva. São Paulo: Arqueiro, 2020.
288 p.; 16 x 23 cm. (Bevelstoke; 1)

Tradução de: The secret diaries of miss Miranda Cheever
ISBN 978-85-306-0108-9

1. Ficção americana. I. Paiva, Thaís. II. Título. III. Série.

19-61122 CDD: 813
CDU: 82-3(73)

Todos os direitos reservados, no Brasil, por
Editora Arqueiro Ltda.
Rua Funchal, 538 – conjuntos 52 e 54 – Vila Olímpia
04551-060 – São Paulo – SP
Tel.: (11) 3868-4492 – Fax: (11) 3862-5818
E-mail: atendimento@editoraarqueiro.com.br
www.editoraarqueiro.com.br

Prólogo

Aos 10 anos, Miranda Cheever não dava o menor sinal de que seria uma beldade. Seus cabelos eram castanhos – lamentavelmente –, assim como os olhos, e as pernas, peculiarmente longas, recusavam-se a aprender qualquer movimento que chegasse perto de ser gracioso. Sua mãe, com certa frequência, observava que ela percorria a casa a meio galope.

Para infelicidade de Miranda, a sociedade em que nascera dava demasiada importância à aparência feminina. E, embora ela só tivesse 10 anos, já entendia muito bem que, naquele aspecto, era considerada inferior à maioria das meninas que moravam nas redondezas. Crianças sempre dão um jeito de aprender certas coisas, em geral através de outras crianças.

Foi justamente assim que ocorreu um incidente deveras desagradável na comemoração do 11º aniversário de lady Olivia e do honorável Winston Bevelstoke, gêmeos do conde e da condessa de Rudland. Miranda morava bem perto de Haverbreaks, a propriedade ancestral dos Rudlands próxima a Ambleside, na região da Cúmbria, e sempre assistia às aulas junto com Olivia e Winston quando os dois estavam naquela residência. Haviam se tornado um trio inseparável que quase nunca se dignava a ir brincar com as outras crianças da região, que moravam a cerca de uma hora de distância.

Mas umas dez vezes por ano, geralmente em aniversários, todas as crianças da nobreza e da aristocracia local se reuniam. E foi por isso que lady Rudland soltou um grunhido nada feminino: a festa de aniversário dos gêmeos, que deveria ser no jardim, acabara de ser interrompida pela chuva e, naquele momento, dezoito pestinhas com os pés cobertos de lama corriam pelo salão.

– Livvy, você está com o rosto sujo de lama – comentou Miranda, estendendo a mão para limpar.

Olivia soltou um suspiro dramático e entediado.

– Então é melhor que eu vá me limpar. Não quero que mamãe me veja assim. Ela acha sujeira deplorável, e eu acho deplorável ter que ouvir suas reclamações sobre como ela acha a sujeira deplorável.

– Não vejo como ela poderia ter tempo de brigar com você por causa de um pingo de lama no seu rosto com toda essa sujeira no tapete. – Miranda olhou para William Evans, que soltou um grito de guerra e se lançou no sofá. Ela contraiu os lábios para reprimir um sorriso. – E na mobília também.

– Ainda assim, acho melhor eu ir dar um jeito – disse Livvy, e saiu.

Perto da porta, Miranda passou alguns minutos acompanhando a comoção, satisfeita com o papel de observadora que sempre reservava para si, até que, com o canto dos olhos, notou que alguém se aproximava.

– Miranda, o que você trouxe de presente para Olivia?

Miranda se virou para encarar Fiona Bennet, muito bem arrumada em um vestido branco com faixa rosa.

– Um livro – respondeu ela. – Olivia gosta de ler. E você, o que trouxe?

Fiona mostrou uma caixa colorida amarrada com um barbante prateado.

– Uma coleção de fitas. Seda, cetim e até veludo. Quer ver?

– Ah, mas não quero estragar o embrulho.

Fiona deu de ombros.

– É só desamarrar o barbante com bastante cuidado. Faço isso todo Natal – disse, desatando a amarra e abrindo a caixa.

Miranda perdeu o fôlego. Havia no mínimo duas dúzias de fitas acomodadas no veludo preto da caixa, todas amarradas em forma de belos laços.

– Fiona, são lindas! Posso pegar uma delas?

Fiona estreitou os olhos com desconfiança.

– Não estou com as mãos sujas. – Miranda estendeu as mãos para que a outra menina as inspecionasse. – Viu?

– Ah, está bem.

Miranda pegou uma fita lilás. O cetim era pecaminoso de tão suave e macio. Toda coquete, ela levou o laço aos cabelos.

– O que acha?

Fiona revirou os olhos.

– Lilás não, Miranda. Todo mundo sabe que essa cor só serve para cabelos louros. O tom quase desaparece no castanho. *Você* definitivamente não deveria usar.

Miranda devolveu a fita.

– E que cor fica bem com cabelos castanhos? Verde? Minha mãe tem cabelos castanhos e eu já a vi usando laços dessa cor.

– Até que verde é aceitável. Mas acho que também fica melhor em cabelos louros. Tudo fica melhor em cabelos louros.

Miranda sentiu uma faísca de indignação se acender dentro dela e disparou:

– Bom, então eu não sei como você vai lidar com isso, Fiona, porque seu cabelo é tão castanho quanto o meu.

Ofendida, Fiona recuou.

– Não é, não!

– É, sim!

– Não é, não!

Miranda inclinou-se para a frente, estreitando os olhos de maneira ameaçadora.

– Acho bom você dar uma bela olhada no espelho assim que chegar em casa, Fiona, porque o seu cabelo não é *nada* louro.

Fiona devolveu a fita lilás para a caixa e fechou a tampa com força.

– Bem, pelo menos o meu já foi louro, enquanto o seu sempre foi isso aí. Além disso, meu cabelo é castanho-claro, e todo mundo sabe que castanho-claro é muito melhor do que castanho-escuro. Tipo o seu.

– Não há nada errado com cabelo castanho-escuro! – protestou Miranda.

Mas ela já sabia que a maior parte da Inglaterra discordava disso.

– Além do mais – acrescentou Fiona, maliciosamente –, você tem lábios grossos!

Na mesma hora, Miranda levou a mão à boca. Sabia que não era uma beldade. Sabia que não podia sequer ser chamada de bonitinha. Mas jamais tinha visto nada errado com sua boca. Ergueu os olhos para a outra garota, que tinha um sorriso triunfante no rosto, e gritou:

– Pior você, que tem sardas!

Fiona recuou como se tivesse levado um tapa.

– Sardas somem. As minhas vão sumir antes de eu completar 18 anos. Minha mãe passa suco de limão toda noite. – Ela fungou de forma desdenhosa. – Mas o seu caso, Miranda, não tem remédio. Você é feia.

– Não é, não! – exclamou uma terceira voz.

Ambas as meninas se viraram e deram de cara com Olivia, que voltava do toalete.

– Ah, Olivia – disse Fiona. – Sei que você é amiga da Miranda porque ela mora muito perto de você, e porque fazem aulas juntas, mas você tem que admitir que ela não é muito bonita. Minha mãe diz que ela nunca vai arrumar um marido.

Os olhos azuis de Olivia brilharam de forma ameaçadora. A única filha do conde de Rudland sempre fora extremamente leal, e Miranda era sua melhor amiga.

– Miranda vai encontrar um marido muito melhor do que o seu, Fiona Bennet! O pai dela é baronete, e o seu não tem título algum.

– Ser filha de baronete não faz a menor diferença se ela não é bonita nem rica – recitou Fiona, repetindo algo que haveria de ter escutado várias vezes em casa. – Que é o caso da Miranda.

– Cale a boca, sua chata! – exclamou Olivia, batendo o pé no chão. – Você está na minha festa de aniversário, e se não consegue ser agradável com os outros, é melhor ir embora!

Fiona engoliu em seco. Sabia muito bem que não deveria se indispor com Olivia, filha de integrantes da mais alta nobreza naquela região.

– Desculpe, Olivia – murmurou ela.

– Não é a mim que você deve desculpas. É à Miranda.

– Desculpe, Miranda.

Miranda ficou em silêncio até que Olivia, enfim, deu um chutinho nela.

– Desculpas aceitas – disse ela, de má vontade.

Fiona assentiu e saiu correndo.

– Nem acredito que você chamou Fiona de chata – comentou Miranda.

– Miranda, você tem que aprender a se defender.

– Eu estava me defendendo muito bem antes de você aparecer, Livvy. A diferença é que eu não estava me defendendo tão alto quanto você.

Olivia suspirou.

– Mamãe sempre diz que eu não tenho um pingo de bom senso e autocontrole.

– Não tem, mesmo – concordou Miranda.

– Miranda!

– Mas é verdade. E eu amo você assim mesmo.

– Eu também amo você, Miranda. Não se preocupe com a chata da Fiona. Quando você crescer, pode se casar com o Winston, e aí nós seremos irmãs de verdade.

Descrente, Miranda olhou para o outro lado do salão e viu Winston. Ele estava puxando o cabelo de uma garotinha.

– Não sei, não... – disse ela, hesitante. – Não sei se vou querer me casar com Winston.

– Não fale bobagem. Seria perfeito. Além do mais, veja só, ele acabou de derrubar ponche no vestido da Fiona.

Miranda não conteve um sorriso.

– Venha comigo – chamou Olivia, tomando a mão da amiga. – Quero abrir meus presentes. Prometo que vou dar o grito mais alto de todos quando abrir o seu.

As duas meninas voltaram ao salão e Olivia e Winston foram abrir os presentes. Graças aos céus (pelo menos na opinião de lady Rudland), terminaram às quatro em ponto, a hora em que as crianças deveriam voltar para casa. Nenhuma delas foi buscada por criados; um convite para ir a Haverbreaks era considerado uma honra e nenhum dos pais perderia a oportunidade de socializar com o conde e a condessa. Nenhum dos pais, exceto os de Miranda. Às cinco da tarde, ela ainda estava na sala de estar, avaliando o butim de aniversário junto com Olivia.

– Onde será que estão seus pais, Miranda? – perguntou lady Rudland.

– Ah, eu sei muito bem – respondeu Miranda, alegremente. – Mamãe está na Escócia, foi visitar a mãe dela. E papai, por sua vez, certamente se esqueceu de mim. Ele costuma se esquecer de mim, sabe?, quando está trabalhando em um manuscrito. Ele traduz do grego.

– Eu sei – disse lady Rudland sorrindo.

– Grego *antigo*.

– Eu sei – repetiu lady Rudland com um suspiro. Não era a primeira vez que sir Rupert Cheever se esquecia da filha. – Bem, temos que dar um jeito de levar você para casa.

– Eu vou com ela – sugeriu Olivia.

– Você e Winston têm que guardar os brinquedos novos e escrever seus bilhetes de agradecimento. Se não fizerem isso ainda hoje, logo vão esquecer quem deu o quê.

– Mas a senhora não pode mandar um criado levar Miranda para casa, mamãe. Ela não vai ter com quem conversar.

– Eu posso conversar com o criado – disse Miranda. – Em casa eu sempre converso.

– Com os nossos você não conseguiria – sussurrou Olivia. – Eles são todos engomados e só me olham com desaprovação.

– Na maior parte do tempo, você faz por merecer – interferiu lady Rudland, dando uma palmadinha afetuosa na cabeça da filha. – Farei melhor, Miranda. Por que não pedimos ao Nigel que leve você em casa?

– Nigel! – exclamou Olivia, com a voz esganiçada. – Miranda, sua sortuda.

Miranda ergueu as sobrancelhas. Ainda não conhecera o irmão mais velho de Olivia.

– Pois bem – disse ela, lentamente. – Será um prazer conhecê-lo enfim. Você fala tanto dele, Olivia.

Lady Rudland pediu que uma criada fosse chamá-lo.

– Miranda, você ainda não o conhece? Que estranho. Bem, na verdade, até que faz sentido. Ele só vem para casa no Natal e você sempre passa as festas na Escócia. Eu tive que ameaçar deserdá-lo para que ele viesse para o aniversário dos gêmeos. E ainda assim ele se recusou a participar da festa, com medo de que uma das mães viesse tentar casá-lo com uma fedelha de 10 anos.

– Nigel tem 19 anos e é um ótimo partido – declarou Olivia. – É visconde, e é muito bonito. Ele é igualzinho a mim.

– Olivia! – repreendeu lady Rudland.

– Ora, mas é verdade, mamãe. Se eu fosse um garoto, também seria muito bonito.

– Você já é bonita sendo menina, Livvy. – Apesar de sua lealdade à amiga, Miranda olhou com uma pontinha de inveja para os cabelos louros dela.

– Você também é. Olhe, pode escolher uma das fitas que a Fiona me deu. Eu não preciso de tantas.

Miranda sorriu. Olivia era mesmo uma ótima amiga. Ela olhou para os laços e, com certa perversidade, escolheu o de cetim lilás.

– Obrigada, Livvy. Vou usar a fita na segunda-feira mesmo, para a nossa aula.

– Mãe, a senhora mandou me chamar?

Ao som daquela voz grave, Miranda olhou para a porta e quase perdeu o fôlego. Lá estava a criatura mais esplêndida em que ela já pusera os olhos. Olivia dissera que Nigel tinha 19 anos, mas Miranda reconheceu na mesma hora o homem que ele já era. Os ombros maravilhosos eram largos e o restante do corpo era esbelto e firme. Os cabelos eram mais escuros que os de Olivia, mas ainda tinham reflexos dourados, queimados de sol, sinal de que passava muito tempo ao ar livre. Mas Miranda decidiu na mesma hora que o melhor nele eram os olhos muito, muito azuis, como os de Olivia. Ele também dava aquelas piscadinhas maliciosas.

Miranda sorriu. A mãe dela sempre dizia que dava para saber como uma pessoa era pelos olhos, e o irmão de Olivia tinha olhos fantásticos.

– Nigel, você nos faria a gentileza de acompanhar Miranda de volta para casa? – perguntou lady Rudland. – Parece que o pai dela ficou preso em algum outro compromisso.

Miranda ficou se perguntando por que ele se encolhera quando ela dissera o nome dele.

– É claro, mãe. E você, Olivia, se divertiu na festa?

– Foi espetacular.

– Onde está Winston?

Olivia deu de ombros.

– Em algum lugar por aí, brincando com o sabre que ganhou do Billy Evans.

– Não um sabre de verdade, espero.

– Se for, que Deus nos ajude – acrescentou lady Rudland. – Certo, Miranda, hora de levá-la para casa. Creio que sua capa esteja no cômodo ao lado.

Ela saiu e voltou poucos segundos depois, trazendo o casaco marrom e prático da menina.

– Vamos, então, Miranda? – A criatura celestial estendeu a mão para ela.

Miranda vestiu o casaco com pressa e deu a mão a ele. Estava no paraíso!

– Até segunda-feira! – gritou Olivia. – E esqueça aquilo que a Fiona disse. Ela não passa de uma chata.

– Olivia!

– Ora, mamãe, é verdade. Não quero mais que ela venha aqui em casa.

Miranda sorriu ao se deixar conduzir pelo irmão de Olivia. Atravessando o corredor, foram se afastando das vozes de lady Rudland e da filha.

– Muito obrigada por me levar em casa, Nigel – disse ela, baixinho.

Ele estremeceu outra vez.

– Eu... me desculpe – disse ela prontamente. – Eu não deveria chamá-lo pelo primeiro nome, não é? Mas é que Olivia e Winston sempre se referem ao senhor desta forma e...

Ela encarou o chão, derrotada. Não fazia nem dois minutos que estava na gloriosa companhia dele e já havia estragado tudo.

Ele parou e se abaixou para ficar com o rosto na altura do dela.

– Não precisa se preocupar com essas formalidades, Miranda. Vou lhe contar um segredo.

Miranda arregalou os olhos, esquecendo-se até mesmo de respirar.

– Eu detesto o meu nome de batismo.

– Não acho que isso seja segredo, Nig... quer dizer, senhor. Ou qualquer outra forma por que prefira ser chamado. Dá para ver que se encolhe toda vez que sua mãe diz seu nome.

Ele sorriu. Ao ver aquela menininha de expressão muito séria brincando com sua irmã indomável, o coração dele se enterneceu um pouco. Miranda era uma criaturinha de aparência peculiar, mas havia um quê de amável naqueles olhos castanhos imensos e expressivos.

– Como se chama, então? – perguntou Miranda.

Ele sorriu diante da franqueza dela.

– Turner.

Por um momento, ele chegou a pensar que Miranda não diria nada, já que apenas ficou ali parada, imóvel a não ser pelo piscar dos olhos. E então, como se tivesse, enfim, chegado a uma conclusão, ela disse:

– É um belo nome. Um pouco peculiar, mas eu gosto.

– Muito melhor do que Nigel, não acha?

Miranda concordou, e então perguntou:

– Foi o senhor quem escolheu? Sempre achei que as pessoas deveriam poder escolher o próprio nome. Acho que a maioria acabaria preferindo algo diferente do nome que lhe foi dado.

– E que nome a senhorita escolheria?

– Não sei ao certo, mas sei que não seria Miranda. Algum nome menos exótico, acho. As pessoas esperam alguém diferente quando pensam em Miranda, e quase sempre ficam desapontadas ao me conhecer.

– Que absurdo! – exclamou Turner. – Você é uma Miranda perfeita.

Ela ficou radiante.

– Obrigada, Turner. Posso chamá-lo assim?

– É claro. Mas, na verdade, eu não escolhi o nome. É o meu título. Visconde de Turner. Desde que fui para Eton tenho usado esse nome em vez do meu nome de batismo, Nigel.

– Ah. Combina com o senhor.

– Obrigado – disse ele, compenetrado, encantado por aquela criança séria. – Agora me acompanhe, por favor, e vamos seguir o nosso rumo.

Ele estendeu a mão esquerda para ela. Na mesma hora, Miranda passou a fita da mão direita para a esquerda.

– O que é isso?

– Isso? Ah, é uma fita. Fiona Bennet deu duas dúzias de laços de fita para Olivia, e Olivia me deu uma delas de presente.

Turner estreitou os olhos bem de leve ao se lembrar das últimas palavras de Olivia antes que eles partissem. "Esqueça aquilo que a Fiona disse." Ele tomou a fita da mão da menina.

– Creio que lugar de laço é nos cabelos, não?

– Ah, mas é que esse não combina com o meu vestido... – O protesto de Miranda foi fraco. Ele já estava prendendo o laço nos cabelos dela. – Como ficou? – sussurrou ela.

– Espetacular.

– Mesmo? – Os olhos dela se abriram ainda mais, com ceticismo.

– Mesmo. Sempre achei que lilás combinasse muito bem com cabelos castanhos.

Miranda se apaixonou na hora. O sentimento foi tão intenso que ela até se esqueceu de agradecer o elogio.

– Vamos? – disse ele.

Ela assentiu sem dizer nada, com medo de a voz falhar.

Foram na direção do estábulo.

– Acho que seria bom se fôssemos cavalgando – falou Turner. – Está um dia bonito demais para irmos de carruagem.

Miranda assentiu outra vez. Estava mesmo um calor atípico para março.

– Pode ir com o pônei da Olivia. Sei que ela não vai se incomodar.

– A Livvy não tem um pônei. – Miranda conseguiu enfim controlar a voz o suficiente para falar. – Agora ela já tem uma égua. Eu também, em casa. Nós não somos mais crianças, sabe?

Turner reprimiu um sorriso.

– De fato, estou vendo que não. Tolice minha. Não estava pensando direito.

Alguns minutos depois, com os cavalos selados, partiram para a cavalgada de quinze minutos até o lar dos Cheevers. Miranda passou o primeiro minuto calada, feliz demais para estragar aquele momento de alegria com palavras.

– A senhorita se divertiu na festa? – perguntou Turner, enfim.

– Ah, sim. Na maior parte do tempo foi muito agradável.

– Na maior parte do tempo?

Ele notou que ela se encolheu. Ficou claro que tinha falado demais.

– Bem... – continuou ela, devagar, mordendo o lábio antes de prosseguir: – Uma das garotas me disse coisas um tanto desagradáveis.

– Não diga...

Turner sabia que não deveria parecer curioso demais. E claramente estava certo, porque a menina logo soltou o verbo e em seu discurso lembrava um pouco Olivia, encarando-o com aqueles olhos sinceros.

– Foi a Fiona Bennet – disse, com ares de reprovação –, e Olivia a chamou de chata, e devo dizer que não lamentei nem um pouco.

Turner manteve a expressão séria, como era apropriado.

– Eu também não lamento, isto é, considerando-se que Fiona a tratou mal.

– Eu sei muito bem que não sou bonita – despejou Miranda –, mas isso não é coisa que se diga a uma pessoa. É falta de educação, além de ser uma grande maldade.

Turner passou um bom tempo olhando para ela, sem saber ao certo como consolar a garotinha. Era verdade, Miranda não era bonita. Se tentasse convencê-la do contrário, sabia que ela não acreditaria nele. Mas ela não era feia. Só era um tanto... estranha.

Contudo, ele foi salvo de ter que responder quando a própria Miranda comentou:

– Acho que é o cabelo castanho.

Ele ergueu a sobrancelha.

– Não é nada sofisticado – explicou Miranda. – Assim como olhos castanhos. E eu sou magricela demais, e meu rosto é comprido demais, e eu sou pálida demais.

– Bem, tudo isso é verdade – concordou Turner.

Miranda voltou-se para ele, com uma fisionomia alarmada e melancólica.

– A senhorita tem mesmo cabelos e olhos castanhos. Não há por que negar. – Ele inclinou o rosto para o lado, fingindo fazer uma inspeção completa. – É mesmo bem magrinha, seu rosto é mesmo um pouco comprido. E não dá para negar que seja pálida.

Os lábios dela estremeceram, e Turner não conseguiu continuar provocando a menina. Ele abriu um sorriso e disse:

– Acontece que eu, pessoalmente, gosto mais de mulheres de olhos e cabelos castanhos.

– Não acredito!

– É verdade. Desde sempre. E também gosto mais das magras e pálidas.

Miranda olhou para ele desconfiada.

– E o que acha de rostos compridos?

– Bem, devo admitir que nunca prestei muita atenção nessa característica, mas definitivamente não tenho nada *contra* rostos compridos.

– Fiona Bennet disse que eu tenho lábios grossos – contou ela, quase em tom de desafio.

Turner reprimiu um sorriso e Miranda suspirou longamente.

– Nunca reparei que eu tinha lábios grossos.

– Não são tão grossos assim.

Ela o olhou de esguelha, ressabiada.

– O senhor só está dizendo isso para que eu me sinta melhor.

– Quero mesmo que se sinta melhor, mas não foi por isso. E da próxima vez que Fiona Bennet disser que a senhorita tem lábios grossos, pode dizer que ela está errada. O que tem são lábios carnudos.

– Qual é a diferença? – Ela o encarou pacientemente, com seriedade nos olhos escuros.

Turner respirou fundo.

– Bem – disse ele, tentando ganhar tempo. – Lábios grossos são... pouco atraentes. Já lábios carnudos...

– Ah. – Miranda pareceu satisfeita com isso. – Fiona tem lábios finos.

– Lábios carnudos são muito, muito melhores do que lábios finos – afirmou Turner. Ele gostava daquela garotinha peculiar e queria fazer com que ela se sentisse melhor.

– Por quê?

Turner enviou um pedido silencioso de desculpas aos deuses da etiqueta e da decência ao responder:

– Os carnudos são melhores de beijar.

– Ah. – Miranda enrubesceu, e então sorriu. – Ótimo.

Turner ficou muito satisfeito consigo mesmo.

– Sabe o que eu acho, Srta. Miranda Cheever?

– O quê?

– Acho que logo, logo, a senhorita vai crescer e aparecer.

Turner se arrependeu no mesmo instante. Sem dúvida, ela iria perguntar o que ele queria dizer com aquilo, e ele não fazia ideia de como responder. Precoce, Miranda apenas inclinou a cabeça para o lado enquanto ponderava o teor das palavras.

– Suponho que esteja certo – disse ela, enfim. – É só olhar para as minhas pernas.

Turner disfarçou uma risadinha com uma discreta tossida.

– Como assim?

– Bem, são longas demais. Mamãe sempre diz que minhas pernas começam nos *ombros*.

– Bem, para mim elas começam no quadril mesmo, como em todo mundo.

Miranda deu uma risadinha.

– Eu estava falando no sentido figurado, é claro.

Turner piscou, atônito. Era mesmo um vocabulário impressionante para uma menina de 10 anos.

– O que eu quis dizer – prosseguiu ela – foi que minhas pernas são desproporcionais em relação ao resto do corpo. Acho que é por isso que não consigo aprender a dançar. Vivo pisando no dedão da Olivia.

– Da *Olivia*?

– Praticamos juntas – explicou Miranda, sem dar mais detalhes. – Acho que se o resto do meu corpo crescer para acompanhar as pernas, talvez eu deixe de ser tão desastrada, e quem sabe eu pare de me sentir tão envergonhada o tempo todo. Aí acho que o senhor terá razão. Preciso mesmo crescer e aparecer.

– Esplêndido – disse Turner, feliz ao perceber que, por sorte, ele conseguira dizer a coisa certa na hora certa. – Bem, acho que chegamos.

Miranda ergueu os olhos para seu lar, uma casa de pedra cinzenta. Ficava às margens de um dos muitos córregos que conectavam os lagos da região, e era preciso cruzar uma pequena ponte de paralelepípedos para chegar à porta da frente.

– Muito obrigada por me trazer em casa, Turner. Prometo nunca mais chamá-lo de Nigel.

– Promete também que vai dar um beliscão na Olivia se ela me chamar de Nigel?

Miranda deu uma risadinha, levando a mão à boca. Assentiu.

Turner apeou e voltou-se para a menininha, pronto para ajudá-la a descer.

– Permite que eu dê um conselho, Miranda? – perguntou ele, de repente.

– Qual?

– Acho que deveria começar a escrever um diário.

Ela piscou, surpresa.

– Por quê? Quem iria querer ler?

– Ninguém, oras! A senhorita escreveria o diário para si mesma. E talvez um dia, depois da sua morte, seus netos possam ler para saber como era a avó deles quando jovem.

Ela inclinou a cabeça para o lado.

– E se eu nunca tiver netos?

Em um impulso, ele esticou a mão e despenteou os cabelos dela.

– A senhorita faz perguntas demais, boneca.

– Mas e se eu nunca tiver netos?

Meu Deus, que persistente...

– Talvez fique famosa – suspirou ele. – E aí, na escola, as crianças que estudarem a sua vida poderão querer saber mais.

Miranda lançou a ele um olhar cético.

– Ora, está bem. Quer saber o *verdadeiro* motivo para que eu ache que deve escrever um diário?

Ela assentiu.

– Porque um dia a senhorita vai crescer e aparecer, e será tão bonita quanto já é inteligente. E então poderá reler o diário e perceber como Fiona Bennet e as meninas do tipo dela são bobas. Garanto que vai morrer de rir ao se lembrar de como sua mãe dizia que suas pernas começavam nos ombros. E talvez ainda reste um pequeno sorriso para dedicar a mim quando se lembrar deste dia e desta nossa conversa agradável.

Miranda o encarou, pensando que ele devia ser um daqueles deuses gregos sobre os quais o pai dela vivia lendo.

– Sabe o que eu acho? – sussurrou ela. – Acho que Olivia é muito sortuda de ter o senhor como irmão.

– E eu acho que ela é muito sortuda de ter a senhorita como amiga.

Os lábios dela estremeceram.

– Vou dedicar um sorriso *enorme* ao senhor – sussurrou ela.

Ele fez uma mesura graciosa, beijando as costas da mão dela como teria feito com a dama mais linda de Londres.

– Acho bom, boneca.

Ele sorriu e fez um cumprimento com a cabeça, depois montou e partiu, guiando a égua de Olivia. Miranda ficou observando o irmão da amiga sumir no horizonte, e assim permaneceu por mais uns bons dez minutos.

Mais tarde naquela mesma noite, Miranda foi ao escritório do pai. Ele estava debruçado sobre o texto, alheio à cera da vela que se derramava na mesa.

– Papai, quantas vezes tenho que lembrar o senhor de prestar atenção nas velas?

Ela suspirou e pôs a vela no lugar apropriado.

– O quê? Ah, céus!

– E o senhor precisa de mais de uma. Está escuro demais para ler.

– Está? Nem percebi. – Ele piscou e então estreitou os olhos. – Já não passou da sua hora de ir dormir?

– A babá disse que posso ir dormir meia hora mais tarde hoje.

– É mesmo? Bem, se ela falou, está falado.

Ele voltou a se concentrar no manuscrito, efetivamente dispensando a filha.

– Papai?

Ele suspirou.

– O que foi, Miranda?

– Por acaso o senhor tem um caderno sobrando? Um desses que usa para traduzir, mas antes de passar a limpo a versão final?

– Acho que sim. – Ele abriu a última gaveta da escrivaninha e procurou. – Aqui está. Mas para que você precisa de um caderno? Este aqui é de alta qualidade, sabia? Não é nada barato.

– Vou escrever um diário.

– É mesmo? Ora, suponho que seja um hábito muito válido – elogiou ele, entregando o caderno a Miranda.

A menina ficou radiante.

– Obrigada. Eu aviso o senhor quando terminar este e precisar de outro.

– Muito bem. Boa noite, querida – disse ele, antes de voltar aos escritos.

Abraçada ao caderno, Miranda subiu as escadas correndo e voltou ao quarto. Pegou um tinteiro e uma pena, e abriu o caderno na primeira folha. Escreveu a data e, depois de ponderar com bastante cuidado, escreveu uma única frase. Sentia que não precisava dizer mais nada.

2 de março de 1810
Hoje eu me apaixonei.

Capítulo um

Nigel Bevelstoke, mais conhecido como Turner entre todos que queriam agradá-lo, sabia muitas coisas.

Sabia ler em latim e em grego, e sabia seduzir uma mulher em francês e em italiano.

Sabia atirar em um alvo móvel estando no lombo de um cavalo em movimento, e sabia exatamente quantas doses podia beber antes de começar a perder a dignidade.

Era capaz de boxear ou esgrimir contra um mestre, tudo isso enquanto recitava Shakespeare ou Donne.

Em suma, sabia tudo que um cavalheiro deveria saber e, sob todos os aspectos, só acumulava triunfos em cada área.

As pessoas sempre o observavam.

As pessoas sempre o admiravam.

Mas nada, nem um segundo de sua vida proeminente e privilegiada, o preparara para aquele momento. E ele nunca sentira o peso de um olhar como naquele momento – o momento em que dava um passo à frente e despejava um monte de terra sobre o caixão da esposa.

"Sinto muito", repetiam as pessoas. "*Sinto muito.* Sentimos muito."

E o tempo todo Turner ficava se perguntando se Deus iria castigá-lo, porque tudo o que conseguia pensar era...

Eu não sinto.

Ah, Leticia... Tinha muito a agradecer a ela.

Vejamos, por onde começar? Primeiro, é claro, a perda da reputação dele. Só o diabo sabia quantas pessoas estavam cientes de que ele fora traído.

Diversas vezes.

Depois, a perda da inocência. Ele mal lembrava, mas houve um tempo em que dera um voto de confiança à humanidade. Turner costumava acreditar no melhor das pessoas; acreditar que, se as tratasse com honra e respeito, receberia a mesma deferência.

E, por fim, a perda de sua alma.

Porque, ao dar um passo para trás, cruzando as mãos com força às costas enquanto ouvia o padre devolver à terra o corpo de Leticia, Turner não conseguia deixar de pensar em como ansiara por aquele momento, como desejara se livrar dela.

Tampouco iria guardar luto – não *estava* de luto por ela.

– É uma lástima – sussurrou alguém atrás dele.

Turner trincou o maxilar. Não era uma lástima. Era uma farsa. E agora ele teria que passar um ano inteiro vestindo preto por uma mulher que viera até ele com o filho de outro homem no ventre. Ela o enfeitiçara, o provocara a ponto de ele não conseguir pensar em nada além de possuí-la. Ela tinha dito que o amava, sorrindo com doçura, inocência e alegria quando Turner jurou sua devoção e prometeu a alma a ela.

Ela era tudo que ele sempre sonhara.

Até se transformar em seu maior pesadelo.

Leticia perdera o bebê, o motivo por trás do casamento deles. Era fruto da relação com um conde italiano, ou pelo menos foi isso que ela alegou. Mas o tal conde era casado, ou inadequado, ou talvez as duas coisas. Turner estava disposto a perdoá-la; todos cometiam erros, e ele próprio não havia desejado possuí-la antes da noite de núpcias?

Mas não era amor que Leticia queria. Ele não sabia o que diabo ela desejava – poder, talvez, a inebriante satisfação de saber que mais um homem caíra em suas garras, enfeitiçado.

Turner se perguntava se era isso que ela sentira quando ele se rendeu aos encantos dela. Ou talvez fosse só alívio. Quando se casaram, Leticia já estava com três meses de gestação. Não havia tempo a perder.

E agora ali estava ela. Ou melhor, lá embaixo. Turner não sabia muito bem qual advérbio de lugar seria mais apropriado para situar um corpo sem vida que acabara de ser enterrado.

Não importava. Mas Turner lamentava muito saber que ela passaria a eternidade no solo *dele*, repousando em meio a todos os Bevelstokes de outrora. A lápide daquela mulher ostentaria o nome dele e, em cem anos, alguém olharia os entalhes no granito e pensaria que ali devia jazer uma dama, lamentando-se pela tragédia de sua morte tão precoce.

Turner se virou para o padre. Era um sujeito jovem, novo na paróquia e inexperiente na vida, ainda acreditando ser capaz de transformar o mundo em um lugar melhor.

– Do pó ao pó – disse o padre, erguendo o olhar para o homem que devia ser o viúvo desconsolado.

Ah, sim, pensou Turner com amargura. *Acho que sou eu.*

– Do pó ao pó.

Atrás dele, alguém chegou a fungar.

E o padre, com os olhos azuis cheios de uma compaixão absurdamente deslocada, continuou falando...

– Na certeza e na esperança da Ressurreição...

Ó, céus.

– ... para a vida eterna.

O padre olhou para Turner e nitidamente se encolheu. Turner ficou se perguntando o que ele teria visto em seu rosto. Nada de bom, isso estava claro.

Ouviu-se um coro de "Amém", e então estava terminada a cerimônia. Todos olharam do padre para Turner e de novo para o padre, quando este tomou a mão do viúvo e disse:

– Deixará saudades.

Turner não se conteve e emendou:

– Não para mim.

~

Não acredito que ele disse isso.

~

Miranda releu as palavras que tinha acabado de escrever. Estavam na página 42 de seu 13º diário, mas essa era a primeira vez – a primeira vez desde aquele dia fatídico, nove anos antes – que ela não fazia ideia do que escrever. Mesmo quando seus dias eram entediantes (o que não era raro), ela conseguia encontrar alguma coisa digna de registro.

Em um dia de maio, quando tinha 14 anos...

Acordei.
Fui me vestir.
Tomei café: torrada, ovos, bacon.
Li "Razão e sensibilidade", de autoria de uma mulher desconhecida.
Guardei "Razão e sensibilidade" fora das vistas do papai.
Almocei: frango, pão, queijo.
Estudei conjugação verbal em francês.
Escrevi uma carta para minha avó.
Jantei: bife, sopa, pudim.
Li mais "Razão e sensibilidade", de autoria ainda desconhecida.
Voltei aos meus aposentos.
Dormi.
Sonhei com ele.

Não confundir com o relato do dia 12 de novembro do mesmo ano...

Acordei.
Tomei café: ovos, torrada, presunto.
Fiz questão de mostrar que estava lendo uma tragédia grega. Não adiantou muito.
Passei a maior parte do tempo na janela com o olhar perdido.
Almocei: peixe, pão, ervilhas.
Estudei conjugação verbal em latim.
Escrevi uma carta para minha avó.
Jantei: carne assada, batatas, pudim.
Levei a tragédia grega para a mesa (o livro, não o evento). Meu pai nem reparou.
Voltei aos meus aposentos.
Dormi.
Sonhei com ele.

Mas agora – agora que algo imenso e marcante havia de fato acontecido (para variar), ela não tinha nada a escrever além de...

Não acredito que ele disse isso.

– Bem, Miranda – murmurou ela, olhando a tinta seca na ponta da pena –, parece que seus diários não vão lhe trazer fama.

– O que disse?

Miranda fechou o diário na mesma hora. Não havia reparado que Olivia tinha acabado de entrar.

– Nada – respondeu Miranda imediatamente.

Olivia atravessou o quarto e se atirou na cama.

– Que dia horrível!

Miranda concordou, virando-se na cadeira a fim de olhar para a amiga.

– Ainda bem que você estava aqui – disse Olivia, suspirando. – Obrigada por ter passado a noite aqui em casa.

– Imagine – respondeu Miranda.

Olivia dissera que precisava dela, de modo que não houvera nem o que pensar.

– O que está escrevendo?

Miranda baixou os olhos e percebeu, só naquele instante, que suas mãos ocultavam a capa do caderno, tentando escondê-lo.

– Nada – respondeu.

Olivia estava olhando para o teto, mas, ao ouvir aquilo, voltou-se para a amiga na mesma hora.

– É mentira.

– Infelizmente, não é.

– Por que "infelizmente"?

Miranda piscou, atônita. Típico de Olivia fazer as perguntas mais óbvias – e que levavam às respostas menos óbvias.

– Bem...

Não que Miranda estivesse enrolando para ganhar tempo. Na verdade, enquanto falava, ia tentando compreender melhor o que sentia. Tirou as mãos de cima do caderno e olhou para a capa, como se, em um passe de mágica, a resposta fosse aparecer ali.

– Isto é tudo o que eu tenho. Tudo o que sou.

Olivia parecia um tanto incrédula.

– É um caderno.

– É a minha vida.

– E depois as pessoas ainda dizem que *eu* sou dramática... – comentou Olivia.

– Ora, não estou dizendo que isto é a minha vida *de fato* – retorquiu Miranda, com certa impaciência –, mas tudo a respeito da minha vida está aqui dentro. Tudo. Eu escrevo *tudo* aqui. Desde que tinha 10 anos.

– Tudo mesmo?

Miranda pensou nos muitos dias nos quais obedientemente registrara o que havia comido, e só.

– Tudo.

– Eu nunca conseguiria escrever um diário.

– Realmente...

Olivia rolou para o lado, apoiando a cabeça na mão.

– Não precisava ter concordado com tanta rapidez.

Miranda apenas sorriu. Olivia voltou a se deitar de costas.

– Imagino que você vá escrever que a minha capacidade de concentração é limitada.

– Já escrevi.

Silêncio. E então:

– Sério?

– Se não me engano, escrevi que você fica entediada com facilidade.

– Bem – respondeu a amiga após uma curtíssima reflexão –, isso é verdade.

Miranda olhou para a escrivaninha. A vela emitia centelhas de luz sobre o mata-borrão, e de repente ela se sentiu muito cansada. Cansada, mas, infelizmente, sem sono.

Desgastada, talvez. Inquieta.

– Estou exausta – declarou Olivia, escorregando para o chão.

A criada deixara as roupas de dormir de Olivia em cima da cama, e Miranda, respeitosamente, olhou para o outro lado quando a amiga começou a se trocar.

– Quanto tempo acha que Turner vai passar aqui? – perguntou Miranda, tentando não se atrapalhar.

Odiava se dar conta de que ainda vivia desesperada para vê-lo, ainda que por um ínfimo momento, mas já fazia anos que era assim. Até no dia do casamento de Turner, sentada no banco da igreja, não conseguira tirar os olhos dele, mesmo tendo que encará-lo com os olhos grudados na noiva, irradiando todo o amor e devoção que ardiam no próprio coração...

Ainda o observava. Ainda o amava. Ela o amaria para todo o sempre. Ele era o homem que a fizera acreditar em si mesma. Turner não tinha a menor ideia do que fizera com ela – do que *causara* nela – e talvez nunca viesse a ter. Mas Miranda ainda o desejava. E provavelmente o desejaria para sempre.

Olivia deitou-se na cama.

– Ainda vai ficar acordada por muito tempo? – perguntou ela, já com a voz grogue de sono.

– Não, vou dormir em breve – respondeu Miranda.

Olivia não conseguia dormir enquanto houvesse uma vela acesa. Miranda não via muito sentido nisso, uma vez que a claridade da lareira não a incomodava nem um pouco, mas já vira com os próprios olhos a amiga se revirar na cama sem conseguir pegar no sono por causa da vela. Então, quando percebeu que a própria mente estava longe de se aquietar e que "em breve" não tinha sido exatamente a verdade, apagou a vela.

– Vou lá para fora terminar de escrever – disse ela, com o diário embaixo do braço.

– Obrigadzzz... – murmurou Olivia.

Foi só o tempo de Miranda vestir um penhoar e chegar à porta, e a amiga já havia adormecido.

Miranda prendeu o diário embaixo do queixo, deixando as mãos livres para amarrar a faixa na cintura. Estava habituada a pernoitar em Haverbreaks, mas ainda assim não era apropriado perambular pelos corredores da casa de outrem só de camisola.

A noite estava escura e a única fonte de iluminação era o luar que entrava pelas janelas, mas Miranda teria conseguido sair do quarto de Olivia e chegar à biblioteca mesmo se estivesse de olhos fechados. A amiga sempre pegava no sono antes – segundo ela mesma dizia, por causa dos muitos pensamentos que agitavam sua mente –, de modo que Miranda tinha o costume de ir para outro cômodo para registrar suas reflexões no diário. Miranda poderia muito bem solicitar um aposento só para si, mas a mãe de Olivia não era afeita a extravagâncias e não via motivo para mandar aquecer dois quartos quando apenas um dava conta do recado.

Miranda não se incomodava. Na verdade, gostava da companhia. Sua própria casa andava silenciosa demais. Sua amada mãe falecera havia quase um ano e Miranda ficara sozinha com o pai. Enlutado, ele se entregara de corpo e alma aos preciosos manuscritos, deixando a filha sozinha. Miranda buscara amor e amizade entre os Bevelstokes, e eles a receberam de braços abertos. Em respeito à memória de lady Cheever, Olivia chegou a passar três meses trajando preto.

– Se um dos meus primos morresse, eu seria forçada a guardar luto da mesma forma – dissera Olivia no velório. – E eu com certeza amava a sua mãe mais do que amo qualquer um dos meus primos.

– Olivia! – Miranda estava comovida, mas, ainda assim, pensou que o certo seria se mostrar chocada.

Olivia revirou os olhos.

– Até parece que você não conhece os meus primos.

E então Miranda riu. No velório da própria mãe, Miranda deu uma risada. Depois, viria a perceber que aquele fora o melhor presente que a amiga poderia ter lhe dado.

– Eu amo você, Livvy – disse ela.

Olivia pegou a mão da amiga.

– Eu sei – disse ela, baixinho. – E eu amo você. – Então ela endireitou os ombros e assumiu a postura ereta de sempre. – Se não fosse por você, eu seria uma pessoa incorrigível. Minha mãe vive dizendo que você é o único motivo pelo qual eu ainda não cometi alguma ofensa imperdoável.

Miranda imaginava que era por isso que lady Rudland se oferecera para amadrinhá-la durante uma temporada em Londres. Ao receber o convite, o pai dela suspirara aliviado e desembolsara, sem demora, a quantia necessária. Sir Rupert Cheever não era um homem de grandes fortunas, mas tinha o suficiente para cobrir uma temporada em Londres para sua única filha. O que lhe faltava era a paciência – ou, falando francamente, o interesse em assumir a responsabilidade de levá-la.

O *début* das duas jovens, no entanto, acabou sendo adiado por um ano. Miranda não podia ir enquanto estivesse de luto pela mãe, e lady Rudland decidira permitir que Olivia também esperasse. Dezenove era tão bom quanto 18, dissera ela. E tinha razão; todos achavam que Olivia conseguiria um partido excelente. Certamente seria um sucesso, com sua beleza estonteante, sua personalidade vivaz – e, como a própria Olivia observava em tom mordaz, seu vultoso dote.

Mas a morte de Leticia, além de trágica, também ocorrera em um momento muito inoportuno, porque agora havia mais um período de luto a ser guardado. Contudo, lady Rudland decidiu, de forma categórica, que seis semanas seriam o suficiente, já que ela e Leticia não eram irmãs de sangue.

Mas não havia outro jeito. A temporada começaria com um pequeno atraso para elas.

No fundo, isso deixava Miranda feliz. Ela ficava aterrorizada só de pensar em um baile londrino. Não por timidez, porque não se considerava tímida, mas por não ser muito afeita a multidões e por achar muito desagradável a ideia de estar entre tantas pessoas que ficariam observando-a e julgando-a o tempo todo.

Não há como evitar, pensou ela, enquanto descia as escadas. Em todo caso, seria muito pior ficar presa em Ambleside sem a companhia de Olivia.

Miranda se deteve ao pé da escada, tentando decidir para onde ir. A sala de estar da ala oeste tinha uma escrivaninha melhor, mas a biblioteca costumava ser mais quente, e estava um tanto frio naquela noite. Por outro lado...

Hum... o que era aquilo?

Ela inclinou o corpo para o lado, espiando o fim do corredor. Alguém estava com a lareira acesa no escritório de lorde Rudland. Miranda não imaginou que alguém ainda pudesse estar perambulando pela casa; os Bevelstokes sempre se recolhiam cedo.

Ela seguiu a passos silenciosos sobre a passadeira até chegar à porta aberta.

– Ah! – foi tudo o que ela disse.

Sentado na poltrona do pai, Turner ergueu o rosto.

– Srta. Miranda – disse ele com a fala arrastada, sem a menor alteração em sua postura relaxada. – *Quelle surprise*.

Turner não sabia ao certo por que *não* estava surpreso ao ver a Srta. Miranda Cheever ali, parada à porta do escritório de seu pai. Quando ouviu passos no corredor, algo lhe disse que eram dela. Era verdade que todos de sua família tinham sono pesado, e era quase inconcebível que alguém ainda estivesse de pé, perambulando pelos corredores para fazer uma boquinha ou arrumar algo para ler.

Mas o que o levara à conclusão de que os passos seriam de Miranda ia além de um mero processo de eliminação. Era uma pessoa observadora, aquela garota, sempre atenta a tudo com seus imensos olhos de coruja. Ele não se lembrava do momento exato em que tinham sido apresentados – provavelmente ela ainda usava fraldas. Na verdade, Miranda era uma presença constante; de alguma maneira estava *sempre* por lá, mesmo em momentos como aquele, quando deveria haver apenas a família por perto.

– Já estou de saída – disse ela.

– Não, não – retrucou ele, porque... Por quê?

Porque estava com vontade de aprontar?

Porque tinha bebido demais?

Porque não queria ficar sozinho?

– Fique – pediu ele, acenando com o braço de forma expansiva. Tinha que haver algum lugar onde ela pudesse se sentar. – Beba comigo.

Ela arregalou os olhos.

– Uau! Não sabia que era possível que eles ficassem ainda maiores – murmurou ele.

– Não posso beber – disse ela.

– Não pode?

– Não *devo* – corrigiu ela, franzindo a testa.

Ótimo, tinha conseguido irritá-la. Era bom saber que ele ainda conseguia provocar uma mulher, mesmo uma moça tão inexperiente quanto Miranda.

– A senhorita já está aqui – declarou ele, dando de ombros. – Por que não tomamos um conhaque?

Miranda ficou imóvel por um momento, e Turner teve a impressão de ouvir o cérebro dela trabalhando. Por fim, ela deixou o livreto na mesinha ao lado da porta e entrou no escritório.

– Só uma dose – disse ela.

Ele sorriu.

– Porque a senhorita conhece bem o seu limite?

Ela o encarou.

– Porque eu *não* conheço bem o meu limite.

– Muita sabedoria para uma moça tão jovem – murmurou ele.

– Tenho 19 anos.

A resposta não foi em tom desafiador, era apenas uma constatação.

Ele ergueu a sobrancelha.

– Então, como eu ia dizendo...

– Quando o senhor tinha 19 anos...

Ele abriu um sorriso sarcástico ao perceber que ela havia deixado a frase inacabada.

– Quando eu tinha 19 anos – ele repetiu as palavras dela, entregando-lhe uma dose generosa de conhaque –, eu era um idiota.

Ele olhou para a dose que preparara para si mesmo, tão grande quanto a de Miranda. Bebeu tudo de um só gole, longo e satisfatório.

Turner colocou o copo na mesa com um ruído alto e se recostou na poltrona, levando as mãos à nuca e repousando a cabeça nas mãos entrelaçadas.

– Assim como são todos os jovens de 19 anos, eu diria – acrescentou ele, observando-a. Miranda nem tocara na bebida. Ainda estava de pé. – Isto é, excluindo, ao que tudo indica, a presente companhia – corrigiu ele.

– Achei que conhaque se servisse numa taça – disse ela.

Turner observou Miranda indo cuidadosamente em direção ao assento. Não era bem ao lado dele, mas também não era do outro lado do cômodo. Ela o olhava fixamente, e Turner não pôde deixar de se perguntar o que ela estaria achando que ele poderia fazer. Dar um bote?

– Conhaque – anunciou ele, como se tivesse uma plateia muito maior – deve ser servido no que estiver à mão. Neste caso...

Ele pegou o copo que, na verdade, era para uísque e analisou sua estrutura, observando a luz das chamas que dançavam no vidro. Nem se deu o trabalho de terminar a frase. Não parecia necessário e, além disso, ele já estava ocupado demais servindo outra dose para si.

– Saúde! – exclamou, bebendo de novo a dose inteira de uma golada só.

Miranda, por sua vez, continuava ali sentada, observando-o. Ele não sabia ao certo se ela o desaprovava; sua expressão era insondável. Mas ele queria que ela dissesse alguma coisa. Na verdade, qualquer coisa, até continuar um papo furado sobre copos e taças bastaria para distrair a mente de Turner. Ele queria esquecer que ainda eram onze e meia e que faltavam, assim, mais trinta minutos até que pudesse declarar que aquele dia maldito tinha chegado ao fim.

– Então, Srta. Miranda, o que achou da cerimônia? – perguntou ele, desafiando-a com o olhar a dizer algo além das banalidades de sempre.

Viu a surpresa no rosto da jovem: a primeira emoção que conseguira discernir com clareza até então.

– Está falando do velório?

– Foi a única cerimônia do dia – retrucou ele, com considerável vivacidade.

– Foi... hã... interessante.

– Ah, Srta. Cheever, por favor. Sei que pode fazer melhor do que isso.

Ela mordeu o lábio inferior. Ele se lembrou de que Leticia também costumava fazer isso. Na época em que ainda fingia ser uma moça inocente. O que teve fim no instante em que a aliança entrou no dedo dela.

Ele serviu mais uma dose.

– O senhor não acha...

– *Não* – respondeu ele, enfático.

Não existia no mundo conhaque suficiente para uma noite como aquela.

E então ela estendeu a mão, pegou o copo e bebeu.

– Achei que o senhor foi esplêndido.

Maldição. Ele tossiu e engasgou, como se o inocente ali fosse ele, tomando o primeiro gole de conhaque da vida.

– O que disse?

Ela deu um sorriso plácido.

– Convém beber o conhaque em goles menores.

Ele só a encarou.

– É raro ouvir alguém falando dos mortos de forma honesta – disse ela. – Não sei se foi a ocasião mais apropriada, mas... bem... ela não era uma pessoa muito boa, não é mesmo?

Miranda parecia tão serena, tão inocente, mas o olhar dela... era afiado.

– Ora, ora, Srta. Cheever – murmurou ele –, é impressão minha ou a senhorita tem um quê de vingativa?

Ela deu de ombros e bebeu mais um gole; um golinho, notou ele.

– De forma alguma – respondeu ela, embora ele não acreditasse nem um pouco –, mas sou bastante observadora.

Ele deu uma risadinha.

– De fato.

Ela se retesou.

– Perdão?

Tinha incomodado a jovem outra vez. Não sabia por que isso o deixava tão satisfeito, mas não pôde reprimir certo contentamento. E fazia muito tempo desde a última vez que algo, qualquer coisa, o deixara contente. Ele se inclinou um pouco mais, só para ver se conseguiria deixá-la desconfortável.

– Eu tenho observado a senhorita.

Mesmo à meia-luz da lareira, Turner viu que Miranda ficou pálida.

– E sabe o que eu notei? – instigou ele.

Ela ficou boquiaberta e balançou a cabeça.

– Que a *senhorita* tem me observado.

Ela se levantou e quase derrubou a cadeira com o movimento repentino.

– É melhor eu ir – disse ela, abruptamente. – Esta situação é muito inapropriada, está tarde e...

– Ora, Srta. Cheever, deixe disso. – Ele se levantou. – Não precisa se preocupar. A senhorita observa todo mundo. Acha que eu não percebo?

Ele esticou o braço, pegando a mão dela. Ela congelou, mas não se virou.

Turner apertou. Só um pouco. Só o suficiente para impedir que ela fosse embora, porque não queria isso. Não queria ficar sozinho. Ainda faltavam vinte minutos, e ele queria fazer com que ela sentisse raiva, tanta raiva quanto ele sentia – tanta raiva quanto ele sentira durante todos aqueles anos.

– Diga-me, Srta. Cheever – sussurrou ele, levando dois dedos ao queixo dela. – A senhorita já foi beijada?

Capítulo dois

Não seria exagero dizer que Miranda passara anos e anos sonhando com aquele momento. E, em seus sonhos, sempre sabia muito bem o que dizer. Mas a realidade parecia torná-la muito menos articulada, de modo que só conseguiu ficar olhando para Turner, sem ar – literalmente, pensou ela, literalmente sem ar.

Curioso... ela sempre achou que aquela expressão fosse uma metáfora. *Sem ar. Sem ar.*

– Foi o que pensei – respondeu ele, embora ela mal tenha conseguido escutar em meio aos pensamentos alucinados.

Ela precisava sair correndo dali, mas estava paralisada. E não deveria permitir, mas queria tanto, ou ao menos *achava* que queria... Porque certamente passara muito tempo desejando aquilo, desde que tinha apenas 10 anos e nem sabia ao certo o que estava desejando, e...

E então os lábios dele encontraram os dela.

– Adorável – murmurou ele, percorrendo a face de Miranda com beijinhos delicados e sedutores até chegar ao maxilar.

Era como estar no paraíso. Diferente de tudo o que ela já vivera. Miranda sentia algo se acelerar dentro do peito, uma tensão esquisita, algo que se contraía e depois dilatava, e como ela não sabia ao certo o que fazer, simplesmente ficou ali parada, aceitando os beijos que, naquele momento, voltavam por sua bochecha em direção à boca.

– Abra os lábios – ordenou ele, e ela obedeceu, porque era Turner, e porque ela desejava aquele beijo. Não desejara desde sempre?

Ele enfiou a língua na boca de Miranda e ela sentia-se cada vez mais atraída pelo corpo dele. Havia urgência naquele toque, naqueles lábios, e então ela percebeu que aquilo não estava certo. Aquele não era o momento com que passara anos sonhando. Ele não a desejava de verdade. Ela não sabia por que Turner a estava beijando, mas ele não a desejava. E definitivamente não a amava. Não havia a menor gentileza naquele beijo.

– Maldição, me beije de volta – rosnou ele, colando os lábios aos dela com uma insistência renovada. Havia certa aspereza, até raiva naquele beijo. Pela primeira vez naquela noite, Miranda começou a sentir medo.

– Não – ela tentou dizer, mas a voz se perdeu diante da boca dele.

De alguma maneira, a mão dele chegou ao traseiro de Miranda, apertando-o, puxando-a para si de uma forma muito íntima. E ela não entendia como era possível querer e não querer, como aquele homem era capaz de deixá-la arrebatada e assustada, como ela conseguia amá-lo e odiá-lo ao mesmo tempo, com a mesma intensidade.

– Não – repetiu ela, empurrando o peito de Turner com as mãos. – Não!

Então ele deu um passo atrás, de repente, sem o menor desejo de continuar.

– Miranda Cheever – murmurou ele, de forma arrastada. – Quem diria?

Ela deu um tapa em Turner.

Ele estreitou os olhos, mas não disse nada.

– Por que você fez isso? – perguntou a jovem, em tom autoritário, mas com a voz controlada, mesmo que tremesse da cabeça aos pés.

– Por que beijei você? – Ele deu de ombros. – Por que não?

– Não – rebateu ela, mortificada ao ouvir a mágoa tão clara na própria voz. Queria estar com ódio. *Estava* com ódio, mas queria que isso ficasse claro em sua voz. Queria que ele *soubesse.* – O senhor não vai se safar tão fácil assim. Perdeu esse privilégio.

O desgraçado então deu uma risadinha.

– Estou me divertindo com esse seu jeito seguro de si.

– Pare com isso! – exclamou. Turner estava falando coisas que ela não entendia, o que fazia com que ela o odiasse. – Por que me beijou? O senhor não me ama.

Ela cravou as unhas nas palmas das mãos. *Idiota. Como eu sou idiota.* Por que tinha dito aquilo?

Ele, contudo, apenas sorriu.

– Eu esqueço que a senhorita só tem 19 anos e, portanto, ainda não entende que amor jamais é pré-requisito para um beijo.

– O senhor nem sequer parece gostar de mim.

– Bobagem. É claro que gosto. – Ele piscou, como se estivesse tentando se lembrar, afinal de contas, quão bem a conhecia. – Bem, eu definitivamente não desgosto da senhorita.

– Eu não sou a Leticia – sussurrou ela.

Em meio segundo, o punho dele se cerrou ao redor do braço dela, apertando quase a ponto de doer.

– *Nunca mais* mencione esse nome, ouviu bem?

Perplexa com a fúria que emanava dos olhos dele, Miranda só conseguiu encará-lo.

– Desculpe. Agora, por favor, me solte.

Mas ele não a soltou, apenas aliviou a tensão dos dedos, mas só um pouco. Era quase como se ele estivesse olhando através dela. Olhando para um fantasma. Leticia.

– Turner, por favor – sussurrou Miranda. – Está me machucando.

Algo mudou na expressão dele, e Turner recuou.

– Desculpe – disse, e olhou para o lado. Para a janela? Para o relógio? – Peço desculpas – atalhou ele. – Por tê-la atacado. Por tudo.

Miranda engoliu em seco. Precisava ir embora. Deveria ter dado o tapa e saído imediatamente, mas ela devia ser uma pessoa desprezível, pois não conseguiu se conter e disse:

– Sinto muito que ela tenha feito o senhor tão infeliz.

Na mesma hora, ele a encarou.

– Parece que a fofoca chega a cavalo, até mesmo à sala de aula, não é verdade?

– Não! – exclamou ela, no mesmo instante. – É só que... dava para ver com muita clareza.

– Ah, é?

Miranda mordeu o lábio, pensando no que dizer. A fofoca chegara *mesmo* à sala de aula. Porém, mais do que isso, ela mesma vira com os próprios olhos. No dia do casamento tinha ficado bem claro que ele estava apaixonado. Havia um brilho em seus olhos e, toda vez que ele olhava para Leticia, Miranda via nitidamente que o resto do mundo desaparecia para Turner. Era como se vivessem em um mundinho particular, só os dois, e ela os observasse do lado de fora.

Mas ao revê-lo pela primeira vez depois do casamento... Turner estava diferente.

– Miranda – insistiu ele.

Ela ergueu o rosto.

– Era evidente para qualquer pessoa que o conhecia desde antes do casamento que o senhor estava infeliz.

– Como assim?

Ele a encarou tão intensamente que Miranda sabia que deveria dizer a verdade.

– Antes o senhor sorria – disse ela, baixinho. – Sorria muito, e o sorriso chegava aos seus olhos.

– E agora?

– Agora o senhor é um homem frio e severo.

Ele fechou os olhos e, por um momento, Miranda achou que tinha magoado Turner. Mas então ele lhe lançou um olhar penetrante e um dos cantos de sua boca se ergueu em um sorriso debochado.

– Sou mesmo. – Ele cruzou os braços e se apoiou numa estante de livros em um gesto insolente. – Por favor, Srta. Cheever, me diga, quando foi que ficou tão perspicaz?

Miranda engoliu em seco, lutando contra o nó de decepção que se formava em sua garganta. Mais uma vez, os fantasmas dele haviam vencido. Por um momento, enquanto ele estava de olhos fechados, Miranda até chegara a acreditar que ele a compreendera. Não exatamente suas palavras, mas o significado real por trás delas.

– Sempre fui assim – declarou ela. – O senhor mesmo comentava quando eu era pequena.

– Esses olhos castanhos enormes – falou ele, com uma risada insensível. – Sempre em mim onde quer que eu estivesse. Acha que eu não percebia que a senhorita gostava de mim?

Os olhos de Miranda ficaram marejados. Como ele podia ser tão cruel?

– O senhor sempre foi muito gentil comigo quando eu era criança – sussurrou ela.

– Creio que sim, mas isso foi há muito tempo.

– Sei disso melhor do que ninguém.

Ele não disse nada, e ela também não. Então, por fim...

– Vá embora.

A voz dele saiu rouca e cheia de dor e decepção.

Miranda obedeceu.

E, naquela noite, não escreveu nada em seu diário.

Na manhã seguinte, Miranda acordou com um único objetivo em mente: ir para casa. Por mais que fosse perder o café da manhã, por mais que houvesse nuvens carregadas no céu e ela fosse obrigada a enfrentar uma chuva torrencial. Ela só não queria estar *ali*, com ele, na mesma casa, na mesma propriedade.

Era muito triste. Ele se fora. O Turner que ela conhecera, o homem que por tanto tempo ela havia adorado... se fora. É claro que nas ocasiões em que ele viera visitar os pais Miranda percebera que algo estava diferente. Na primeira vez, os olhos dele já deixavam claro. Depois fora a boca, as rugas pálidas de raiva nos cantos dos lábios.

Ela havia sentido, mas só naquele momento se permitiu de fato *reconhecer*.

– Você está acordada.

Era Olivia, já vestida, bela até mesmo em seus trajes de luto.

– Infelizmente – murmurou Miranda.

– O que disse?

Miranda abriu a boca, e então se deu conta de que Olivia provavelmente não estava esperando uma resposta, então por que se dar ao trabalho?

– Bem, é melhor você se apressar – disse Olivia. – Vá se vestir enquanto eu chamo a aia para os ajustes finais. Ela faz mágica com cabelos.

Miranda ficou se perguntando em que momento Olivia perceberia que ela não mexera um único músculo.

– Miranda, *levante-se*!

Miranda teve um imenso sobressalto.

– Céus, Olivia! Ninguém lhe ensinou que é falta de educação gritar no ouvido de outro ser humano?

Olivia a encarou, com o rosto um pouco próximo demais.

– Para falar a verdade, você não está parecendo muito um ser humano.

Miranda rolou para o lado.

– Não estou me sentindo um ser humano hoje.

– Vai se sentir melhor depois do café da manhã.

– Não estou com fome.

– Mas você não pode perder o desjejum.

Miranda trincou os dentes. Deveria ser ilegal uma pessoa ser tão alegre antes do meio-dia.

– *Miranda.*

Ela enfiou o rosto no travesseiro.

– Se disser meu nome mais uma vez, vou ter que matá-la.

– Mas temos trabalho a fazer.

Miranda hesitou. De que diabo Livvy estava falando?

– Trabalho?

– Sim, trabalho. – Olivia arrancou o travesseiro do rosto da amiga, atirando-o no chão. – Tive uma ideia maravilhosa. Na verdade, sonhei.

– Você só pode estar brincando.

– Tudo bem, é brincadeira, sim, mas a ideia me ocorreu hoje de manhã enquanto eu ainda estava deitada.

Olivia sorriu; um sorriso felino, do tipo que indicava das duas, uma: ou ela tivera um lampejo de genialidade ou estava prestes a destruir o mundo como todos o conheciam. E então ela esperou – provavelmente um dos únicos momentos da vida em que esperou por algo –, até que Miranda a premiasse com:

– Muito bem. Que ideia foi essa?

– Você.

– Eu.

– E Winston.

Por um instante, Miranda não soube o que dizer. E então:

– Você perdeu a razão.

Olivia deu de ombros e se sentou.

– Ou eu sou um gênio. Pense bem, Miranda. É perfeito.

Miranda não conseguia nem começar a pensar em nada que envolvesse o sexo oposto naquele momento, que dirá um indivíduo do sexo oposto de sobrenome Bevelstoke, mesmo que não fosse Turner.

– Você o conhece muito bem, e você já está na idade – disse Olivia, contando nos dedos.

Miranda balançou a cabeça e escapuliu pelo outro lado da cama.

Olivia, contudo, era muito ágil, e em poucos segundos já estava ao lado dela.

– Eu sei que não quer debutar em uma temporada em Londres – prosseguiu ela. – Você mesma já disse isso, em inúmeras ocasiões. Sei que odeia ter que conversar com pessoas que não conhece.

Miranda tentou se esquivar da amiga, disparando na direção do guarda-roupa.

– Você já *conhece* Winston, como já observei, o que exclui a necessidade de conversar com estranhos. Além do mais – Miranda deu de cara com o rosto sorridente de Olivia –, isso faria de nós *irmãs*.

Miranda ficou imóvel, com os dedos cerrados no tecido do vestido que acabara de tirar do armário.

– Seria ótimo, Olivia – disse ela, porque, honestamente, o que mais poderia dizer?

– Ah, fico *felicíssima* que concorde! – exclamou Olivia, abraçando a amiga. – Será maravilhoso. Esplêndido. Mais do que esplêndido. Será perfeito!

Miranda ficou imóvel, perguntando-se como conseguira se meter em uma enrascada daquelas.

Olivia recuou, ainda radiante, e falou:

– Winston não perde por esperar.

– Mas seu propósito é formar esse casal ou derrotar seu irmão?

– Ora, as duas coisas, é claro – admitiu Olivia, soltando Miranda e se largando em uma cadeira. – Faz diferença?

Miranda abriu a boca para responder, mas Olivia foi mais rápida:

– É claro que não. Só o que importa é o objetivo maior, Miranda. Honestamente, fico surpresa que não tenhamos pensado nisso antes.

Como estava de costas para Olivia, Miranda se permitiu um sorriso. Claro que ela nunca havia pensado nisso antes. Sempre estivera ocupada demais sonhando com Turner.

– E eu bem notei Winston olhando para você ontem à noite.

– Só havia cinco pessoas no cômodo, Olivia. Ele não tinha como *não* olhar para mim.

– Mas era o *jeito* como ele a olhava – persistiu Olivia. – Era como se ele nunca tivesse visto você antes.

Miranda começou a se vestir.

– Tenho certeza de que você está enganada.

– Não estou, não. Vire-se, Miranda. Vou fechar os seus botões. Nunca me engano sobre essas coisas.

Paciente, Miranda esperou Olivia terminar de ajustar o vestido dela. E então pensou melhor...

– E quando foi que você teve a oportunidade de se enganar ou não, Olivia? Vivemos enfurnadas aqui no campo. Nunca tivemos nenhuma oportunidade de testemunhar duas pessoas se apaixonando.

– Mas é claro que tivemos. Teve o Billy Evans e...

– Eles *tiveram* que se casar, Olivia. Você sabe muito bem disso.

Olivia fechou o último botão. Levou as mãos aos ombros de Miranda e a girou, de modo que as duas ficaram frente a frente. Havia certa malícia em seu semblante, até para os padrões da própria Olivia.

– Sim, mas *por que* eles tiveram que se casar? Porque estavam apaixonados, ora essa.

– Não me lembro de você ter previsto essa união...

– Absurdo! Claro que previ. Você estava na Escócia. E eu não podia comentar isso em uma carta... Por escrito, tudo teria parecido muito sórdido.

Miranda não concordava. Afinal, uma gravidez não planejada era uma gravidez não planejada e ponto final. Escrever sobre isso não mudava nada. Em todo caso, Olivia tinha certa razão. Todos os anos, Miranda passava seis semanas com os avós maternos na Escócia, e Billy Evans se casara em um desses períodos de ausência. Era típico de Olivia encontrar um argumento que Miranda não fosse capaz de refutar.

– Vamos tomar café, então? – perguntou ela, exausta.

Jamais conseguiria se esquivar, além disso, na noite anterior, Turner estivera bastante alterado. Se existia justiça no mundo, ele passaria a manhã inteira esparramado na cama com uma dor de cabeça lancinante.

– Só depois que Maria arrumar o seu cabelo – decidiu Olivia. – Não podemos deixar nada ao acaso. É nosso *dever* deixá-la sempre linda. Ah, e não me venha com esse olhar. Você é muito mais bonita do que pensa que é.

– Olivia...

– Não, não, eu me expressei mal. Você não é bonita. *Eu* sou bonita. Mas de uma maneira entediante. Você tem algo a mais.

– Um rosto comprido demais.

– Não. Ao menos não tanto quanto era quando você era criança.

Olivia inclinou o rosto para o lado e não disse nada.

Nada.

– O que foi? – perguntou Miranda, cheia de suspeita.

– Acho que você cresceu e apareceu.

A mesma coisa que Turner dissera, havia tantos anos. “Um dia a senhorita vai crescer e aparecer, e será tão bonita quanto já é inteligente.” Miranda odiava o fato de ainda se lembrar daquilo. E odiava o fato de estar sentindo vontade de chorar.

Olivia, vendo o semblante emocionado da amiga, também ficou com os olhos marejados.

– Ah, Miranda – disse ela, abraçando-a com força. – Eu também amo você. Nós seremos as melhores irmãs. Mal posso esperar.

~

Quando Miranda chegou à mesa do café da manhã (trinta minutos depois; jurou que nunca havia passado tanto tempo arrumando o cabelo, e depois jurou que jamais repetiria a dose), seu estômago roncava.

– Bom dia, família – disse Olivia, alegremente, pegando um prato no aparador. – Onde está o Turner?

Miranda fez uma prece silenciosa em agradecimento.

– Ainda na cama, imagino – respondeu lady Rudland. – Pobrezinho. Passou por um choque e tanto. Está tendo uma semana pavorosa.

Ninguém disse nada. Ninguém na família jamais gostara de Leticia.

Olivia interrompeu o silêncio:

– Certo. Bem, tomara que não morra de fome. Ele também não jantou conosco ontem à noite.

– Olivia, a esposa dele acabou de falecer – ralhou Winston. – Em virtude de um pescoço quebrado, ainda por cima. Custa ser um pouco menos dura com ele?

– Se estou preocupada com o bem-estar dele é porque o amo – retrucou Olivia, com a petulância que reservava apenas ao irmão gêmeo. – Ele não está comendo.

– Eu mandei que levassem comida ao quarto dele – declarou a mãe, colocando fim à discussão. – Bom dia, Miranda.

Miranda se sobressaltou. Estava distraída observando Winston e Olivia.

– Bom dia, lady Rudland – respondeu, apressada. – Espero que tenha dormido bem.

– Tão bem quanto possível. – A condessa suspirou e bebeu o chá. – Estamos passando por um período turbulento. Enfim, devo agradecer-lhe mais uma vez por ter passado a noite conosco, Miranda. Sei que foi um grande alento para Olivia.

– Não há de quê, senhora – murmurou Miranda. – Sempre fico muito feliz em ajudar.

Miranda seguiu Olivia ao aparador e serviu seu prato. Quando olhou para a mesa, descobriu que Olivia deixara para ela o assento ao lado de Winston.

Ela se sentou e olhou para os Bevelstokes. Todos sorriam para ela: lorde e lady Bevelstoke de forma amistosa, Olivia com um traço de malícia, e Winston...

– Bom dia, Miranda! – cumprimentou ele, animado. E em seus olhos havia...

Interesse?

Deus do céu, seria possível que Olivia estivesse certa? Havia *de fato* alguma coisa diferente no olhar de Winston.

– Muito bem, obrigada – disse Miranda, perturbada.

Winston era praticamente seu irmão, não era? Não era possível que ele pensasse nela daquela forma... E o mesmo valia para ela. Mas se ele podia pensar, será que ela também não podia? E...

– Pretende passar a manhã em Haverbreaks? – perguntou ele. – Pensei que seria uma boa ideia fazer um passeio a cavalo. Talvez depois do café da manhã?

Ó, céus. Olivia estava certa.

Surpresa, Miranda ficou boquiaberta.

– Hã, eu... – murmurou ela. – Ainda não decidi.

Olivia deu um chute na amiga por baixo da mesa.

– Ai!

– O que houve? O peixe está ruim? – perguntou lady Rudland.

Miranda balançou a cabeça.

– Hã, não. Desculpe – disse ela, pigarreando. – Foi só uma espinha, acho.

– Por isso que eu nunca como peixe no café da manhã – declarou Olivia.

– O que me diz, Miranda? – insistiu Winston. O sorriso em seu rosto era uma pérola, um sorriso indolente e travesso que, sem dúvida, partiria mil corações. – Vamos fazer um passeio a cavalo?

Encolhendo as pernas com cuidado para sair do alcance de Olivia, ela respondeu:

– Lamento, mas não trouxe meus trajes.

Era verdade, e ela realmente lamentava, pois estava começando a pensar que um passeio com Winston ao ar livre poderia ser o plano perfeito para expulsar Turner de seus pensamentos, afinal.

– Posso lhe emprestar – falou Olivia, com um sorriso doce, enquanto comia uma torrada. – Ficará um pouco grande, mas creio que não fará mal.

– Então está decidido – disse Winston. – Será maravilhoso colocar a conversa em dia. Faz séculos desde a última vez que conseguimos conversar.

Miranda se pegou sorrindo. Era muito fácil estar com Winston, mesmo tendo ficado atordoada ao perceber as intenções dele.

– Creio que já faz anos. Quando você vem passar as férias eu sempre estou na Escócia.

– Mas hoje, não – anunciou ele, alegremente.

Então pegou o chá, sorrindo para ela, e Miranda ficou perplexa ao notar como ele lembrava um Turner mais novo. Winston tinha 19 anos, a mesma idade que Turner tinha quando ela se apaixonara por ele.

Quando fui apresentada a ele, corrigiu-se ela. Não estava apaixonada por ele. Só *tinha achado* que estava. Mas agora entendia seu erro.

∽

11 de abril de 1819

Fiz uma esplêndida cavalgada com Winston hoje. Ele se parece muito com o irmão – isto é, se o irmão fosse gentil e atencioso e se tivesse um pingo de senso de humor.

∽

Turner não dormira bem, mas isso não o surpreendia; raramente tinha uma boa noite de sono. E, de fato, pela manhã ainda estava de mau humor e irritado – sobretudo consigo mesmo.

O que dera nele para beijar Miranda Cheever? A garota era praticamente sua irmã mais nova. Tudo bem que estivesse com raiva, e talvez um pouco bêbado, mas nada disso era desculpa para um comportamento tão deplorável. Leticia havia destruído muitas coisas dentro dele, mas, por Deus, ele ainda era um cavalheiro. Senão, o que lhe restaria?

Ele nem sequer havia sentido desejo por Miranda. Nem um pouco. Conhecia bem a sensação, a necessidade avassaladora de marcar território e possuir a mulher em questão, mas o que sentira por Miranda...

Bem, não sabia ao certo o quê, mas não fora desejo.

O problema eram aqueles imensos olhos castanhos. Aqueles olhos viam tudo. Deixavam Turner irrequieto. Sempre fora assim. Mesmo quando ainda era criança, ela sempre parecera dotada de uma sabedoria peculiar. Na noite anterior, em pleno escritório do pai, ele se sentira exposto, transparente. Ela era apenas uma garota que mal havia concluído os estudos, mas, ainda assim, o compreendera inteiramente. A intromissão o havia deixado possesso e Turner descontara nela da única forma que, no momento, parecera apropriada.

Só que, no fim das contas, *nada* poderia ter sido menos apropriado.

E agora ele teria que pedir desculpas. Por Deus, a simples ideia de ter que se desculpar já era intolerável. Seria muito mais fácil fingir que nada havia acontecido e ignorá-la pelo resto da vida, mas era óbvio que isso não seria possível – não se ele tivesse qualquer intenção de manter contato com a irmã. Além disso, Turner esperava que ainda houvesse dentro de si algum resquício de cavalheirismo e decência.

Leticia havia destruído a maior parte da bondade e da inocência em sua alma, mas tinha que ter sobrado ao menos um pouco. E um cavalheiro sempre pede desculpas quando se comporta de forma incorreta diante de uma dama.

Quando Turner chegou à mesa do café da manhã, a família já não estava mais lá. Melhor assim. Comeu rápido e engoliu o café, que optou por tomar sem açúcar, um ato de autopunição, sem sequer piscar quando o líquido fumegante e amargo desceu-lhe pela garganta.

– Deseja mais alguma coisa, senhor?

Turner ergueu o rosto e viu o criado postado ao lado dele.

– Não – respondeu. – Por ora, não.

O criado recuou, mas não saiu do salão, e Turner decidiu, naquele instante, que estava na hora de ir embora de Haverbreaks. Havia gente demais ali. Maldição, ele apostava que sua mãe havia instruído todos os criados a vigiá-lo bem de perto.

Ainda com o semblante emburrado, ele afastou a cadeira e marchou pelo corredor. Já havia alertado o valete de que partiriam sem demora. Em questão de uma hora já poderiam estar na estrada. Faltava apenas encontrar Miranda e acabar logo com aquela maldita história. Assim ele poderia voltar para casa e passar os dias se remoendo e...

Risos.

Ele ergueu o rosto. Winston e Miranda haviam acabado de entrar em casa, ambos com a tez rosada, emanando ar fresco e raios de sol.

Turner ergueu a sobrancelha e se deteve, esperando para ver em quanto tempo os dois notariam a presença dele ali.

– E foi *então* – estava claro que Miranda chegava à conclusão de uma história – que eu soube que não dava para confiar chocolates à Olivia.

Winston deu uma gargalhada, olhando para ela com ternura.

– Você está mudada, Miranda.

Ela enrubesceu de forma graciosa.

– Não acho. Eu apenas cresci.

– Isso é verdade.

Turner sentiu vontade de vomitar.

– Você realmente achou que, depois de todo esse tempo que passou na escola, voltaria e me encontraria exatamente como antes?

Winston não conteve um sorriso.

– Talvez. Mas devo dizer que fico impressionado com a mudança. – Ele tocou o cabelo dela, que estava preso em um belo coque. – Ouso dizer que não vou mais ficar puxando o seu cabelo.

Ela enrubesceu outra vez; honestamente, a coisa toda estava ficando insuportável.

– Bom dia – disse Turner, bem alto, sem se preocupar em sair do lugar onde estava, do outro lado do corredor.

– Creio que já seja boa tarde – retrucou Winston.

– Talvez para os leigos – retrucou Turner com um meio sorriso debochado.

– Em Londres as manhãs se estendem até as duas? – retrucou Miranda, com frieza.

– Só se os resultados da noite anterior tiverem sido decepcionantes.

– Turner! – exclamou Winston, em tom de reprovação.

Turner deu de ombros.

– Preciso falar com a Srta. Cheever – disse ele, sem nem se dar ao trabalho de olhar para o irmão.

Miranda ficou boquiaberta. De surpresa, provavelmente, mas também com um pouco de raiva.

– Imagino que seja uma decisão de Miranda – afirmou Winston.

Turner não tirou os olhos dela para dizer:

– Por favor, avise quando estiver pronta para voltar para casa. Vou acompanhá-la.

Pasmo, Winston ficou de queixo caído.

– Escute aqui – repreendeu ele. – Miranda é uma dama, e o mínimo esperado é que você, Turner, seja cortês o suficiente para pedir a permissão dela para tal.

Turner voltou-se para o irmão mais novo e ficou encarando-o até ele se encolher. Então olhou para Miranda outra vez e repetiu:

– Eu vou acompanhá-la.

– Eu...

Quando Turner interrompeu suas palavras com um olhar penetrante, Miranda acabou concordando.

– Mas é claro, milorde – concordou ela, com uma rigidez atípica nos cantos da boca. Virou-se então para Winston e disse: – Seu irmão gostaria de discutir uma iluminura com meu pai. Quase me esqueci.

Esperta, Miranda. Turner quase sorriu.

– Turner? – repetiu Winston, cético. – Uma iluminura?

– É a minha mais nova paixão – falou Turner, sem emoção na voz.

Winston olhou para o irmão, depois para Miranda e outra vez para o irmão; depois, por fim, assentiu.

– Pois bem – disse ele em tom ríspido. – Miranda, foi um prazer.

– O prazer foi todo meu.

Pelo tom de voz dela, Turner soube que não era mentira. Decidiu, portanto, não arredar de sua posição entre os dois pombinhos, e Winston lançou um olhar irritado antes de encarar Miranda e dizer:

– Vejo você antes de voltar para Oxford?

– Espero que sim. Não tenho planos para os próximos dias, e...

Turner bocejou.

Miranda pigarreou.

– Tenho certeza de que podemos combinar alguma coisa. Talvez você e Olivia possam vir à minha casa para tomar chá.

– Eu adoraria.

Turner conseguiu levar seu tédio até a ponta dos dedos e inspecionava as próprias unhas com total desinteresse.

– Ou, se Olivia não puder vir – prosseguiu Miranda, com a voz impressionantemente firme –, mesmo assim eu adoraria recebê-lo.

O olhar de Winston ficou mais doce, acendendo-se.

– Seria um prazer – murmurou ele, pegando a mão dela e fazendo uma mesura.

– Pronta? – rosnou Turner.

Miranda não moveu um único músculo ao responder:

– Não.

– Ora, então faça o favor de se apressar. Não tenho o dia inteiro.

Winston virou-se para ele, incrédulo.

– O que deu em você?

Era uma boa pergunta. Quinze minutos antes, o único objetivo de Turner era escapar da casa dos pais o mais rápido possível, e agora estava ali, quase afirmando que esperaria o tempo que fosse necessário para levar Miranda em casa.

Está bem, ele estava mesmo afirmando, mas tinha lá seus motivos.

– Estou ótimo – retrucou Turner. – Fazia anos que não me sentia tão bem. Para ser preciso, desde 1816.

Winston remexeu os pés, desconfortável, e Miranda desviou o olhar. Todos sabiam muito bem que aquele tinha sido o ano em que se casara.

– Junho – acrescentou ele, com requinte de perversidade.

– O que disse? – perguntou Winston.

– Junho. Junho de 1816. – Então ele abriu um sorriso radiante para os dois, um sorriso obviamente falso e autocongratulatório. Virou-se então para Miranda: – Estarei esperando no vestíbulo. Não se atrase.

Capítulo três

Não se atrase?

Não se atrase??!

Atrasar para o quê?, pensou Miranda pela 16ª vez, fervendo de ódio enquanto arrumava as coisas. Eles não haviam combinado horário. Ele nem sequer pedira para levá-la em casa. Simplesmente ordenara e, então, depois de instruí-la a avisar quando estivesse pronta, dera as costas sem se dar ao trabalho de esperar uma resposta.

Por que ele estava tão ansioso para mandá-la embora?

Miranda não sabia se devia rir ou chorar.

– Já está de saída?

Era Olivia, entrando no quarto.

– Preciso voltar para casa – disse Miranda, escolhendo aquele exato momento para tirar o vestido por cima da cabeça. Não queria que Olivia visse o rosto dela. – Suas roupas estão em cima da cama – acrescentou ela, com a voz abafada pela musselina.

– Mas por quê? Seu pai nem deve estar sentindo falta de você.

Ah, obrigada por lembrar, pensou Miranda, irritadiça, embora ela mesma tivesse feito a mesma reclamação para Olivia diversas vezes.

– Miranda – insistiu Olivia.

Miranda virou-se de costas para que Olivia pudesse abotoar seu vestido.

– Não quero abusar da hospitalidade de vocês.

– Não fale besteira! Se fosse pela minha mãe, você viria morar conosco de uma vez. Na verdade, você virá morar conosco quando formos a Londres.

– Mas ainda não estamos em Londres.

– O que isso tem a ver?

Nada. Miranda trincou os dentes.

– Você se desentendeu com Winston?

– Claro que não.

Porque, francamente, quem seria capaz de se desentender com Winston? Além de Olivia, é claro.

– Então qual é o problema?

– Não é nada. – Miranda fez um esforço para se acalmar enquanto vestia as luvas. – Seu irmão quer falar com meu pai a respeito de uma iluminura.

– Winston? – perguntou Olivia, desconfiada.

– Turner.

– Turner?

Céus, *quando* acabariam as perguntas dela?

– Sim – respondeu Miranda –, e ele pretende ir embora em breve, então tem que me levar agora.

Ela estava inventando totalmente a última parte, mas Miranda achou que, diante das circunstâncias, a frase era bastante inspirada. Além disso, quando ele afinal retornasse para casa, na Nortúmbria, talvez as coisas voltassem ao que eram antes, com o mundo girando alegremente em torno do sol.

Olivia se encostou no batente da porta de tal forma que Miranda não poderia ignorá-la.

– Então por que está tão azeda? Você sempre gostou do Turner, não é?

Miranda quase riu.

E então quase chorou.

Como ele se atrevia a mandar nela, como se a considerasse uma desmiolada?

Como se atrevia a deixá-la tão infeliz em Haverbreaks, que, nos últimos anos, estava mais para o lar dela do que dele?

Desviou o rosto. Não queria transparecer suas emoções para a amiga.

E como ele se atrevia a beijá-la sem propósito?

– Miranda? – A voz de Olivia era suave. – Está tudo bem?

– Estou ótima – respondeu Miranda meio engasgada, e passou pela amiga quase correndo.

– Você não parece ó...

– Estou triste por Leticia.

E estava mesmo. Qualquer um que desagradasse Turner decerto merecia ter sua morte pranteada.

Mas Olivia era do tipo que não se deixava enganar facilmente. Assim, enquanto Miranda descia as escadas correndo, a amiga seguiu em seu encalço em direção à entrada de casa.

– Leticia? – exclamou ela. – Você só pode estar brincando!

Miranda fez a curva ao pé da escada tão rápido que teve que se segurar no corrimão para não perder o equilíbrio.

– Leticia era uma tremenda de uma bruxa – prosseguiu Olivia. – Turner era absurdamente infeliz com ela.

Exatamente.

– Miranda! Miranda! Ah, Turner. Boa tarde.

– Olivia – disse ele, assentindo com educação.

– Miranda disse que está de luto por Leticia. Não é ridículo?

– Olivia! – exclamou Miranda, ficando sem ar.

Turner podia muito bem detestar a falecida esposa, inclusive a ponto de afirmar esse desprezo no velório, mas havia certas coisas que não deviam ser ditas em nome da decência.

Ele apenas olhou para Miranda com uma sobrancelha arqueada, uma expressão zombeteira e curiosa se formando em seu rosto.

– Ah, mas que diabo! Você odiava ela, todos nós sabíamos muito bem.

– Como sempre, irmã, a sinceridade em pessoa – murmurou Turner.

– Você vive dizendo que não gosta de hipocrisia – rebateu ela.

– Justo. – Ele olhou para Miranda. – Vamos?

– Você vai levá-la em casa? – perguntou Olivia, embora Miranda tivesse acabado de informar isso.

– Quero falar com o pai dela.

– Winston não pode levá-la?

– Olivia!

Miranda não sabia o que a deixava mais constrangida: que Olivia estivesse bancando a casamenteira ou que Turner estivesse testemunhando isso.

– Winston não quer falar com o pai dela – respondeu Turner, tranquilamente.

– Bem, e ele não pode ir junto?

– Não no meu cabriolé.

Olivia olhou para o irmão com ansiedade.

– Você vai de cabriolé?

A nova carruagem de Turner era moderna, alta, leve e rápida, e Olivia estava morrendo de vontade de conduzi-la.

Turner deu um sorriso travesso e, por um momento, quase voltou a ser ele mesmo – o homem que Miranda conhecera e amara durante tantos anos.

– Quem sabe até deixo Miranda guiar? – falou ele, com o único e óbvio propósito de torturar a irmã.

Funcionou. Olivia emitiu um gorgolejo estranho, como se estivesse engasgando na própria inveja.

– Até, querida irmã! – disse Turner, com um riso zombeteiro. Então passou o braço pelo cotovelo de Miranda e foram indo em direção à porta. – Vejo você mais tarde... ou talvez você me veja antes. Quando meu cabriolé passar.

Miranda reprimiu uma risada no caminho até os degraus da frente.

– O senhor é terrível – disse ela.

Ele deu de ombros, e retrucou:

– Ela merece.

– Não.

Miranda sentia-se na obrigação de defender sua querida amiga, embora ela mesma tivesse se divertido com a cena.

– Não?

– Está bem, sim, ela merece. Mas isso não o torna menos terrível.

– Ah, isso com certeza – concordou ele.

Enquanto ele a ajudava a subir no cabriolé, Miranda ficou se perguntando como era possível uma cena como aquela: estar sentada ao lado de Turner, chegando até a sorrir, pensando que talvez não o odiasse, no fim das contas, e que talvez ainda houvesse redenção para aquele homem.

Seguiram em silêncio durante os primeiros minutos. O cabriolé era um veículo e tanto, e Miranda não pôde deixar de se sentir muito dentro das últimas tendências enquanto seguiam pela estrada em alta velocidade.

– A senhorita fez uma conquista e tanto essa tarde – falou Turner, finalmente.

Miranda se contraiu inteira.

– Winston parece muito interessado na senhorita.

Miranda permaneceu em silêncio. Não havia nada a dizer, nada que pudesse manter sua dignidade. Ela podia negar e parecer afetada, ou concordar e parecer presunçosa. Ou debochada. Podia ainda, que Deus a livrasse, parecer que queria deixar Turner com ciúmes.

– Suponho que devo dar minha bênção.

Escandalizada, Miranda voltou-se para ele, mas Turner não tirou os olhos da estrada ao acrescentar:

– Sem dúvida, seria uma união muito vantajosa para a senhorita, e tenho certeza de que ele não conseguiria um partido melhor. Por mais que sua família não tenha fortuna, algo tão necessário para um filho mais novo, a senhorita compensa sendo uma mulher bastante razoável. E sensata, diga-se de passagem.

– Ah. Eu... eu...

Miranda piscou, atônita. Não fazia ideia do que responder. Era um elogio, nem um pouco passivo-agressivo, mas ainda assim soava um tanto vazio. Ela não queria que Turner enaltecesse suas qualidades incríveis só porque talvez ela se casasse com o irmão dele.

E ela não queria ser *sensata.* Pela primeira vez na vida, queria ser linda, ou exótica, ou cativante.

Céus. *Sensata.* Que adjetivo insosso.

Miranda notou que ele estava esperando que ela concluísse a frase, portanto, murmurou:

– Obrigada.

– Não quero que meu irmão cometa os mesmos erros que eu.

Ao ouvir isso, Miranda olhou para ele. Turner estava com uma expressão amarga e o olhar fixo na estrada, como se um único olhar na direção dela fosse fazer o mundo desmoronar sobre eles.

– Erros? – ecoou ela, baixinho.

– Erro – respondeu ele, com a voz entrecortada. – No singular.

– Leticia. – Pronto. Estava dito.

O cabriolé foi desacelerando até parar. Enfim, ele olhou para a jovem.

– Sim.

– O que ela fez com você? – perguntou Miranda em voz baixa.

Era uma pergunta pessoal demais, e muito imprópria, mas ela não conseguiu se conter, não com os olhos dele vidrados nos dela.

Mas foi a coisa errada, claramente; Turner desviou o olhar.

– Nada que seja apropriado aos ouvidos de uma dama.

– Turner...

De supetão, ele se virou de novo para ela, dessa vez com fogo no olhar.

– Sabe como ela morreu?

Miranda aquiesceu enquanto dizia:

– Quebrou o pescoço. Numa queda.

– De um cavalo – cortou ele. – Ela foi atirada de cima do cavalo...

– Eu sei.

– ... quando estava indo se encontrar com o amante.

Isso ela não sabia.

– Além disso, ela estava grávida.

Céus.

– Ah, Turner, eu sin...

Ele a interrompeu.

– *Não* diga isso. Eu não sinto nem um pouco.

Ela levou a mão à boca escancarada.

– Não era meu.

Ela engoliu em seco. O que mais poderia dizer? Não havia nada a dizer.

– O primeiro também não era – acrescentou Turner.

Ele bufou, estreitando os olhos, e seus lábios se curvaram, quase como se a desafiasse. Como se, em silêncio, a desafiasse a perguntar.

– Tur...

Ela tentou pronunciar o nome dele, pois julgou que deveria dizer alguma coisa, mas a verdade é que se sentiu aliviada quando ele a interrompeu.

– Ela estava grávida quando nos casamos. E foi por isso que nos casamos, se quer saber. – Ao dizer isso, ele deu uma risada ácida. – *Se quer saber* – repetiu ele. – Essa é boa, considerando que eu mesmo não sabia.

A dor na voz dele dilacerou Miranda por dentro, mas não tanto quanto o tom autodepreciativo. Ela vinha se perguntando como ele havia chegado àquele ponto, e agora sabia... e sabia também que jamais seria capaz de odiá-lo.

– Sinto muito – disse ela, porque sentia mesmo, e porque qualquer outra coisa soaria um exagero.

– Não há necessidade... – Ele se deteve, pigarreou. E então, após vários segundos, acrescentou: – Mas obrigado.

Então pegou as rédeas novamente, mas, antes de ter a chance de pôr a carruagem em movimento, Miranda perguntou:

– O que vai fazer agora?

Isso arrancou um sorriso dele. Bem, não exatamente um sorriso, mas os cantos de sua boca se ergueram um pouco.

– O que vou fazer agora? – ecoou ele.

– Vai voltar para a Nortúmbria? Para Londres? *Vai se casar outra vez?*

– O que vou fazer – repetiu ele. – O que eu quiser, imagino.

Miranda pigarreou.

– Sei que sua mãe gostaria que você estivesse presente durante a temporada de Olivia em Londres.

– Olivia não precisa de mim.

– Não mesmo. – Ela engoliu em seco. De forma dolorosa. Diante do esforço de enfiar o próprio orgulho goela abaixo. – Mas eu preciso.

Ele ergueu as sobrancelhas e a encarou.

– A senhorita? Pensei que meu irmão caçula estivesse comendo na sua mão.

– Não – disse Miranda de pronto. – Quer dizer, não sei. Seu irmão é um tanto jovem, não acha?

– É mais velho que a senhorita.

– Por três meses, apenas – rebateu ela. – Ele ainda está na universidade. Não vai querer se casar tão cedo.

Ele inclinou o rosto para o lado e cravou nela um olhar penetrante.

– E a senhorita quer?

Miranda teve que conter o impulso de se atirar do cabriolé. Sem dúvida, havia conversas que uma dama não deveria ter que suportar.

Sem dúvida, aquela era uma delas.

– Sim, quero me casar um dia – disse ela, hesitante, detestando o rubor que se espalhava por suas faces.

Ele a encarou. E a encarou. E depois ainda a encarou mais um pouco.

Ou talvez tivesse sido apenas uma olhadela. Ela não sabia dizer, mas ficou muito aliviada quando enfim ele rompeu o silêncio:

– Então está bem. Pensarei no caso. Eu lhe devo pelo menos isso.

Por Deus, a cabeça dela estava girando.

– Deve?

– Para começar, um pedido de desculpas. O que aconteceu ontem à noite foi... imperdoável. Foi por isso que insisti tanto para acompanhá-la até sua casa. – Ele pigarreou e desviou o olhar por um mísero instante. – Eu lhe devo um pedido de desculpas, e achei que a senhorita iria preferir que eu o fizesse em particular.

Ela estava com os olhos fixos na estrada.

– Porque um pedido público de desculpas implicaria dizer a todos por que eu estaria me desculpando – prosseguiu ele. – Imaginei que a senhorita não fosse querer que soubessem.

– O que quer dizer é que o *senhor* não gostaria que eles soubessem.

Ele suspirou, correndo os dedos pelos cabelos.

– Não, de fato. Não me orgulho do meu comportamento e realmente prefiro que minha família não fique sabendo. Mas também pensei no que seria melhor para a senhorita.

– Desculpas aceitas – disse ela, baixinho.

Turner deu um longo suspiro cansado.

– Não sei por que agi daquele modo – prosseguiu. – Não foi por desejo nem nada. Não sei o que deu em mim, mas não foi culpa sua.

Miranda simplesmente olhou para Turner. Não foi difícil decifrá-la.

– Ah, mas que diabo...

Ele bufou, irritado, e desviou o olhar. *Genial, Turner, genial. Primeiro você beija a garota e depois diz a ela que não foi porque a desejava.*

– Sinto muito, Miranda – continuou ele. – Isso soou muito errado. Estou sendo um idiota. Nesses últimos dias parece ser algo que não consigo evitar.

– Talvez o senhor devesse escrever um livro – comentou ela, azeda. – *Mil e uma maneiras de insultar uma jovem dama.* Arrisco dizer que, até agora, o senhor já tem umas cinquenta.

Ele respirou fundo. Não estava acostumado a pedir desculpas.

– Não é que a senhorita não seja atraente.

Miranda assumiu uma expressão de incredulidade. Não por conta de suas palavras, observou ele, mas pelo mero fato de que ele as dissera. Por se ver sentada ali, tendo que ouvir Turner colocar ambos em uma situação constrangedora. Era hora de se calar, ele sabia, mas ver a mágoa nos olhos dela despertou um pedacinho dolorido naquele coração que passara anos adormecido, e ele sentiu um estranho ímpeto de fazer o que era certo.

Miranda tinha 18 anos. A experiência dela com homens se restringia a Winston e a ele próprio. Ambos sempre foram figuras fraternais para ela. A pobre garota devia estar muito confusa. De uma hora para outra, Winston decidira que ela era um misto de Vênus, Rainha Elizabeth e Virgem Maria, e Turner praticamente abusara dela. Estava longe de ser um dia comum na vida de uma jovem dama do campo.

Contudo, lá estava ela. Coluna ereta. Queixo erguido. E, ainda por cima, sem ódio no coração. Ela bem que deveria, mas não o odiava.

– Não. – Ele chegou a segurar mão dela. – Quero que me escute bem. A senhorita *é* atraente. Bastante atraente.

Ele deixou os olhos se fixarem no rosto dela e, pela primeira vez em anos, deu uma bela olhada em Miranda. Não era uma beleza clássica, mas havia algo de fato muito atraente naqueles imensos olhos castanhos. A tez perfeita, elegantemente pálida, fazia um contraste luminoso com os cabelos escuros, que (Turner notou de repente) eram fartos e levemente ondulados. E pareciam macios. Ora, ele havia tocado nos cabelos dela na noite anterior. Por que não conseguia se lembrar? Ele certamente haveria de ter reparado na textura.

– Turner – disse Miranda.

Ele a estava encarando. Por que a estava encarando?

Ao ouvir seu nome, Turner fixou o olhar nos lábios dela. E que boca sensual Miranda tinha. Lábios carnudos, muito beijáveis.

– Turner?

– Bastante – falou ele, baixinho, como se tivesse acabado de fazer uma descoberta inacreditável.

– Bastante o quê?

– Bastante atraente. – E então balançou a cabeça de leve, como se estivesse acordando de um feitiço que ele próprio lançara. – A senhorita é bastante atraente.

Ela bufou.

– Ah, Turner, faça-me o favor! Não quero que minta para não ferir meus sentimentos, está bem? Isso só mostra uma completa falta de respeito pelo meu intelecto, o que me ofende mais do que qualquer comentário sobre a minha aparência.

Ele recuou, com um sorrisinho meio de lado.

– Não estou mentindo – declarou ele, surpreso.

Em um gesto de nervosismo, Miranda mordeu o lábio inferior.

– Ah. – Ela parecia igualmente surpresa. – Bem, sendo assim eu agradeço. Eu acho.

– Não costumo ser tão incompetente assim com elogios, a ponto de que nem sejam reconhecidos.

– Imagino que não – comentou ela, com rispidez.

– Ora, posso estar enganado, mas parece que a senhorita está me acusando de alguma coisa...

Ela arregalou os olhos. Seu tom fora tão frio assim?

– Não sei do que está falando.

Por um momento, pareceu que ele iria insistir, mas deve ter mudado de ideia, porque logo pegou as rédeas, deu um sorriso sem graça e disse:

– Vamos em frente?

E assim foram por vários minutos. Sempre que podia, Miranda olhava de soslaio para Turner. Ele estava com uma expressão indecifrável, plácida até; o que era mais que irritante, considerando o turbilhão em que se encontravam os pensamentos de Miranda. Ele dissera que não a desejava, então qual era o sentido daquele beijo? Qual era o sentido de tudo aquilo? E então ela acabou deixando escapulir:

– *Por que* o senhor me beijou?

Por um instante, pareceu que Turner estava engasgado, embora Miranda não soubesse o que poderia tê-lo deixado assim. Sentindo a desatenção do condutor, os cavalos reduziram a velocidade, e Turner virou-se para ela, claramente chocado.

Notando o incômodo dele, Miranda compreendeu que Turner não conseguia encontrar uma resposta gentil para a pergunta.

– Esqueça – apressou-se em dizer ela. – Não importa.

Mas não se arrependeu de ter perguntado. Afinal, o que tinha a perder? Ele não iria zombar dela, e não iria sair fazendo fofoca por aí. Ela só precisaria lidar com o constrangimento daquele único momento, que nem se comparava ao constrangimento da noite anterior, então...

– Foi por minha causa – falou ele, de repente. – Só isso. E a senhorita teve o azar de estar perto de mim no momento.

Vendo o pesar em seus olhos azuis, Miranda tocou o braço dele.

– O senhor tem todo o direito de estar com raiva dela.

Ele não se fez de desentendido.

– Ela está morta, Miranda.

– Isso não quer dizer que não fosse uma pessoa excepcionalmente ruim quando viva.

Ele lançou um olhar estranho para ela e então caiu na gargalhada.

– Ah, Miranda, às vezes você faz uns comentários terríveis.

Ela sorriu.

– *Isso*, sim, eu considero um elogio.

– Mas me lembre de nunca sugerir o seu nome para lecionar na escola dominical.

– Sinto dizer que nunca consegui dominar as virtudes cristãs.

– Não diga. – Ele parecia estar achando graça.

– Ainda guardo rancor de Fiona Bennet, a pobrezinha.

– E quem seria essa?

– A garota desagradável que me chamou de feia no aniversário de 11 anos de Olivia e Winston.

– Minha nossa! Quantos anos faz isso? Preciso me lembrar também de jamais me indispor com a senhorita.

Ela arqueou a sobrancelha e retrucou:

– Acho bom, se o senhor tiver juízo.

– A senhorita, minha querida, definitivamente deixa a desejar no que diz respeito ao perdão.

Miranda deu de ombros, impressionada como, em tão pouco tempo, ele conseguira deixá-la tão alegre e à vontade.

– Não conte à sua mãe. Ela me acha uma santa.

– Se comparada à Olivia, a senhorita é mesmo uma santa.

De dedo em riste, Miranda o reprendeu:

– Não quero ouvir nada negativo sobre Olivia, por favor. Sou muito leal a ela.

– Uma fidelidade canina, com o perdão pela analogia um tanto grosseira.

– Eu amo cães.

E foi então que chegaram à casa de Miranda.

"Eu amo cães." Aquela seria sua fala final. Maravilha. Agora, pelo resto da vida, ele a associaria a cães.

Turner ajudou-a a descer e então olhou para o céu, que começava a escurecer.

– Espero que não se incomode se eu não a acompanhar até dentro de casa – murmurou ele.

– Claro que não.

Ela era uma pessoa prática. Era perfeitamente capaz de entrar sozinha em casa, e seria uma tolice se ele pegasse chuva na volta por causa dela.

– Boa sorte – disse ele, subindo no cabriolé.

– Com o quê?

– Com Londres, com a vida. – Ele deu de ombros. – Com tudo o que a senhorita almejar.

Ela deu um sorriso triste. Ah, se ele soubesse...

19 de maio de 1819

Hoje chegamos a Londres. Juro que nunca vi nada parecido em toda a minha vida. É uma cidade imensa, barulhenta e tumultuada, além de bastante fedorenta.

Lady Rudland diz que estamos atrasadas. Muitas pessoas já estão na cidade e a temporada começou há mais de um mês. Mas não havia o que fazer – Livvy teria parecido terrivelmente mal-educada se fosse vista sassaricando por aí durante o período em que deveria estar de luto por Leticia. Na verdade, até chegamos um pouco mais cedo do que deveríamos, mas só para fazer as preparações e as provas dos vestidos. Não poderemos ir a nenhum evento social até que o luto esteja concluído.

Graças a Deus, seis semanas serão suficientes. O pobre Turner, por sua vez, passará um ano inteiro enlutado.

Sinto confessar que já o perdoei. Sei que não deveria, mas não consigo odiá-lo. Com certeza eu detenho o recorde do caso de amor não correspondido mais longo do mundo.

Sou patética.

Sou um cão.

Sou um cão patético.

E também uma tremenda gastadora de papel.

Capítulo quatro

Turner planejara passar a primavera e o verão na Nortúmbria, onde poderia se recusar a guardar luto por Leticia com certo grau de privacidade. Sua mãe, no entanto, empenhara uma quantidade impressionante de táticas (das quais a culpa, naturalmente, fora a mais letal) para convencê-lo a ir a Londres apoiar Olivia.

Ele não cedera quando ela observara que ele era um líder na sociedade e que, portanto, sua presença atrairia os melhores cavalheiros ao baile de Olivia.

Ele não cedera quando ela declarara que ele não deveria ficar enterrado no interior do país, se lamentando, e que encontrar os amigos lhe faria bem.

Contudo, se dera por vencido quando ela surgira à porta dele e, sem nem cumprimentá-lo antes, dissera: "Ela é sua *irmã*."

De modo que lá estava ele em Rudland House, em Londres, cercado de quinhentas pessoas – que, se não eram as mais formidáveis do país, sem dúvida eram as mais pomposas.

Ainda assim, um daqueles sujeitos pomposos acabaria sendo o marido de Olivia, assim como um outro seria o de Miranda, e nem morto Turner permitiria que uma delas fizesse uma escolha tão desastrosa quanto a que ele fizera. Londres estava lotada de equivalentes masculinos de Leticia, e a maioria tinha nomes como lorde Fulano ou sir Sicrano. Turner duvidava muito que sua mãe conhecesse todas as fofocas apimentadas que corriam pelo círculo social deles.

Ainda assim, isso não significava que ele seria forçado a fazer muitas aparições. Ele estaria lá no baile de debutante delas, e as acompanharia a eventos aqui e ali, ainda mais se houvesse algo no teatro que ele quisesse ver, mas, fora isso, preferia acompanhar o progresso delas dos bastidores. No fim do verão, quando toda aquela baboseira tivesse terminado, ele poderia voltar para...

Bem, ele poderia voltar para o que quer que estivesse pensando em fazer. Talvez estudar rotação de culturas. Aprender arco e flecha. Ir ao pub da região. Gostava bastante da cerveja de lá. E ninguém nunca fazia perguntas sobre a recém-falecida lady Turner.

– Querido, você veio! De repente, a mãe ocupou todo o seu campo de visão, muito bela em seu vestido roxo.

– Eu disse que chegaria a tempo – respondeu ele, terminando a taça de champanhe que estava em suas mãos. – Não avisaram a senhora que eu já estava aqui?

– Não – respondeu ela, um tanto distraída. – Tenho passado o dia inteiro correndo de um lado para outro feito louca, são muitos detalhes de última hora. Com certeza os criados não quiseram me incomodar.

– Ou não conseguiram encontrá-la – emendou Turner, observando a multidão de forma casual.

A frequência estava sendo um sucesso, sem dúvida. As duas estrelas da festa não estavam à vista, mas, por outro lado, só fazia vinte minutos que ele chegara, e ficara mais que contente em se manter nas sombras.

– Já me certifiquei de que as duas tenham permissão de valsar – declarou lady Rudland. – Você, por favor, cumpra o seu dever para com ambas.

– Uma ordem direta – murmurou ele.

– Principalmente com Miranda – acrescentou ela, sem prestar atenção no comentário dele.

– Como assim, principalmente com Miranda?

A mãe o encarou de forma franca e direta.

– Miranda é uma jovem extraordinária e eu a amo de todo o coração, mas nós dois sabemos que ela não é o tipo de garota que se sai bem aos olhos da sociedade.

Turner lançou um olhar atravessado para a mãe.

– Nós dois sabemos muito bem que a sociedade não é muito boa em juízos de valor. Lembre-se de que Leticia foi um grande sucesso.

– E se essa noite serve de indicação, Olivia também está sendo – respondeu a mãe, com rispidez. – A sociedade é voluntariosa, Nigel. Recompensa tanto os bons quanto os maus. Mas nunca recompensa os quietos.

Foi nesse momento que Turner avistou Miranda, ao lado de Olivia, parada à porta do corredor.

Ao lado de Olivia, sim, mas parecendo estar em outro mundo.

Não que Miranda estivesse sendo ignorada, certamente não era o caso. Sorria para um jovem cavalheiro que parecia convidá-la para dançar. Contudo, não chegava nem perto de ter uma multidão à sua volta, como era o caso de Olivia; Turner tinha que admitir que a irmã reluzia como uma joia perfeitamente posicionada. Seus olhos brilhavam; quando ria, o som musical parecia preencher o salão.

Sua irmã tinha um quê de cativante. Até Turner tinha que admitir.

Mas Miranda era diferente. Ela observava. Sorria, mas era quase como se guardasse um segredo, como se estivesse fazendo notas mentais sobre as pessoas a quem era apresentada.

– Vá dançar com ela – pressionou a mãe.

– Com Miranda? – perguntou ele, surpreso, pensando que ela fosse desejar que a primeira dança fosse concedida a Olivia.

Lady Rudland assentiu.

– Será um golpe e tanto a favor dela. Você não dança desde... ora, nem me lembro mais. Desde muito antes de Leticia morrer.

Turner trincou o maxilar e teria respondido alguma coisa. Contudo, foi interrompido com a expressão de surpresa da mãe, ainda menos estarrecedora do que o que veio logo a seguir: lady Rudland exclamou aquela que deveria ser a primeiríssima blasfêmia a deixar seus lábios.

– Mãe, o que houve? – indagou ele.

– Onde está a sua braçadeira? – sussurrou ela, com grande urgência.

– Minha braçadeira – repetiu ele, com certa ironia.

– Por Leticia – explicou ela, como se ele já não soubesse.

– Creio ter dito à senhora que optei por não guardar luto.

– Mas estamos em Londres – argumentou lady Rudland. – E no *début* de sua irmã.

Ele deu de ombros, e argumentou:

– Estou de casaco preto.

– Você só veste casacos pretos.

– Então talvez eu esteja em luto perpétuo – comentou ele – pela morte da minha inocência.

– Você vai provocar um escândalo – sibilou lady Rudland.

– Não. – Ele foi firme. – Quem causava escândalos era Leticia. Eu só me recuso a guardar luto pela minha esposa escandalosa.

– Você quer arruinar a sua irmã?

– Minha atitude nem se compara à repercussão negativa que as ações de minha falecida esposa poderiam causar.

– Tudo isso não passa de disse-me-disse, Nigel. Mas o *fato* é que a sua esposa morreu, e...

– Eu sei, eu *vi* o corpo, mamãe – retorquiu ele, acabando de vez com a argumentação dela.

Lady Rudland recuou.

– Não há necessidade de tamanha grosseria.

A cabeça de Turner começou a latejar.

– Queira me desculpar.

– Por favor, peço que reconsidere.

– Sinto muito se a aborreço – falou ele, suspirando de leve –, mas não vou mudar de ideia. A senhora pode escolher: ou fico em Londres sem a braçadeira, ou volto para a Nortúmbria... sem braçadeira, também – concluiu ele após uma pausa. – A decisão é toda sua.

Lady Rudland trincou os dentes e não disse nada, então ele apenas deu de ombros e falou:

– Pois bem. Vou encontrar Miranda.

E foi mesmo.

~

Já fazia duas semanas que Miranda estava na cidade e, embora não pudesse se declarar um sucesso, tinha que admitir que também não era nenhum fracasso. Estava exatamente onde esperava: em algum lugar no meio, com o cartão de danças preenchido pela metade e o diário repleto de observações sobre os loucos, os lesos e, ocasionalmente, os lesionados. (Este último era lorde Chisselworth, que tropeçara em um degrau no baile dos Mottrams e conseguira um estiramento do tornozelo. Quanto aos loucos e lesos, eram tantos que Miranda perdera a conta.)

Ainda assim, para uma moça que recebera de Deus um conjunto tão peculiar de talentos e atributos, ela considerava que estava se saindo muito bem. Escrevera no diário:

~

Deveria estar aperfeiçoando minhas habilidades sociais, mas, como observou Olivia, conversa fiada nunca foi o meu forte. Consegui, no entanto, dominar a arte do sorriso amável e vago, e parece que está dando certo. Já recebi três convites para jantar!

~

É claro que todos saberem que ela era a melhor amiga de Olivia ajudava bastante. Olivia havia arrebatado a alta sociedade – como todos já esperavam –, e Miranda estava se beneficiando por tabela. Alguns cavalheiros chegaram perto de Olivia tarde demais para conseguir uma dança, outros ficaram apavorados demais para sequer conversar com ela. (Nessas horas, Miranda sempre parecia uma escolha mais confortável.)

Ainda assim, mesmo com toda a atenção, Miranda estava sozinha quando ouviu uma voz dolorosamente familiar...

– Nem acredito que consegui encontrá-la desacompanhada, Srta. Cheever.

Turner.

Ela não conseguiu conter um sorriso. Ele estava devastadoramente lindo em um traje de noite escuro, e a luz das velas ressaltava tons de dourado em seus cabelos.

– O senhor veio – declarou ela.

– Achou que eu não viria?

Lady Rudland dissera que ele planejava ir, mas Miranda tinha suas dúvidas. Turner deixara bem claro que não queria saber da sociedade naquele ano. Muito possivelmente nos anos seguintes também. Era difícil ter certeza.

– Imagino que ela tenha tido que fazer chantagem para garantir que viesse – disse a jovem, postando-se ao lado dele, de modo que ambos pudessem fitar a multidão.

Ele se fez de ofendido.

– Chantagem? Mas que palavra horrenda. E, neste caso, incorreta.

– É mesmo?

Ele se inclinou na direção dela e confidenciou:

– Foi culpa.

– Culpa?

Ela deu um sorrisinho e virou-se para ele com um olhar desaforado.

– O que o senhor fez?

– A questão foi o que eu *não* fiz. Ou melhor, o que eu não estava fazendo. – Ele deu de ombros, indiferente. – Fui informado de que a senhorita e Olivia serão o maior sucesso caso eu ofereça o meu apoio.

– Imagino que Olivia seria um grande sucesso mesmo se não tivesse um tostão furado *e* viesse de linhagem questionável.

– Ora, mas também não me preocupo nem um pouco com a senhorita – disse Turner, com um sorriso benevolente muito irritante. Então franziu o cenho. – Enfim, será que poderia, por gentileza, me dizer com o que minha mãe poderia me chantagear?

Miranda sorriu para si mesma. Estava satisfeita por deixá-lo desconcertado. Afinal, parecia sempre tão controlado, enquanto o coração dela costumava bater três vezes mais rápido quando o via. Por sorte, os anos de convívio faziam com que se sentisse confortável na presença dele. Se não o conhecesse de toda a vida, duvidava seriamente de sua capacidade de manter uma conversa na presença dele. Além disso, se toda vez que se encontrassem ela ficasse travada para falar, ele com certeza começaria a desconfiar de algo.

– Ah, não sei – disse ela, fazendo-se de pensativa. – Algumas histórias de quando o senhor era pequeno e tal.

– Pode parar com isso. Eu era um perfeito anjinho.

Ela ergueu as sobrancelhas, incrédula.

– O senhor deve mesmo pensar que eu sou muito ingênua.

– Ingênua, não. Talvez educada demais para me contradizer.

Miranda revirou os olhos, voltando então a prestar atenção na multidão. Olivia estava do outro lado do salão, cercada pelo costumeiro séquito de admiradores.

– Livvy tem um talento natural para isso, não é? – indagou ela.

Turner assentiu.

– E onde estão os *seus* admiradores, Srta. Cheever? Eu me recuso a acreditar que não tenha nenhum.

Ela ficou vermelha com o elogio dele.

– Creio que tenha um ou dois. Mas quando Olivia está por perto, ninguém me distingue da mobília.

Ele lançou um olhar incrédulo para ela.

– Quero ver o seu cartão de danças.

Miranda entregou, relutante. Ele deu uma olhada rápida e então devolveu.

– Eu estava certo – disse ele. – Está quase todo tomado.

– A maior parte dos cavalheiros só chegou até mim porque eu estava ao lado de Olivia.

– Não diga besteira. E isso não é motivo para ficar chateada.

– Ah, mas não estou chateada – respondeu ela, surpresa por ele ter essa impressão. – Por quê? Pareço chateada?

Ele recuou, perscrutando-a.

– Não, não parece. Estranho...

– Estranho?

– Nunca conheci uma dama que não desejasse estar cercada por um séquito de jovens solteiros em um baile.

Miranda ficou um pouco irritada com o tom condescendente e não conseguiu suprimir por completo a insolência ao retrucar:

– Bem, agora já conhece.

Turner deu uma risadinha.

– E como, minha cara menina, a senhorita pretende encontrar um marido com essa atitude? E não me venha com esse olhar, está bem? Como se eu estivesse sendo condescendente...

O que só a irritou ainda mais.

– Foi a senhorita mesma quem disse que gostaria de encontrar um marido nesta temporada.

Maldição. Ele estava certo. Não restava escolha a não ser dizer:

– Não me chame de "minha cara menina", por gentileza.

Ele deu um sorriso presunçoso.

– Ora, ora, Srta. Cheever, impressão minha ou a senhorita está sendo um tanto geniosa?

– Sempre fui geniosa.

– Parece que sim. – Turner continuava a sorrir, o que tornava tudo ainda mais irritante.

– Achei que o senhor fosse estar de mau humor e de cara amarrada – resmungou ela.

Turner a olhou de soslaio e deu de ombros.

– Aparentemente a senhorita desperta o melhor em mim.

Miranda lançou um olhar atravessado. Será que ele havia se esquecido da noite do velório de Leticia?

– O melhor? – disse ela, com um toque de sarcasmo. – Sério?

Ele teve a elegância de parecer ao menos um pouco constrangido.

– De vez em quando, o pior. Mas esta noite, só o melhor mesmo. – Ao ver as sobrancelhas erguidas dela, acrescentou: – Estou aqui para cumprir meu dever para com a senhorita.

Dever. Uma palavra tão sólida e tediosa.

– Seu cartão, por favor.

Miranda entregou mais uma vez o cartão. Era um caderninho alegre, com rococós e um pequeno lápis amarrado ao canto com um laço de fita. Turner passou os olhos e pareceu curioso.

– Miranda, por que deixou todas as suas valsas livres? Minha mãe disse com todas as letras que tanto a senhorita quanto Olivia já têm permissão para dançar valsa.

– Ah, não é essa a questão. – Ela trincou os dentes por uma fração de segundo, tentando controlar o rubor que já se insinuava pelo pescoço. – Se quer saber, é só porque...

– Desembuche, Srta. Cheever.

– Por que o senhor sempre me chama de Srta. Cheever quando está tentando implicar comigo?

– Que absurdo! Eu também uso "Srta. Cheever" em tom de repreensão.

Ora essa, isso, sim, era uma melhora.

– Miranda?

– Não é nada – murmurou ela.

Mas ele estava irredutível.

– Claramente é alguma coisa, Miranda, porque...

– Ah, está bem, está bem. Se quer mesmo saber, eu tinha a esperança de que o *senhor* fosse querer dançar valsa comigo.

Turner recuou, e seu olhar denunciava a surpresa que sentia.

– Ou Winston – disse ela, apressadamente, porque os números eram sempre seguros (ou pelo menos reduziam as chances de constrangimento).

– Então quer dizer que somos intercambiáveis? – murmurou Turner.

– Não, é claro que não. Mas não sou pé de valsa, e me sentiria mais confortável na minha primeira dança em público se estivesse com alguém que eu já conheço – inventou ela, de improviso.

– Alguém que não acharia uma ofensa mortal se você pisasse nos dedos dele?

– Algo assim – murmurou ela.

Como ela havia se metido naquela encrenca? Ou Turner logo perceberia que ela estava apaixonada por ele, ou pensaria que ela era uma tola que morria de medo de dançar em público.

Contudo, Turner (bendito fosse) já estava dizendo:

– Seria uma honra dançar uma valsa com a senhorita. Então pegou o lapisinho e assinou o nome no cartão. – Pronto. Na primeira valsa, a senhorita está prometida para mim.

– Obrigada. Mal posso esperar.

– Ótimo. Igualmente. Acha que devo reservar mais uma? Não consigo pensar em mais ninguém aqui com quem eu gostaria de ser forçado a puxar conversa durante uma valsa de mais de quatro minutos.

– Ah, não imaginei que eu fosse um incômodo tão grande para o senhor – disse ela, franzindo o cenho.

– Não, não. A senhorita definitivamente não é – assegurou ele. – Mas todas as outras são. Pronto, também estou garantindo a última valsa. Mas a senhorita está por sua conta durante as demais, certo? Melhor não dançarmos juntos mais de duas vezes.

Nossa, com certeza não, pensou Miranda, com sarcasmo. Imagine, alguém poderia pensar que ele não havia sido forçado a dançar com ela. Mas, sabendo o que era esperado dela, Miranda sorriu e disse:

– Não, é claro que não.

– Então está bem. – A voz de Turner trazia o tom objetivo usado pelos homens quando estão prontos para encerrar uma conversa, independentemente de quem fosse o interlocutor. – Vejo ali adiante que o jovem Hardy está vindo reivindicar a próxima dança, então vou buscar algo para beber. Vejo a senhorita na primeira valsa.

Então ele a deixou ali, de pé no canto do salão, e cumprimentou o Sr. Hardy com um murmúrio ao passar por ele. Miranda fez uma mesura cortês para o seu par, então pegou a mão enluvada e o acompanhou ao centro do salão para uma quadrilha. Não ficou surpresa quando, depois de um breve comentário sobre o vestido dela e sobre o clima, ele perguntou sobre Olivia.

Miranda respondeu da forma mais educada que pôde, tentando não encorajá-lo demais. A julgar pela multidão que cercava a amiga, as chances do Sr. Hardy eram ínfimas.

Por sorte, a dança logo terminou e Miranda adiantou-se para perto da amiga.

– Ah, Miranda, querida! – exclamou ela. – Onde você estava? Estava falando de você para todos.

– Não creio – disse Miranda, erguendo as sobrancelhas com ceticismo.

– Mas estava mesmo. Não estava? – Olivia cutucou um cavalheiro nas costelas e ele imediatamente confirmou. – Acha que eu mentiria para você?

Miranda reprimiu um sorriso.

– Se fosse conveniente para você.

– Você é terrível! Pare com isso. Enfim, onde estava?

– Eu precisava de um pouco de ar, então parei em um cantinho para tomar uma limonada. Turner me fez companhia.

– Ah, então ele já chegou? Vou guardar uma dança para ele.

Miranda olhou para a amiga, confusa.

– Imagino que já estejam todas ocupadas...

– Não pode ser. – Olivia olhou para o próprio cartão. – Ora essa! Bem, vou ter que riscar um desses, então.

– Olivia, você não pode fazer isso.

– E por que não? Escute, Miranda, você precisa saber que...

Ela hesitou, de repente voltando a se dar conta da presença de seus muitos admiradores. Então se virou, sorrindo para todos, radiante. Miranda não ficaria surpresa se todos tivessem desabado no chão, um a um, como moscas.

– Algum dos cavalheiros poderia fazer a gentileza de buscar uma limonada? – perguntou ela, docemente. – Estou morrendo de sede.

Seguiu-se uma onda de confirmações e, depois, uma onda de movimento. Espantada, Miranda ficou ali observando todos os jovens debandarem em grupo.

– Parecem até ovelhas – sussurrou ela.

– Bem, sim – concordou Olivia –, tirando os que estão mais para bodes.

Miranda mal teve dois segundos para tentar decifrar o comentário antes que Olivia prosseguisse:

– Brilhante, não acha? Consegui me livrar de todos de uma só vez. E saiba você que estou ficando muito boa nisso.

Miranda assentiu, sem se dar o trabalho de tecer qualquer comentário. Realmente, não havia por que tentar produzir uma resposta à altura, porque quando Olivia contava uma história...

– O que eu ia dizer – prosseguiu Olivia, confirmando, sem se dar conta, a hipótese de Miranda – é que, sinceramente, quase todos são pavorosos de tão entediantes.

Miranda não conseguiu reprimir uma alfinetada na amiga:

– Bem, vendo-a em ação, acho que ninguém jamais diria que pensa assim.

– Ah, não é que eu não esteja me divertindo. – Olivia assumiu uma expressão meio irônica. – Sinceramente, sinto que estou entre a cruz e a estrada.

– A estrada, é? – repetiu Miranda, divertindo-se com a confusão que a amiga fizera com o provérbio. – O que exatamente significa estar entre a cruz e a *estrada*?

Olivia inclinou a cabeça para o lado.

– Ai, estrada, não. *Espada!* Entre a cruz e a espada. Não foi algum escritor famoso que disse isso? Shakespeare, talvez?

– Não. – Mas que inferno! Agora ela não ia conseguir parar de tentar lembrar se algum escritor teria, de fato, dito isso. – Não foi Shakespeare.

– Maquiavel?

Miranda repassou mentalmente a lista de escritores famosos.

– Acho que não.

– Turner?

– Turner? Qual Turner?

– Meu *irmão*.

Miranda ergueu o rosto na hora, repetindo:

– Turner?

Olivia inclinou-se um pouco para o lado, esticando o pescoço para espiar algum lugar atrás de Miranda.

– Parece bastante determinado, a julgar pelo semblante...

Miranda olhou para o próprio cartão de danças.

– Deve estar na hora da nossa valsa.

Olivia inclinou a cabeça para o lado, pensativa.

– Ele até que está bem bonito, não é?

Miranda piscou, tentando reprimir um suspiro. Turner estava mesmo muito bonito. Quase insuportavelmente bonito. E agora que estava viúvo, todas as moças em idade para casar – e suas respectivas mães – correriam atrás dele.

– Será que ele vai se casar de novo? – perguntou Olivia, sussurrando.

– N-não sei. – Miranda engoliu em seco. – Ele vai ter que se casar, não acha?

– Bem, ainda temos Winston para gerar um herdeiro. E se você... Ugh!

O cotovelo de Miranda acertou em cheio nas costelas de Olivia.

Nesse momento, Turner parou ao lado delas e ambas o cumprimentaram com mesuras educadas.

– É um prazer ver você, irmão – disse Olivia com um sorriso enorme. – Já havia quase desistido de encontrá-lo por aqui.

– Que absurdo, Olivia! Se eu não viesse, mamãe comeria o meu fígado. – Ele estreitou os olhos (foi quase imperceptível, mas Miranda tendia a reparar tudo nele) e perguntou: – Por que Miranda lhe deu essa cotovelada nas costelas?

– Não dei cotovelada nenhuma! – protestou Miranda. Então, quando o olhar fixo dele ficou mais cético, ela murmurou: – Foi um cutucão, isso, sim.

– Cotovelada, cutucão, o que importa é que as duas coisas são sinais de uma conversa muito mais interessante do que qualquer outra coisa que esteja acontecendo neste maldito salão.

– Turner! – protestou Olivia.

Turner ignorou a irmã e insistiu com Miranda.

– Acha que ela está recriminando meu linguajar ou minha opinião de que todos os convidados deste baile são uns idiotas?

– Imagino que seja o linguajar – respondeu Miranda, com calma. – Porque sua irmã também afirmou que a maioria dos cavalheiros aqui presentes são idiotas.

– Não foi isso o que eu disse – objetou Olivia. – Apenas falei que eram entediantes.

– Ovelhas – confirmou Miranda.

– Bodes – acrescentou Olivia, dando de ombros.

Turner começou a ficar assustado.

– Deus do céu, vocês duas falam uma língua própria?

– Não, estamos sendo perfeitamente claras – disse Olivia. – Mas me diga, irmão, sabe quem foi que cunhou a expressão a "entre a cruz e a espada"?

– Não estou entendendo a ligação entre as duas coisas – murmurou Turner.

– Não foi Shakespeare – falou Miranda.

Olivia balançou a cabeça.

– Se não ele, quem mais poderia ser?

– Ora essa – retrucou Miranda –, qualquer um dos milhares de notórios escritores em língua inglesa.

– Foi por isso que você... hum, cutucou Olivia? – perguntou Turner.

– Sim – respondeu Miranda, aproveitando a oportunidade.

Infelizmente, Olivia foi meio segundo mais rápida ao dizer:

– Não.

O olhar de Turner corria de uma para a outra, parecendo achar graça.

– Eu estava falando de Winston – disse Olivia, impaciente.

– Ah, Winston. – Turner olhou ao redor. – Ele está aqui, não está? – Então ele arrancou o cartão de dança das mãos de Miranda. – Por que ele não reservou uma dança? Esperava ver no mínimo três aqui. Achei que ele e a senhorita estivessem pensando em casamento.

Miranda trincou os dentes, recusando-se a responder. O que era uma escolha muito razoável, porque sabia que Olivia não deixaria a oportunidade passar.

– Nada foi oficializado – disse ela –, mas *todos* concordam que formariam um par esplêndido.

– *Todos*? – perguntou Turner, baixinho, olhando para Miranda.

– E quem discordaria? – respondeu Olivia com impaciência.

A orquestra pegou os instrumentos e os primeiros acordes de uma valsa começaram a preencher o salão.

– Creio que é a minha dança – disse Turner, e Miranda percebeu que ele a encarava.

Ela estremeceu.

– Vamos? – murmurou ele, estendendo a mão.

Incapaz de falar, Miranda apenas assentiu. Turner tinha um efeito sobre ela. Um efeito estranho que a deixava trêmula e ofegante. Bastava um olhar – não um olhar corriqueiro de sempre, em meio a uma conversa informal, mas um olhar de verdade, fixo – apenas um olhar daqueles olhos azuis profundos e perspicazes para que ela se sentisse nua, com a alma despida. E o pior era que ele não fazia a menor ideia. Ali estava ela, com as emoções à flor da pele, e Turner provavelmente não via nada além de seus olhos castanhos e insossos.

Ela era a amiga da irmã mais nova dele e, muito provavelmente, nunca viria a ser nada mais.

– Então vocês vão me deixar sozinha, é isso mesmo? – O tom de Olivia não era petulante, mas foi acompanhado de um leve suspiro mesmo assim.

– Não se preocupe – assegurou Miranda –, você não vai ficar sozinha por muito tempo. Vejo que seu séquito já está voltando com as limonadas.

Olivia torceu o nariz.

– Já reparou, Turner, como a Miranda tem um senso de humor sarcástico?

Miranda reprimiu um sorriso e inclinou a cabeça para o lado.

– Por que tenho a impressão de que o seu tom não foi lá muito elogioso?

Olivia gesticulou, enxotando os dois.

– Andem, vão lá dançar. Divirta-se com Turner.

Turner pegou Miranda pelo cotovelo e a conduziu ao centro do salão.

– A senhorita tem mesmo um senso de humor bastante peculiar – murmurou ele.

– Tenho?

– Sim, mas é a característica sua de que mais gosto, então, por favor, não mude.

Ela fez esforço para não se sentir absurdamente feliz.

– Vou me esforçar, milorde.

Ele estremeceu, posicionando os braços ao redor do corpo dela para dançar.

– E de onde veio isso de "milorde"? Desde quando a senhorita ficou tão pomposa?

– Culpa de todo este tempo que estou passando aqui em Londres. Sua mãe tem me obrigado a seguir todas as regras da boa etiqueta – ela deu um sorriso doce –, Nigel.

Ele fez uma careta.

– Acho que prefiro "milorde".

– E eu, Turner.

A mão dele segurou a cintura dela com mais força.

– Ótimo. Vamos manter assim.

Miranda suspirou levemente e os dois pararam de falar. Dentre tantas valsas, aquela era um tanto lenta. Nada de giros de tirar o fôlego, nada para deixá-la tonta e com a cabeça rodopiando. O que lhe dava oportunidade de sobra para saborear o momento, para se deleitar com o toque dele. Miranda sorvia seu perfume, sentia o calor que irradiava de seu corpo e simplesmente se permitiu aproveitar.

Era tudo perfeito. Absolutamente perfeito. Era quase impossível imaginar que ele não sentia o mesmo.

Mas ele não sentia. Miranda não se iludia. Por mais que desejasse reciprocidade por parte de Turner, sabia muito bem que não seria capaz de transformar esse desejo em realidade. Quando ergueu o rosto para ele, viu que seu olhar estava perdido em alguém na multidão, como se matutasse um problema em silêncio. Não era o semblante de um homem apaixonado. E ele não agiu como um homem apaixonado quando, ao olhar para ela, enfim, comentou:

– A senhorita não é nada má na valsa, Miranda. Na verdade, até que é bastante boa. Não vejo motivo para ter ficado tão nervosa.

Ele estava sendo gentil. Fraternal.

O que era de cortar o coração.

– Não tive muita oportunidade de praticar nos últimos tempos – improvisou ela, já que ele parecia esperar por uma resposta.

– Nem com Winston?

– Winston? – ecoou ela.

Pelo olhar de Turner, ele estava achando graça quando disse:

– Caso não se lembre, é o meu irmão mais novo.

– Sim – disse ela. – Não. Quer dizer, não. Faz anos que não danço com Winston.

– Ah, é?

Ela ergueu o rosto para ele. Havia algo estranho no tom, uma insinuação de quase, mas não exatamente, prazer. Não ciúmes, infelizmente. Miranda imaginava que, de um jeito ou de outro, ele não se incomodaria nem um pouco se ela dançasse com o irmão dele. Mas tinha a estranha sensação de que ele estava se parabenizando, como se tivesse previsto a resposta dela e agora estivesse satisfeito com a própria esperteza.

Meu Deus, a imaginação dela estava voando. Olivia sempre dizia que Miranda vivia pensando demais e, pela primeira vez na vida, ela tinha que admitir que a amiga tinha razão.

– Não vejo Winston com frequência – disse Miranda, torcendo para que a conversa pusesse fim aos pensamentos compulsivos sobre perguntas sem resposta (como, por exemplo, todas as implicações por trás de "Ah, é").

– Ah, é? – indagou Turner, com interesse, aumentando de leve a pressão na base das costas dela ao conduzi-la para o lado direito.

– Ele está sempre na universidade. Agora mesmo, inclusive, o período ainda não terminou.

– Vai vê-lo com mais frequência durante o verão, imagino.

– Suponho que sim. – Ela pigarreou. – Hã... quanto tempo o senhor pretende ficar aqui?

– Em Londres?

Ela assentiu. Ele hesitou. Fizeram um belo giro para a esquerda e então, por fim, ele respondeu:

– Não sei ao certo. Mas acho que não muito.

– Entendo.

– Em todo o caso, eu deveria estar de luto. Minha mãe está chocada porque estou sem a braçadeira.

– Eu não estou.

Ele sorriu para ela e, dessa vez, não foi nada fraterno. Não que tivesse sido um sorriso cheio de paixão e desejo, mas pelo menos era algo novo. Um sorriso matreiro, cúmplice, que fez Miranda sentir como se fizesse parte de uma equipe.

– Ora, ora, Srta. Cheever – murmurou ele, com malícia –, é impressão minha ou a senhorita está sendo um tanto rebelde?

Ela ergueu o queixo com certo orgulho.

– Nunca entendi a necessidade de ficar de luto por alguém que mal conhecemos, e definitivamente não vejo o menor cabimento em ficar de luto por uma pessoa detestável.

Ele ficou inexpressivo por um breve momento, então sorriu.

– A senhorita foi forçada a ficar de luto por quem?

Ela abriu um sorrisinho.

– Um primo.

Turner chegou ligeiramente mais perto.

– Alguém já lhe disse que não é apropriado sorrir quando o assunto é a morte de um parente?

– Eu nem cheguei a conhecer o sujeito.

– Mesmo assim...

Miranda deu uma risadinha bem feminina. Sabia que Turner a estava provocando, mas estava divertido demais para interromper.

– Ele passou a vida inteira no Caribe – acrescentou ela, embora não fosse de todo verdade.

– Ora, ora, mas que sanguinária a senhorita é, mocinha....

Ela deu de ombros. Vindo de Turner, o comentário parecia um elogio.

– Enfim, eu ainda acho que, em breve, a senhorita vai entrar para a família – disse ele. – Desde que consiga tolerar o meu irmão mais novo por longos períodos de tempo.

Miranda tentou imprimir sinceridade no sorriso. Casar com Winston não era bem o seu método de escolha para entrar para a família Bevelstoke. E, apesar dos planos e tramoias de Olivia, Miranda não achava provável que um pedido de casamento estivesse por vir.

Havia muitos motivos excelentes para se casar com Winston, e um único e contundente motivo para *não* se casar. O motivo que estava bem diante dela naquele instante.

Se tivesse que se casar com alguém que não amava, Miranda teria de escolher outra pessoa que não o irmão do homem que ela, de fato, amava.

Ou que achava que amava. Ela não parava de tentar se convencer do contrário, dizendo a si mesma que tudo não passava de uma paixonite de menina e que superaria aquele sentimento. Que já tinha superado, inclusive, mas que ainda não se dera conta.

Ela só estava *habituada* a se ver como uma mulher apaixonada por ele. Só isso.

Mas aí ele fazia algo completamente desprezível, como *sorrir* para ela, e todo o esforço de Miranda caía por terra e era preciso começar tudo de novo.

Um dia isso valeria a pena. Um dia ainda acordaria e perceberia que passara dois dias consecutivos sem pensar em Turner e, em um passe de mágica, esses dois dias virariam três, depois quatro e...

– Miranda?

Ela ergueu o rosto e viu que Turner a observava com uma expressão zombeteira. Teria parecido condescendente, não fosse pelos cantinhos dos olhos levemente enrugados... Por um momento ele pareceu leve e jovem, e talvez até mesmo satisfeito.

E Miranda ainda estava apaixonada por ele. Pelo menos até o fim da noite não haveria a menor chance de se convencer do contrário. Na manhã seguinte ela recomeçaria mais uma vez, mas por ora nem sequer se daria ao trabalho de tentar.

Quando a música chegou ao fim, Turner soltou a mão dela, deu um passo para trás e executou uma elegante mesura. Miranda respondeu do mesmo modo e então aceitou o braço dele, deixando que Turner a conduzisse pelo salão.

– Onde será que está Olivia? – murmurou ele, olhando de um lado para outro. – Imagino que vou ter que expulsar um dos cavalheiros do cartão dela e tirá-la para dançar.

– Meu Deus, não precisa falar como se fosse um suplício! – exclamou Miranda. – Não somos tão pavorosas assim.

Ele se voltou para ela com um traço de surpresa no olhar.

– Ora, eu não estava me referindo a você. Nossa dança não foi o menor incômodo.

Assim como o elogio, o comentário fora, na melhor das hipóteses, comedido. Miranda, no entanto, deu um jeito de ficar feliz.

E *isso*, pensou ela, infeliz, era a prova cabal de que havia chegado ao fundo do poço. Ela estava descobrindo que o amor platônico ficava ainda pior quando se estava na presença da pessoa amada. Passara quase dez anos sonhando acordada com Turner, esperando pacientemente por qualquer notícia dele que os Bevelstokes deixassem escapar durante o chá da tarde, tentando mascarar a alegria e a satisfação que sentia (sem falar no pavor de ser desmascarada) quando ele aparecia, uma ou duas vezes por ano.

Achou que nada poderia ser mais patético do que isso, mas naquele momento começava a perceber que estava enganada. Sem dúvida, a atual conjuntura era muito pior. Antes, ela era invisível. Agora, era um sapato velho e confortável.

Droga.

Ela olhou para ele de soslaio, mas Turner não correspondeu. Não que estivesse intencionalmente *não* olhando para ela; com certeza ele não estava *evitando* olhar para ela. Ele apenas não olhava e ponto final.

Miranda não o afetava nem um pouco.

– Ah, lá está Olivia – informou ela, suspirando.

Como sempre, cercada por uma multidão ridícula de admiradores. Turner observou a irmã atentamente.

– Não me parece que nenhum deles esteja se comportando mal, não é? Tive um dia bem longo e prefiro não ter que fazer o papel de irmão bravo.

Miranda ficou na ponta dos pés para olhar com mais atenção.

– Acho que o senhor pode ficar despreocupado.

– Ótimo. – Então ele percebeu que ainda estava com o pescoço dobrado, observando a irmã com o olhar meio perdido. – Hã...

– Hã?

Virou-se para Miranda outra vez. Ela ainda estava ao seu lado, perscrutando-o com aqueles olhos castanhos incansavelmente curiosos.

– Turner? – disse ela.

– Hã? – repetiu ele.

– Você está com uma cara esquisita.

Nada de "O senhor está bem?" ou "Algo o aflige?". Só "Você está com uma cara esquisita".

Ele teve que sorrir. Pensou no quanto gostava daquela garota, no fim das contas, e como, no dia do velório de Leticia, ele agira mal com ela. Então sentiu o impulso de fazer algo por ela. Olhou a irmã uma última vez e se virou lentamente para Miranda.

– Se eu estivesse na flor da idade, o que, veja bem, não é o caso...

– Turner, você nem chegou aos 30 anos.

Miranda parecia meio impaciente, com certo ar de tutora que Turner achava curiosamente divertido. Ele deu de ombros com displicência.

– Pois me sinto mais velho. Para ser sincero, nos últimos tempos, tenho me sentido um ancião. – Então, percebendo que ela o encarava com expectativa, pigarreou e disse: – O que eu estava tentando dizer era que, se *eu* estivesse esquadrinhando a nova leva de debutantes, acho que Olivia não chamaria minha atenção.

Miranda ergueu as sobrancelhas.

– Bem, ela é sua irmã, afinal. Além das questões legais envolvidas, ainda...

Ora, francamente, pensou ele, interrompendo-a:

– Eu estava *tentando* fazer um elogio...

– Ah. – Ela pigarreou, ruborizando um pouco, embora, à meia-luz, fosse difícil ter certeza. – Bem, neste caso, por favor, fique à vontade.

– Olivia é mesmo muito bonita – prosseguiu ele. – Mesmo sendo irmão mais velho dela, posso notar isso. Mas falta algo em seus olhos.

Miranda pareceu chocada.

– Turner! Isso é coisa que se diga? Sabe tão bem quanto eu que Olivia é muito inteligente. Muito mais do que a maioria dos homens naquele enxame ao redor dela.

Ele se permitiu parar e observá-la. Que mocinha leal... Turner não tinha a menor dúvida de que, se necessário fosse, ela tomaria um tiro no lugar de Olivia. Que bom que ela estava ali. Além do efeito calmante que Miranda exercia em Olivia (e ele tinha a sensação de que todos os Bevelstokes sentiam tremenda gratidão a ela por isso), Miranda era, com certeza, a única coisa capaz de tornar suportável a estadia em Londres. Deus sabia o quanto ele não queria ter vindo. A última coisa de que precisava naquele momento era ter que lidar com mulheres interessadas em ocupar o lugar infeliz de Leticia. Com Miranda por perto, pelo menos ele tinha a certeza de que teria boas conversas.

– Claro que Olivia é inteligente – disse ele. – Vou me corrigir. Quis dizer que eu, pessoalmente, não ficaria intrigado por ela.

Miranda contraiu os lábios: lá estava, mais uma vez, a tutora.

– Bem, suponho que isso seja um direito seu.

Ele sorriu e se aproximou, só um pouquinho.

– Acho que seria muito mais provável que eu me visse atraído para o *seu* lado.

– Não seja ridículo – murmurou ela.

– Estou falando sério – garantiu ele. – Mas, por outro lado, sou mais velho do que a maior parte desses bobos que ficam rodeando a minha irmã. Talvez o meu gosto tenha mudado com o tempo, vai saber... Mas, no fim das contas, suponho que refletir sobre isso não vai levar a nada, porque não estou na flor da idade e não estou de olho na leva de debutantes da temporada.

– E não está procurando uma esposa. Foi uma afirmação, não uma pergunta.

– Pelo amor de Deus, não. Que diabo eu faria com uma esposa?

~

2 de junho de 1819

No café da manhã, lady Rudland declarou que o baile de ontem foi um sucesso "assombroso". Não pude deixar de rir da escolha de palavras dela; creio que ninguém recusou o convite, e juro que nunca vi um salão tão cheio na vida. Eu definitivamente ainda me sinto assombrada pela lembrança de ter que interagir com tantos estranhos. Acho que tenho de fato a alma de uma garota do interior, porque não sei se gostaria de estar tão perto de outros cavalheiros mais uma vez.

Foi isso o que eu disse durante o desjejum, o que fez Turner cuspir o café que bebia. Lady Rudland lançou um olhar assassino para ele, mas imagino que ela não seja tão apaixonada pelas toalhas de mesa a ponto de chegar a vias de fato.

Turner pretende ficar apenas uma ou duas semanas em Londres. Ele está conosco na Rudland House, o que é, ao mesmo tempo, maravilhoso e péssimo.

Lady Rudland relatou ter sido abordada por uma viúva velha e ranheta – nas palavras dela, não minhas; em todo o caso, lady Rudland se recusou a revelar a identidade da viúva em questão. A velha teria declarado que eu estava Muito-Grudada-em-Turner e que as pessoas poderiam acabar tendo a Impressão-Errada.

Ela nos contou que disse à viuvelha (viuvelha! Que engenhoso!) que eu e Turner somos praticamente irmãos, que é simplesmente natural que eu interaja bastante com ele no meu baile de debutante e que não havia nenhuma Impressão-Errada para as pessoas terem.

Mas eu me pergunto se, em Londres, existe alguma Impressão-Correta.

Capítulo cinco

Cerca de uma semana depois, o sol brilhava tanto que Miranda e Olivia, com saudade dos passeios frequentes pelo campo, decidiram passar a manhã explorando Londres. Por insistência de Olivia, começaram pelo distrito de compras.

– Definitivamente não preciso de mais um vestido – declarou Miranda enquanto desciam a rua, com as criadas seguindo a uma distância respeitosa.

– Nem eu, mas é sempre divertido ver as modas. Além disso, talvez a gente encontre uma besteirinha qualquer para comprar com a nossa mesada. Quando menos esperarmos, já será o seu aniversário. Acho que você deveria comprar um agrado para si mesma.

– Talvez.

Passearam por lojas de vestido, joalherias, chapeleiros e confeitarias, até que Miranda encontrou algo que não sabia que estava procurando.

– Olivia, olha só! – exclamou ela, ofegante. – Não é magnífico?

– O que é magnífico? – perguntou Olivia, olhando para a elegante vitrine da livraria.

– Aquilo!

Miranda apontou para uma edição luxuosa de *A morte de Arthur*, de sir Thomas Malory. Era um lindo exemplar e Miranda só queria se debruçar sobre a vitrine, atravessar o vidro e cheirar as páginas.

Pela primeira vez na vida, viu algo que ela *tinha* que possuir. Às favas com a economia. Esqueça a praticidade. Ela soltou um suspiro, longo e profundo, e disse:

– Acho que finalmente entendo como você se sente em relação aos sapatos.

– Sapatos? – repetiu Olivia, olhando para os pés dela. – Sapatos?

Miranda nem se deu ao trabalho de explicar. Estava ocupada demais tentando ver melhor a borda dourada das páginas.

– E nós já lemos esse livro – acrescentou Olivia. – Há dois anos, eu acho... quando contrataram a Srta. Lacey como nossa tutora. Não se lembra? Ela ficou pasma porque ainda não havíamos lido.

– Não é uma questão de já ter lido ou não – argumentou Miranda, com o nariz colado na vitrine. – Não é a coisa mais linda que você já viu?

Olivia olhou para a amiga com uma expressão incrédula.

– Hã... não.

Miranda balançou a cabeça de leve.

– Acho que a arte é assim. Algo que leva uma pessoa ao delírio pode significar absolutamente nada para outra pessoa.

– Miranda, é um *livro*.

– Mas esse livro é uma obra de arte – afirmou Miranda.

– Parece meio velho.

– Eu sei.

Miranda suspirou alegremente.

– Você vai comprar?

– Se eu tiver dinheiro suficiente.

– Bem, eu acho que você deveria comprar. Faz anos que não gasta nada da sua mesada. O dinheiro fica todo lá guardado dentro daquele vaso de porcelana que Turner mandou para você de aniversário cinco anos atrás.

– Seis.

Olivia não entendeu.

– Seis o quê?

– Foi há seis anos.

– Cinco, seis anos... qual é a diferença? – retrucou Olivia, exasperada. – O que importa é que você tem bastante dinheiro guardado e, se quer esse livro tanto assim, acho que deveria comprá-lo para comemorar seus 20 anos. Você nunca compra nada para si mesma.

Miranda se virou outra vez para a tentação na vitrine. O livro estava em um pedestal, aberto em uma página mais ou menos na metade que continha uma ilustração em cores vivas de Arthur e Guinevere.

– Aposto que vai ser caro – disse ela, com tristeza.

Olivia deu um empurrãozinho nela.

– Você nunca vai saber se não entrar e perguntar.

– Tem razão. Vou perguntar!

Com um sorriso que misturava empolgação e nervosismo, Miranda entrou na livraria. A decoração era em tons escuros e masculinos, com poltronas de couro em lugares estratégicos para acomodar quem quisesse se sentar um pouco para folhear um volume.

– Não estou vendo o dono – sussurrou Olivia no ouvido de Miranda.

– Está bem ali. – Miranda apontou para um homem magro, exibindo sinais de calvície, e que tinha mais ou menos a idade dos pais delas. – Ali, ajudando aquele senhor a encontrar um livro. Viu? Mas vou esperar ele terminar, Não quero atrapalhar.

As duas moças aguardaram pacientemente enquanto o homem fazia o atendimento. De vez quando ele lançava um olhar atravessado para elas, deixando Miranda perplexa, já que tanto ela quanto Olivia eram duas jovens bem-vestidas e que certamente poderiam arcar com o preço das mercadorias. Por fim, depois de alguns minutos, ele terminou e veio na direção delas sem demora.

– Por favor, o senhor poderia me informar... – começou Miranda.

– Isto aqui é uma livraria de *cavalheiros* – declarou ele em tom hostil.

– Ah. – Miranda ficou imediatamente na defensiva, mas desejava o livro desesperadamente, então engoliu o orgulho, abriu um sorriso meigo e prosseguiu: – Sinto muito. Não sabia. Mas eu gostaria de saber...

– Eu disse que é uma livraria de cavalheiros. – Os olhos pequenos do homem se estreitaram ainda mais. – Queiram se retirar, por gentileza.

Gentileza? Gentileza, com *aquele* tom de voz? Miranda apenas o encarou, boquiaberta.

– Vamos, Miranda – disse Olivia, puxando-a pela manga do vestido. – É melhor irmos embora.

Miranda nem se moveu.

– Eu gostaria de comprar um livro.

– Que bom para a senhorita – disse o livreiro, com falsidade. – Ainda bem que a livraria feminina fica a uns 500 metros daqui.

– A livraria feminina não tem o livro que desejo.

Ele deu um sorriso desagradável.

– Bem, se não está lá, então a senhorita não deveria lê-lo.

– Creio, senhor, que não lhe cabe fazer esse julgamento – declarou Miranda, friamente.

– Miranda... – sussurrou Olivia, de olhos arregalados.

– Um minuto, por favor – respondeu ela, sem tirar os olhos daquele homenzinho repulsivo. – Posso garantir ao senhor que tenho dinheiro de sobra. E posso até ser persuadida a gastá-lo aqui, caso o senhor me permita inspecionar o exemplar de *A morte de Arthur*.

Ele cruzou os braços.

– Não vendo livros para mulheres.

Foi a gota d'água.

– Ora, tenha a santa *paciência*!

– Vá embora – vociferou ele –, ou vou mandar que a retirem à força!

– O que seria um erro crasso – rebateu Miranda, no mesmo tom. – O senhor sabe com quem está falando?

Ela não tinha o costume de se aproveitar de seu título, mas não se opunha a fazê-lo quando necessário.

O livreiro não se deixou intimidar.

– Pois saiba que pouco importa.

– Miranda – suplicou Olivia, cada vez mais desconfortável.

– Eu sou a Srta. Miranda Cheever, filha de sir Rupert Cheever, e esta – informou Miranda com um floreio – é lady Olivia Bevelstoke, filha do conde de Rudland. Sugiro que reconsidere sua política de atendimento.

Ele sustentou o olhar desafiador dela.

– Nem que você fosse a maldita princesa Charlotte. Dê o fora da minha loja!

Miranda estreitou os olhos antes de rumar para a saída.

– Isso não vai ficar assim – disse ela.

– Fora!

Ela pegou o braço de Olivia e saiu bufando, batendo a porta com força só para incomodar. Quando estavam seguras do lado de fora, ela desabafou:

– Dá para acreditar nesse sujeito? Que absurdo! Isso só pode ser ilegal. Aquele lugar...

– É uma livraria de *cavalheiros* – cortou Olivia, olhando para Miranda como se de repente uma segunda cabeça tivesse brotado no pescoço da amiga.

– E daí?

Olivia se retraiu ao ouvir o tom beligerante da amiga.

– Há livrarias para homens e livrarias para mulheres. É assim que as coisas são.

Miranda cerrou os punhos com força.

– Se quer saber minha opinião, as coisas são uma porcaria de maldição!

– Miranda! – exclamou Olivia, sem ar. – Que linguajar é esse?

Miranda teve a dignidade de ruborizar, constrangida com as próprias palavras grosseiras.

– Está vendo como aquele homem me tirou do sério? Quantas vezes você já me viu xingar em voz alta?

– Nenhuma, e fico feliz por não estar ouvindo os xingamentos que devem estar passando pela sua cabeça agora.

– Que estupidez! – Miranda soltava fogo pelas ventas. – Absoluta estupidez. *Ele* vendia algo que eu queria comprar, e *eu* tinha dinheiro para pagar. Devia ser uma questão simplíssima.

Olivia olhou para a outra ponta da rua.

– Por que não vamos à livraria feminina e pronto?

– Sob circunstâncias normais, eu não pensaria duas vezes. A loja daquele homem é o último lugar em que eu gostaria de gastar meu dinheiro. Infelizmente, Livvy, duvido que a livraria feminina vá ter um exemplar de *A morte de Arthur* como aquele. Tenho bastante certeza de que é um item único. E pior ainda... – Ao se dar conta da total injustiça da situação, Miranda falou ainda mais alto. – *Pior ainda...*

– Fica pior?

Miranda lançou um olhar irritadiço à amiga, mas, mesmo assim, respondeu:

– Fica. Fica pior. O pior é que, mesmo que houvesse dois exemplares, o que eu duvido muitíssimo, a livraria feminina não deve tê-lo em estoque, porque ninguém presume que uma dama vá gostar de comprar um livro como esse!

– É mesmo?

– Sim! Aposto que a livraria feminina está abarrotada de Byron e de romances da Sra. Radcliffe.

– Eu gosto de Byron e da Sra. Radcliffe – retrucou Olivia, parecendo ligeiramente ofendida.

– Eu também, mas também gosto de outros tipos de livro. E *não acho* que cabe àquele sujeitinho – irada, ela apontou para a vitrine da livraria – determinar o que eu posso ou não ler.

Olivia a encarou por um momento e então perguntou, em um tom educado:

– Terminou?

Miranda alisou as saias e bufou.

– Sim.

De costas para a livraria, Olivia lançou um olhar pesaroso por cima do ombro, depois segurou o braço de Miranda, reconfortando-a.

– Podemos pedir a papai que o compre para você. Ou Turner.

– Não é essa a questão. Não estou acreditando que você não esteja tão indignada quanto eu.

Olivia suspirou.

– Quando foi que você se tornou uma rebelde, Miranda? Eu achava que, das duas, eu é que fosse a inconsequente.

De tanto trincar os dentes, Miranda estava começando a sentir dor no maxilar.

– Parece que, até agora – disse ela, quase rosnando –, eu nunca tinha tido motivo para me revoltar.

– Preciso me lembrar de fazer de tudo para nunca lhe dar motivo para se irritar comigo.

– Ainda vou conseguir aquele livro, Olivia...

– Está bem, só temos que...

– E ele *vai saber* que eu consegui.

Miranda fulminou a livraria com um último olhar de ódio e saiu marchando para casa.

~

– Claro que posso comprar o livro para você – falou Turner, afável.

Estava tendo uma tarde muito agradável, lendo o jornal e contemplando sua nova vida de cavalheiro não comprometido, quando sua irmã invadira o cômodo e anunciara que Miranda precisava desesperadamente de um favor.

De fato, estava se divertindo bastante, sobretudo com o olhar mortal que Miranda lançara a Olivia à simples menção da palavra “desesperadamente”.

– Não quero que você compre *para mim* – grunhiu Miranda. – Quero que compre *comigo.*

Turner se recostou na confortável poltrona.

– Faz diferença?

– *Toda* a diferença.

– Todinha – confirmou Olivia, mas, pelo riso da irmã, Turner suspeitava que ela também não via diferença.

Miranda olhou atravessado de novo, e desta vez Olivia se empertigou e exclamou:

– O que foi? Estou do seu lado!

– Você não acha *errado* – prosseguiu Miranda, com ferocidade, despejando sobre Turner sua diatribe – que eu não possa comprar algo em determinado estabelecimento simplesmente por ser mulher?

Ele deu um sorriso calmo.

– Miranda, há certos lugares que uma mulher não deve frequentar.

– Não estou pedindo para entrar em um dos preciosos clubinhos de vocês. Eu só quero comprar um livro. Não há nada remotamente impróprio nisso. É uma relíquia, pelo amor de Deus!

– Miranda, se o sujeito for o dono da loja, ele pode decidir para quem vender ou não vender.

Ela cruzou os braços.

– Ora, então é isso que não deveria ser permitido. Deveria haver uma lei determinando que livreiros não possam se recusar a vender para as mulheres.

Ele ergueu a sobrancelha de modo sarcástico.

– Não me diga que andou lendo aquele tratado de Mary Wollstonecraft...

– Mary quem? – perguntou Miranda, distraída.

– Ótimo.

– Turner, por favor, não tente mudar de assunto. Você concorda ou não que eu deveria poder comprar o livro?

Ele suspirou, exaurido pela inesperada teimosia dela. E tudo por causa de um *livro*.

– Miranda, o que você quer fazer numa livraria para cavalheiros? Você nem pode votar.

De tão indignada, ela até engasgou ao dizer:

– E ainda por cima tem isso...

Na mesma hora, Turner notou que cometera um erro de estratégia.

– Esqueça a menção ao sufrágio. Por favor. Vou com você comprar esse livro, está bem?

– Vai mesmo? – Os olhos castanhos dela se iluminaram de alegria. – Obrigada.

– Vamos na sexta-feira? Acho que estou livre à tarde.

– Ah, mas eu também quero ir – declarou Olivia.

– De jeito nenhum. Só consigo lidar com uma de vocês por vez. Minha paciência tem limites.

– Paciência?

Ele lançou para ela um olhar *daqueles*.

– Vocês são um desafio e tanto, sabia?

– Turner! – exclamou Olivia, virando-se então para Miranda: – Miranda!

Mas Miranda ainda estava concentrada em Turner.

– Não podemos ir agora? – perguntou ela, parecendo não ter escutado uma só palavra da troca de farpas entre irmãos. – Não quero que aquele livreiro se esqueça de mim.

– A julgar pelo relato de Olivia sobre a aventura de vocês – disse Turner com certo sarcasmo –, acho improvável.

– Mas, por favor, podemos ir hoje? Por favor. *Por favor.*

– Você notou que está suplicando, certo?

– Eu sei, e não me importo – respondeu ela, prontamente.

Ele ponderou.

– Pensando bem, acho que eu poderia tirar certo proveito da situação.

Miranda respondeu com um olhar vago.

– Como, exatamente?

– Ah, não sei. Pode vir a calhar você ficar me devendo um favor.

– Bem, como não posso oferecer nada que você possa vir a desejar, acho bom deixar de lado esses planos maléficos e apenas me levar logo à livraria.

– Muito bem. Então vamos.

Miranda parecia a ponto de saltitar de felicidade. *Céus*, pensou Turner.

– Não é longe – disse ela. – Podemos ir andando.

– Não posso mesmo ir também? – perguntou Olivia, seguindo-os pelo corredor.

– Fique aqui – pediu Turner, enquanto Miranda atacava a porta da frente. – Alguém vai precisar chamar a guarda quando não voltarmos ilesos.

~

Dez minutos depois, Miranda estava diante da livraria da qual fora expulsa horas antes.

– Meu Deus, Miranda – murmurou Turner ao lado dela –, você está com uma cara assustadora.

– Ótimo – respondeu ela, sucinta, e deu um passo à frente.

Turner a conteve, pegando-a pelo braço.

– Melhor deixar que eu vá na frente – sugeriu ele, com um olhar de quem está se divertindo. – Talvez o homem tenha um ataque apoplético só de ver você.

Miranda olhou para ele de cara feia, mas o deixou passar. Agora aquele vendedor não teria como levar a melhor. Ela estava armada com uma boa dose de ira e com a presença de um cavalheiro com título de nobreza. O livro já era dela.

Quando Turner entrou na loja, a sineta soou. Miranda ia logo atrás, quase pisando nos calcanhares dele.

– Em que posso ajudá-lo, senhor? – perguntou o livreiro, educado e bajulador.

– Estou interessado em... – A voz dele morreu enquanto examinava o interior da loja.

– Aquele – disse Miranda, com firmeza, apontando para a vitrine.

– Sim, aquele mesmo. – Turner deu um sorriso amarelo para o vendedor.

– Você! – O livreiro ficou com o rosto vermelho de raiva. – Fora! Fora da minha loja, agora!

Ele agarrou o braço de Miranda e tentou arrastá-la para a porta.

– Pare! Pare já com isso!

Miranda não estava nem um pouco disposta a ser agredida por um idiota daquele calibre e deu com a bolsa na cabeça do sujeito.

Turner gemeu.

– Simmons! – O livreiro chamou seu assistente. – Vá buscar um guarda. Esta jovem está fora de si.

– Não estou fora de mim, seu cara de bode!

Turner pesou quais seriam suas opções. Na verdade, não havia nenhuma forma de aquela situação terminar bem.

– Sou uma cliente e estou disposta a pagar pela mercadoria. E a mercadoria que eu quero é *A morte de Arthur*!

– Prefiro morrer a ver este livro nas suas mãos, sua sirigaita mal-educada!

“Sirigaita?” Aquilo já era demais para Miranda, que se melindrava com muito mais facilidade do que seu comportamento na ocasião poderia dar a entender.

– Seu sujeitinho vil e desprezível – sibilou ela, levantando a bolsa outra vez.

Sirigaita? Turner suspirou. Não poderia relevar aquele insulto, mas também não podia permitir que Miranda atacasse o pobre homem. Pegou a bolsa da mão dela e, com isso, recebeu um olhar fulminante por ousar interferir. Ele estreitou os olhos em tom de advertência.

Então pigarreou, dirigindo-se ao livreiro:

– Senhor, devo insistir que peça desculpas à dama.

O homem cruzou os braços com empáfia.

Turner olhou para Miranda, que estava de braços cruzados de forma igualmente arrogante. Ele então se voltou outra vez para o homem e, com um pouco mais de veemência, repetiu:

– Peça desculpas à dama.

– Essa jovem é uma ameaça – disse o livreiro.

– Ora, seu...

Miranda teria saltado em cima dele se Turner não tivesse reagido rápido e puxado seu vestido. O sujeito cerrou os punhos e assumiu uma postura agressiva que destoava de sua aparência intelectual.

– Fique quieta – sibilou Turner para ela, sentindo os primeiros sinais de raiva no peito.

O livreiro virou-se para ela com ar de triunfo.

– Ah, isso foi um erro – disse Turner.

Não era possível... Será que o sujeito não tinha o menor bom senso? Miranda deu um tranco para a frente, o que fez com que Turner tivesse que segurá-la pelo vestido com ainda mais força. Isso fez a expressão do livreiro ficar ainda mais presunçosa, e toda aquela situação ridícula estava prestes a se transformar em um desastre caso Turner não resolvesse a questão de imediato.

Assim, lançou ao livreiro seu olhar mais gélido e aristocrático.

– Peça desculpas à dama ou eu garanto que o senhor vai se arrepender amargamente.

Estava claro, contudo, que o livreiro era um idiota completo, pois não quis aceitar a oferta generosíssima de Turner. Em vez disso, ele ergueu o queixo de forma insolente e anunciou:

– Não tenho por que me desculpar. Essa mulher adentrou a minha loja...

– Mas que inferno! – exclamou Turner, pois agora não havia como evitar.

– ... incomodou meus clientes, me insultou...

Turner cerrou o punho e deu um soco no homem, acertando-o em cheio no nariz.

– Minha nossa! – exclamou Miranda. – Acho que você quebrou o nariz dele.

Turner fitou-a friamente, depois olhou para o livreiro, que estava no chão.

– Acho que não – respondeu Turner. – Não está sangrando o bastante.

– Que pena.

Turner pegou-a pelo braço, puxando-a para perto. Aquela mocinha sanguinária ainda ia se meter em uma enrascada das grandes.

– Não quero ouvir mais nem uma palavra até sairmos daqui.

Miranda arregalou os olhos, mas, sabiamente, ficou de boca calada e se deixou conduzir em direção à porta. Contudo, ao passar pela vitrine, viu novamente o exemplar desejado.

– Meu livro!

Foi a gota d'água. Turner estacou.

– Eu não quero ouvir mais nem um pio sobre essa porcaria de livro, ouviu bem?

Ela ficou boquiaberta.

– Você não entendeu o que acabou de acontecer? Eu agredi um sujeito.

– Mas ele mereceu, não acha?

– Não tanto quanto você!

Ela recuou, claramente ofendida.

– Ao contrário do que você parece pensar de mim – objetou ele –, eu não vivo por aí caçando oportunidades para fazer uso da violência.

– Mas...

– "Mas" nada, Miranda. Você insultou o sujeito...

– Ele me insultou!

– Eu estava cuidando da situação – sibilou ele, entre os dentes. – Foi por isso que você me trouxe aqui, para cuidar da situação, não foi?

Carrancuda e de má vontade, Miranda assentiu.

– Mas, qual é o seu problema? E se aquele homem tivesse perdido a compostura? E se...

– Ah, então você não acha que ele perdeu a compostura? – perguntou ela, perplexa.

– No mínimo, na mesma medida que você! – Turner segurou Miranda pelos ombros, a um passo de chacoalhá-la. – Por Deus, Miranda, alguns homens não hesitariam nem por um segundo em bater em uma mulher, sabia? Ou coisa pior... – acrescentou ele, sério.

Esperou por uma resposta, mas ela continuou encarando-o com aqueles imensos olhos arregalados. Turner teve a sensação perturbadora de que ela estava vendo algo que ele não via.

Algo *nele*.

Então ela disse:

– Desculpe, Turner.

– Por quê? – perguntou ele, sem a menor elegância. – Por fazer tumulto em uma livraria tranquila? Por não ficar de boca calada quando deveria? Por...

– Por aborrecê-lo – disse ela, baixinho. – Sinto muito. Agi muito mal.

A raiva dele foi desarmada pelas palavras calmas dela, e Turner suspirou.

– Só, por favor, nunca mais faça algo parecido, certo?

– Prometo.

– Ótimo.

Quando percebeu que ainda a segurava com força pelos ombros, aliviou a pressão do toque. Então notou que a pele dela era bem macia e agradável e, surpreso, soltou-a no mesmo instante.

Ela inclinou o rosto para o lado, parecendo preocupada.

– Pelo menos eu *acho* que prometo. O que posso fazer, sem dúvida, é *tentar* nunca mais aborrecê-lo dessa forma.

Turner teve uma visão repentina de Miranda tentando não aborrecê-lo. A própria visão já o deixou aborrecido.

– O que deu em você hoje? – disse ele. – Precisamos que seja a ajuizada. Deus sabe quantas vezes você tirou Olivia de enrascadas.

Ela contraiu os lábios com força:

– Não confunda juízo com docilidade, Turner. Estão longe de ser a mesma coisa. Eu definitivamente não sou uma pessoa dócil.

Ele notou que não havia empáfia no tom de voz dela. Miranda apenas frisava um fato – um fato que, ao que tudo indicava, a família dele passara anos ignorando.

– Bem, não se preocupe – declarou ele, cansado. – Se algum dia tive alguma ilusão de que você era uma pessoa dócil, hoje você tratou de desfazê-la.

Mas, por Deus, ela ainda não tinha terminado.

– Quando testemunho uma injustiça tão *óbvia* não consigo ficar parada sem fazer nada.

Aquela garota ainda iria matá-lo. Ele tinha certeza.

– Apenas tente se esquivar de qualquer confusão mais óbvia. Será que pode fazer isso?

– Eu jamais diria que o caso de hoje em particular seria uma confusão. E eu até...

Ele ergueu a mão.

– Chega. Não quero mais ouvir nem uma palavra sobre isso. Só de tocar nesse assunto de novo eu acho que envelheceria uns dez anos. – Ele a pegou pelo braço, conduzindo-a de volta para casa.

Deus do céu, o que estava acontecendo com ele? Turner ainda estava com a pulsação acelerada e ela nunca estivera em perigo. Nem perto. Ele duvidava muito que o livreiro teria chegado às vias de fato. Além do mais, por que diabo ele estava tão preocupado assim com Miranda? É claro que se importava com ela. A jovem era como uma irmã para ele. Mas então tentou imaginar o que aconteceria se tivesse sido Olivia no lugar dela. E concluiu que teria achado um pouco de graça, e nada mais.

Se Miranda era capaz de deixá-lo tão furioso assim, algo estava muito errado.

Capítulo seis

— Winston chegará em breve.

E, com isso, Olivia adentrou o salão, premiando Miranda com um de seus sorrisos mais luminosos.

Miranda ergueu os olhos do livro, um exemplar muito gasto e nada glamouroso de *A morte de Arthur* que ela pegara emprestado na biblioteca de lorde Rudland.

– Sério? – murmurou, ainda que soubesse muito bem que Winston deveria chegar naquela tarde.

– *Sério*? – arremedou Olivia. – É só isso que você tem a dizer? Desculpe, mas tive a impressão de que você estava apaixonada pelo garoto... Ah, perdão, agora ele já é homem feito, certo?

Miranda voltou ao livro.

– Eu já disse que não estou apaixonada por ele.

– Bom, mas deveria estar – replicou Olivia. – E *estaria*, se ao menos você se dignasse a passar algum tempo com ele.

Os olhos de Miranda interromperam a varredura resoluta das páginas. Ela ergueu o rosto.

– Queira me desculpar. Achei que ele estivesse em Oxford.

– Bem, de fato está – disse Olivia, como se 60 quilômetros de distância não fossem nada. – Mas na semana passada ele esteve aqui e você mal ficou na presença dele.

– Isso não é verdade – argumentou Miranda. – Nós passeamos no Hyde Park, depois fomos à casa de chá e, naquele dia em que estava até meio quente, chegamos a andar de barco no Serpentine.

Olivia se jogou em uma poltrona, cruzando os braços.

– Não é o suficiente.

– Você ficou maluca.

Miranda voltou ao livro.

– Eu *sei* que você vai amá-lo. Só precisa passar mais tempo com ele.

Miranda contraiu os lábios e ficou com os olhos fixos no livro. Não havia nenhuma possibilidade de aquela conversa tomar um rumo sensato.

– Ele só vai passar dois dias aqui – comentou Olivia. – Teremos que ser rápidas.

Miranda virou a página.

– Pode fazer o que quiser, Olivia, mas eu não vou participar dos seus esquemas. – Então, alarmada, ergueu o rosto e prosseguiu: – Não, mudei de ideia. Nada de fazer o que quiser. Se eu deixar as coisas em suas mãos, quando me der conta, estarei dopada e a caminho de Gretna Green.

– Uma ideia intrigante.

– Livvy, pare de bancar a casamenteira. Por favor, prometa!

O semblante de Olivia se crispou.

– Não farei promessas que eu talvez não consiga cumprir.

– *Olivia...*

– Ai, está bem. Mas não vou poder impedir se *Winston* quiser bancar o casamenteiro. E, a julgar pelo comportamento recente dele, acho bem provável que queira.

– Desde que *você* não interfira.

Olivia bufou, fazendo-se de ofendida.

– Fico magoada que você seja capaz de pensar que eu faria isso.

– Ah, mas faça-me o favor...

Miranda voltou ao livro, mas era quase impossível se concentrar no texto enquanto a mente dela fazia uma contagem regressiva: *Vinte, dezenove, dezoito...*

Olivia não conseguiria passar mais de vinte segundos em silêncio.

Dezessete... dezesseis...

– Winston será um ótimo marido, não acha?

Quatro segundos. Era impressionante, até mesmo para Olivia.

– Ele é jovem, é claro, mas nós também somos.

Miranda estava fazendo um esforço considerável para ignorar a amiga.

– Turner também teria sido um ótimo marido se Leticia não tivesse feito o favor de arruiná-lo.

Miranda ergueu o rosto na mesma hora.

– Não acha que esse é um comentário muito cruel, Livvy? – perguntou ela.

Olivia deu um sorrisinho e disse:

– Eu sabia que você estava me ouvindo.

– É quase impossível não ouvir você – resmungou Miranda.

– Eu só estava dizendo que... – Olivia ergueu o rosto e seu olhar foi direto para a porta atrás de Miranda. – E olha só, aí está ele. Que coincidência.

– Winston – disse Miranda, alegremente, ajeitando-se e girando o corpo para olhar por cima do encosto do sofá.

Só que não era Winston.

– Sinto desapontá-la.

O canto da boca de Turner se ergueu em um sorriso preguiçoso e muito sutil.

– Desculpe – murmurou Miranda, de repente sentindo-se boba. – É que estávamos falando dele.

– E também de você – complementou Olivia. – Na verdade, falamos de você por último, motivo do meu comentário quando você entrou.

– Espero que tenham sido coisas bem diabólicas.

– Ah, com certeza – respondeu Olivia.

Miranda deu um sorriso contido e Turner sentou-se diante dela.

Olivia inclinou-se para a frente, apoiou o queixo na mão de forma afetada e disse:

– Acabo de dizer à Miranda que você vai ser um péssimo marido.

Ele se reclinou, parecendo achar graça.

– De fato.

– Mas estava prestes a acrescentar que – prosseguiu Olivia –, com o treinamento certo, ainda tem jeito.

Turner se levantou.

– Vou embora.

– Não, não vá! – chamou Olivia, rindo. – Estou brincando, irmão. Você já passou muito do ponto de redenção. Winston, por outro lado... Ele é como um pedaço de argila.

– Não vou contar para ele que você disse isso – murmurou Miranda.

– Não vá dizer que não concorda – provocou Olivia. – Estou dizendo é que ele ainda não teve tempo de virar uma pessoa horrível, que é o que acontece com a maioria dos homens.

Turner observava a irmã sem nem tentar disfarçar o riso.

– Não entendo como é possível que eu esteja aqui parado ouvindo sua ladainha sobre administração dos homens.

Olivia fez menção de responder (algo inteligente e ardiloso, sem dúvida), mas no mesmo instante o mordomo apareceu à porta e salvou a todos.

– Lady Olivia, a senhora sua mãe solicita a sua companhia.

– Eu volto – avisou Olivia ao sair da sala. – Estou muito interessada nessa conversa. – E então, com um sorriso diabólico e um aceno, ela se foi.

Turner reprimiu um gemido – Olivia ainda ia acabar provocando a morte de alguém que, com sorte, não seria ele – e olhou para Miranda. Ela estava encolhida no sofá, pernas cruzadas e os pés sob o corpo, com um tomo imenso e empoeirado no colo.

– Leitura de peso, hein? – murmurou ele.

Ela mostrou o título do livro.

– Ah – disse ele, com vontade de rir.

– Não ria – advertiu ela.

– Eu nem pensaria nisso.

– E não minta para mim. – A boca de Miranda assumiu o usual trejeito de tutora que ela fazia com perfeição.

Ele se recostou, dando uma risadinha.

– *Isso* eu não tenho como prometer.

Por um momento ela ficou daquela maneira, parecendo ao mesmo tempo inflexível e séria, e então sua expressão mudou. Nada assim tão dramático, tão alarmante, mas o suficiente para deixar claro que estava matutando sobre um dilema. E que havia chegado a uma conclusão.

– O que *você* acha de Winston? – perguntou ela.

– Meu irmão – respondeu ele.

Ela fez um gesto com a mão como quem dizia "Não me diga?".

– Bem – disse Turner, embromando porque, sinceramente, o que ela esperava que ele dissesse? – Ele é meu irmão.

Ela ergueu as sobrancelhas com sarcasmo.

– Que grande revelação da sua parte.

– O que exatamente você está me perguntando, Miranda?

– Quero saber o que você acha de Winston – insistiu ela.

Por algum motivo que Turner não conseguia identificar, seu coração batia acelerado.

– Está me perguntando – disse ele, com cautela – se eu acho que Winston daria um bom marido?

Ela fixou nele aquele olhar de coruja, depois piscou e... que coisa mais curiosa... foi quase como se ela estivesse desanuviando a mente antes de dizer no tom mais casual do mundo:

– Parece que todo mundo está tentando fazer com que nos casemos.

– Todo mundo?

– Bem, Olivia.

– Que não é exatamente a primeira pessoa a quem eu recorreria para pedir conselhos amorosos.

– Então você não acha que eu deveria tentar fisgar Winston – disse ela, inclinando-se para a frente.

Turner piscou, pensativo. Ele conhecia Miranda muito bem, havia anos, portanto tinha certeza de que ela havia mudado de posição sem intenção de deixar evidente o busto surpreendentemente belo. Embora o resultado tenha sido o mesmo: um tanto desconcertante.

– Turner – murmurou ela.

– Ele é jovem demais – desembuchou ele.

– Para mim?

– Para qualquer uma. Deus do céu, ele mal fez 21.

– Na verdade, ele ainda tem 20.

– Exatamente.

Turner estava muito desconfortável, lamentando que não houvesse jeito de afrouxar o lenço no pescoço sem ficar parecendo um paspalho. Estava com calor e lutando para disfarçar a dificuldade crescente de focar em qualquer outra coisa que não fosse Miranda.

E então, graças a Deus, ela recuou.

E não disse nada.

Até que Turner, enfim, não conseguiu se conter:

– Então pretende investir nele?

– Em Winston? – Ela estava pensativa. – Tenho minhas dúvidas.

Ao que ele respondeu com uma risada seca.

– Se tem dúvidas, então é melhor não.

Ela se virou, encarando-o de frente.

– É isso que você acha? Que o amor deve ser óbvio e evidente?

– Quem falou de amor?

Ele se arrependeu na mesma hora do leve tom exasperado, mas ela haveria de entender que aquela era uma conversa indefensável.

– Hum...

Turner teve a desagradável sensação de que estava sendo julgado por Miranda e que o veredito fora desfavorável. Conclusão que foi apenas reforçada quando ela voltou a atenção mais uma vez para o livro em seu colo.

E ele, por sua vez, ficou ali sentado feito um idiota, só observando Miranda concentrada em sua leitura, tentando pensar em alguma resposta inteligente.

Ela ergueu o olhar, um semblante tão plácido que chegava a irritar.

– Tem planos para esta tarde? – perguntou ela.

– Não – respondeu ele, embora estivesse planejando dar uma cavalgada em seu castrado.

– Certo. Sua irmã disse que Winston deve chegar em breve.

– Sei.

– Era por isso que estávamos falando dele – explicou ela, como se precisasse. – Ele vem para o meu aniversário.

– Naturalmente.

Ela se inclinou para a frente mais uma vez, e que Deus tivesse piedade.

– Você se lembra, certo? – perguntou ela. – Teremos um jantar de família amanhã à noite.

– É claro que lembro – resmungou ele, embora fosse mentira.

– Hum – murmurou ela –, enfim, obrigada por sua opinião.

– Opinião... – ecoou ele; e agora, do que ela estava falando?

– Sobre Winston. Há tanto a se levar em conta, e eu queria muito a sua opinião.

– Agora já sabe.

– Sim. – Ela sorriu. – Fico feliz. Tenho um grande respeito por você.

Por algum motivo, ela estava fazendo Turner sentir-se como uma relíquia antiga ou coisa assim.

– Você tem grande respeito por mim? – repetiu ele, com certa relutância.

– Bem, sim. Está surpreso por eu pensar assim?

– Francamente, Miranda, na maior parte do tempo eu não faço a menor ideia do que você pensa.

– Eu penso em *você*.

Na mesma hora, ele a encarou.

– E em Winston, é claro. E em Olivia. Como se fosse possível morar na mesma casa e não pensar nela. – Ela fechou o livro com força e se levantou. – Acho melhor ir atrás dela. Ela e sua mãe estão se desentendendo por causa de alguns vestidos que Olivia quer mandar fazer. Eu prometi que apoiaria o ponto de vista dela.

Ele se levantou e a acompanhou até à porta.

– Dela, Olivia, ou dela, minha mãe?

– Ora, sua mãe, é claro. – Miranda deu uma risada. – Eu posso ser jovem, mas não sou burra.

E, com isso, ela se foi.

10 de junho de 1819

Hoje à tarde tive uma conversa bem esquisita com Turner. Não quis deixá-lo com ciúmes, embora deva admitir que essa interpretação não seria de todo infundada, caso alguém soubesse o que sinto por ele, o que, é claro, ninguém sabe.

Minha intenção, contudo, era fazê-lo se sentir culpado por causa do livro. Sinto dizer que não tive êxito.

Na tarde daquele mesmo dia, Turner voltou de um passeio no Hyde Park com seu amigo, lorde Westholme, e encontrou Olivia vagando pelo salão principal.

– Sssh! – fez ela.

A cena seria capaz de atrair o interesse de qualquer um, de modo que Turner se postou de pronto ao lado da irmã.

– Por que temos que ficar quietos? – perguntou ele, recusando-se a sussurrar.

Ela o fuzilou com o olhar.

– Porque estou bisbilhotando.

Turner não imaginava quem poderia ser, porque Olivia estava colada às escadas que levavam à cozinha, no andar de baixo. Mas então ele ouviu. O som de uma risada melodiosa.

– É Miranda? – perguntou ele.

Olivia assentiu.

– Winston acabou de chegar e eles foram lá para baixo.

– Por quê?

Olivia tentou espiar lá embaixo e então se voltou para Turner outra vez.

– Winston estava com fome.

Turner tirou as luvas com força.

– E Miranda foi alimentá-lo?

– Não, ele desceu para pegar alguns biscoitos amanteigados da Sra. Cook. Eu estava prestes a me juntar a eles, porque odeio ficar sozinha, mas agora que você chegou acho que prefiro que você me faça companhia.

Turner olhou por cima dela, embora soubesse muito bem que não conseguiria ver Miranda e o irmão.

– Eu mesmo estou com um pouquinho de fome – murmurou ele, pensativo.

– Trate de se conter – ordenou Olivia. – Eles precisam de tempo.

– Para comer?

Ela chegou a revirar os olhos.

– Para se apaixonar.

Receber tal olhar de desdém da irmã mais nova foi um tanto enervante, mas Turner decidiu que engoliria o desaforo, ao menos até certo ponto; assim, devolveu a ela um olhar carregado de ironia e respondeu, lacônico:

– Acha mesmo que isso vai acontecer em uma única tarde de chá e biscoitos?

– É um começo – respondeu Olivia. – E não estou vendo você fazer nada para ajudar nessa causa.

Isto porque fica bem claro para qualquer idiota que essa união seria pavorosa, pensou Turner, com inesperada veemência. É claro que amava Winston do fundo do coração e estimava-o tanto quanto se pode estimar um garoto de 20 anos, mas estava *óbvio* que ele era o homem errado para Miranda. Tudo bem que fazia poucas semanas que ele começara a conhecê-la melhor, mas mesmo assim já dava para perceber que ela era muito mais sábia do que Winston. Ela precisava de alguém mais maduro, mais velho, capaz de apreciar suas características mais notáveis. Alguém com pulso firme para conter seu gênio forte durante suas raras manifestações.

Winston poderia muito bem ser esse homem... dali a dez anos.

Turner olhou bem para a irmã e declarou, com firmeza:

– Preciso comer.

– Turner, não!

Mas Olivia não conseguiu impedi-lo. Até tentou, mas ele já havia atravessado metade do salão.

A residência dos Bevelstokes sempre fora razoavelmente informal, ao menos quando não havia nenhum convidado, de modo que nenhum dos criados expressara surpresa ao ver Winston na cozinha, derretendo o coração da Sra. Cook com sua expressão mais cativante de cachorrinho faminto, e então se aboletara à mesa junto com Miranda para esperar que a cozinheira fizesse uma leva de seus famosos biscoitos amanteigados. A bandeja havia acabado de ser posta na mesa, ainda fumegando e com um aroma divino, quando Miranda ouviu um baque alto atrás dela.

Surpresa, piscou os olhos e avistou Turner ao pé da escada. A expressão era um misto de devassa e acanhada, e ao mesmo tempo extremamente adorável. Ela suspirou. Não conseguiu se conter.

– Desci dois degraus de cada vez – explicou ele, embora ela não visse muito bem a necessidade da pressa.

– Turner – grunhiu Winston, ocupado demais com seu terceiro biscoito para cumprimentar o irmão com mais eloquência.

– Olivia disse que vocês estavam aqui embaixo – comentou Turner. – Parece que cheguei na hora certa. Estou faminto.

– Temos uma travessa de biscoitos, se quiser – ofereceu Miranda, gesticulando para a mesa.

Turner deu de ombros, sentando-se ao lado dela.

– São da Sra. Cook?

Winston assentiu.

Turner pegou três biscoitos e então encarou a Sra. Cook com a mesma expressão de cachorrinho que Winston aplicara nela.

– Ora essa, está bem. – A cozinheira bufou, mas claramente estava se refestelando com toda a atenção. – Vou fazer mais.

Foi então que Olivia surgiu à porta, fazendo beicinho e olhando de cara feia para o irmão mais velho.

– Turner – falou ela com irritação. – Eu disse que queria te mostrar, hã, aquele livro novo que comprei.

Miranda reprimiu um resmungo. Já deixara *muito* claro para Olivia que ela estava passando dos limites.

– *Turner* – resmungou Olivia em voz alta.

Miranda decidiu naquele instante que, mais tarde, se questionada, diria a Olivia que nem se dera conta do que estava fazendo ao perguntar, com a voz doce:

– E que livro seria esse?

Olivia fuzilou a amiga com o olhar.

– Você sabe.

– Seria aquele sobre o Império Otomano? Ou aquele sobre os peleteiros do Canadá? Ou quem sabe aquele sobre a filosofia de Adam Smith?

– Isso, esse aí, Smith – respondeu Olivia.

– É mesmo? – perguntou Winston, virando-se para a irmã gêmea com atenção renovada. – Não fazia ideia de que você tinha interesse no assunto. Este ano nós estamos lendo *A riqueza das nações*. Uma mistura muito interessante de filosofia e economia.

Olivia deu um sorriso contido.

– De fato. Assim que terminar de ler eu conto o que achei.

– Em que altura do livro você está? – perguntou Turner.

– Mal comecei.

Pelo menos foi isso que Miranda achou que ela disse. Era difícil discernir, já que a amiga falava entre os dentes.

– Vai um biscoito, Olivia? – perguntou Turner, mas foi para *Miranda* que dirigiu um sorrisinho maroto, como se dissesse "estamos juntos nessa".

Parecia animado. Parecia mais leve. Parecia... feliz.

Miranda ficou toda derretida.

Olivia veio se sentar ao lado de Winston, mas, no caminho, abaixou-se até o ouvido de Miranda e sussurrou:

– Só estava tentando ajudar.

Miranda, contudo, ainda estava se recuperando do impacto do sorriso de Turner. Estava com um frio na barriga, sentia-se aérea e as batidas do seu coração pareciam tocar uma sinfonia inteira. Das duas, uma: ou estava apaixonada ou contraíra *influenza*. Olhou de soslaio para o perfil bem marcado de Turner e suspirou.

Todos os indícios apontavam para a primeira hipótese.

– Miranda. Miranda!

Olivia chamava seu nome com impaciência.

– Quando eu terminar de ler *A riqueza das nações*, Winston quer saber minha opinião. Disse a ele que eu e você leríamos juntas. Certamente podemos comprar outro exemplar.

– O quê? Ah, sim, é claro, eu amo ler.

Foi só ao ver o sorriso triunfante de Olivia que Miranda se deu conta do que concordara em fazer.

– Então, Miranda – falou Winston, inclinando-se por cima da mesa e tocando a mão dela –, quero muito saber. O que está achando da temporada?

– Esses biscoitos estão uma delícia – declarou Turner, bem alto, pegando mais um. – Com licença, Winston, poderia tirar o braço do caminho?

Winston puxou o braço e Turner pegou um biscoito, que atirou inteiro na boca. E então abriu um sorriso largo e disse:

– Maravilhosos como sempre, Sra. Cook!

– Só mais alguns minutinhos e logo teremos outra fornada– assegurou ela, radiante com o elogio.

Miranda esperou que a conversa terminasse e então respondeu a Winston:

– A temporada está sendo ótima. Só lamento que você não esteja aqui mais vezes para se divertir conosco.

Winston deu um sorriso preguiçoso que deveria ter feito o coração dela parar.

– Lamento também – disse ele –, mas estarei aqui durante parte do verão.

– Mas imagino que você não vá ter muito tempo para passar com as damas – falou Turner, solícito. – Se bem me lembro, durante minhas férias de verão eu passava o tempo todo farreando com os amigos. Muito divertido. Você não vai querer perder.

Miranda olhou para ele, intrigada. Turner parecia um pouquinho empolgado *demais*.

– Posso imaginar – respondeu Winston. – Mas eu também gostaria de ir a alguns dos eventos da alta sociedade.

– Boa ideia – falou Olivia. – Ter contato com um pouco do refinamento da capital vai lhe fazer bem.

Winston virou-se para ela.

– Agradeço, mas já sou bastante refinado.

– É claro que é, mas nada como a experiência para, hã, refinar os hábitos de um homem.

Winston corou.

– Experiência não me falta, Olivia.

Miranda arregalou os olhos.

Turner se levantou em um movimento suave e declarou:

– Creio que esta conversa está tomando um rumo estranho que não convém à companhia das damas.

Winston parecia estar com vontade de dizer algo mais, porém, para o bem da paz familiar, Olivia juntou as palmas alegremente e exclamou:

– Concordo!

Miranda, contudo, devia ter adivinhado que a amiga estava aprontando algo – ainda mais diante de uma oportunidade perfeita para bancar a casamenteira. De fato, logo depois Olivia voltou para ela seu sorriso mais maquiavélico e chamou com excessiva doçura:

– Miranda?

– Hã, sim?

– Você não havia comentado que queria levar Winston àquela loja de luvas que descobrimos semana passada? As luvas de lá são muito bem-feitas, sabe? – Olivia prosseguiu, falando, desta vez, com Winston: – Tem tanto para mulheres quanto para homens. Pensamos que você poderia estar precisando de um par. Afinal, sabe-se lá como é a qualidade das luvas disponíveis em Oxford.

Era uma tremenda conversa fiada, e Miranda tinha certeza de que Olivia sabia muito bem. Ela deu uma olhadela para Turner, que assistia a tudo com cara de quem está se divertindo. Ou talvez de quem está enojado. Às vezes era difícil distinguir.

– O que acha, caro irmão? – perguntou Olivia com sua voz mais cativante. – Vamos?

– Nada me agradaria mais.

Miranda abriu a boca e fechou-a em seguida, notando que seria inútil tentar argumentar. Queria matar Olivia. Queria se esgueirar até o quarto dela e esfolar viva aquela intrometida. Por ora, contudo, não tinha escolha senão concordar. Não queria fazer nada que levasse Winston a achar que ela nutria algum sentimento romântico por ele, mas tentar se desvencilhar do combinado bem na frente dele seria o cúmulo da grosseria.

Assim, ao notar que os três pares de olhos fixos nela estavam à espera de uma resposta, não teve outra escolha exceto responder:

– Poderíamos ir hoje mesmo. Seria um prazer.

– Vou com vocês – anunciou Turner, levantando-se com determinação.

Miranda olhou para ele surpresa, assim como Olivia e Winston. Em Ambleside, ele nunca manifestara o menor interesse em acompanhar os irmãos a lugar algum; a bem da verdade, com bastante motivo. Ele era nove anos mais velho que eles.

– Estou precisando de um par de luvas – declarou ele, sucinto, com um leve sorriso que dizia "Por que outro motivo eu iria?"

– Certo – falou Winston, ainda atônito com a atenção inesperada que estava recebendo do irmão mais velho.

– Foi uma ótima sugestão – acrescentou Turner. – Obrigado, Olivia.

Mas Olivia não parecia nem um pouco satisfeita com o agradecimento.

– Seria ótimo se viesse conosco – disse Miranda, deixando transparecer um entusiasmo um pouco maior do que deveria. – Não se incomoda, não é mesmo, Winston?

– Não, de modo algum.

Mas parecia que se incomodava, sim. Ao menos um pouco.

– Já terminou o seu leite com biscoitos, Winston? – perguntou Turner. – Acho melhor irmos logo. Parece que vai chover à tarde.

Perversamente, Winston pegou outro biscoito, o maior da mesa, dizendo:

– Podemos ir com um coche fechado.

– Bem, vou buscar meu casaco – anunciou Miranda, levantando-se. – Vocês dois podem ir decidindo sobre as carruagens. Vamos nos encontrar no salão rosa? Em vinte minutos?

– Vou acompanhá-la – falou Winston, apressado. – Preciso buscar uma coisa na minha mala de viagem.

Os dois saíram da cozinha e, na mesma hora, Olivia atacou Turner com uma expressão felina.

– Qual é o seu problema?

– Perdão? – perguntou ele, com o semblante neutro.

– Estou empenhando todos os meus esforços para fazer essa união acontecer e você está estragando tudo.

– Não precisa ser tão dramática – disse ele, balançando de leve a cabeça. – Só vou comprar umas luvas, nada mais. Se estivermos, de fato, na iminência de um casamento, não sou eu quem vai impedir.

Olivia fechou a cara.

– Se eu não o conhecesse tão bem, poderia até pensar que está com ciúmes.

Perplexo, por um momento Turner apenas encarou a irmã. E então conseguiu reaver a razão – e a voz, para dizer:

– Pois acho bom que você não pense assim. Agradeço se não fizer acusações infundadas.

Com ciúmes de Miranda. Por Deus, o que mais aquela garota poderia inventar?

Olivia cruzou os braços.

– Bem, mas que você está agindo de forma estranha, está.

Durante toda a vida, Turner tratou a irmã mais nova de algumas formas específicas. Em geral, empregava uma indiferença benigna. De vez em quando adotava mais o papel de tio, surpreendendo-a com presentes e elogios quando lhe convinha. Mas a diferença de idade sempre garantira que não a tratasse em pé de igualdade, considerando-a como não mais do que uma criança.

Agora, contudo, diante das absurdas acusações de Olivia, de que ele estaria com ciúmes de *Miranda*, Turner atacou a irmã sem sequer pesar as palavras, sem sequer ajustar a intensidade ou o conteúdo, e foi com um tom de voz austero e frio que disse:

– Se você se desse ao trabalho de pôr de lado o seu desejo egoísta de ter Miranda à sua disposição o tempo inteiro, veria que ela e Winston formam um péssimo casal.

Olivia ficou sem ar ao receber o ataque inesperado, mas logo se recuperou.

– À minha disposição? – repetiu ela, furiosa. – Quem é que está fazendo acusações infundadas agora? Você sabe muito bem que adoro Miranda e que só desejo a felicidade dela. Além do mais, ela não possui grande dote ou beleza, e...

– Ah, pelo amor de... – Turner levou a mão à boca, reprimindo um palavrão. – Você está subestimando sua amiga.

Por que as pessoas insistiam em continuar vendo Miranda como a garotinha desajeitada que fora na infância? Talvez, ao contrário de Olivia, ela não se encaixasse nos padrões de beleza endossados pela sociedade, mas possuía algo muito mais profundo e muito mais interessante que formosura. Era só olhar para Miranda para perceber que havia algo especial por trás de seus olhos. E quando ela sorria, não era um sorriso falso ou desdenhoso... bem, desdenhoso às vezes, mas nada que Turner considerasse injustificável, já que ela tinha o mesmíssimo senso de humor que ele. E, honestamente, presos na enfadonha temporada de Londres, era inevitável que acabassem observando um número de coisas merecedoras de desdém.

– Winston seria um par excelente para ela – insistiu Olivia. – E ela para... – Parou, espantada, e tapou a boca com as mãos.

– Ah, e agora, o que foi? – perguntou Turner, irritado.

– Você não está preocupado com ela, não é mesmo? Mas com Winston. Você não acha que *ela* seja boa o suficiente para ele.

– Não – protestou ele na mesma hora, com um tom de voz curiosamente indignado. – E então mediu as palavras com mais cuidado. – Não. Nada poderia estar mais longe da verdade. Só acho que eles são jovens demais para se casar. Especialmente Winston.

Olivia ofendeu-se na mesma hora.

– Não é verdade, nós somos...

– Ele é jovem demais – cortou Turner, friamente –, e você está bem diante da prova de que um homem não deve se casar jovem demais.

Ela demorou alguns instantes para entender, e Turner viu o exato momento em que a irmã se deu conta. Primeiro Olivia deixou transparecer compreensão e, em seguida, pena.

E ele *odiava* pena.

– Sinto muito – disse Olivia, as duas palavras capazes de fazê-lo perder ainda mais as estribeiras. E repetiu: – Sinto muito.

E saiu correndo.

Já fazia vários minutos que Miranda estava esperando no salão rosa quando uma criada apareceu à porta.

– Licença, senhorita, mas lady Olivia pediu para avisá-la que não vai mais descer.

Surpresa, Miranda largou a estatueta que estava examinando e voltou-se para a criada.

– Ela está se sentindo mal?

A criada hesitou. Miranda não quis deixá-la em situação difícil, pois podia muito bem procurar Olivia por sua própria conta.

– Tudo bem. Eu mesma posso perguntar a ela.

A criada fez uma mesura e saiu. Miranda virou-se para a mesinha ao lado para certificar-se de que tinha devolvido a estatueta para o lugar certo e então, olhando a mesa outra vez por cima do ombro (ela sabia que lady Rudland tinha um jeito específico para dispor cada item de decoração), foi em direção à porta.

E trombou com um corpo largo.

– Turner.

Ela soube antes mesmo que ele abrisse a boca. Poderia muito bem ser Winston, ou um criado, ou até mesmo (e que Deus a livrasse do constrangimento) lorde Rudland, mas não era. Era Turner. Ela reconheceu o cheiro dele. Reconheceu o som da respiração.

Reconheceu como o ar mudava sempre que ele chegava perto.

Então teve certeza, eterna e absoluta, de que era mesmo amor.

Era amor, e um amor de mulher. A garotinha que o via como um príncipe encantado não existia mais. Ela era uma mulher agora. Conhecia cada falha dele, sabia muito bem de suas limitações, e ainda o amava.

Amava Turner. Queria curar suas feridas. Queria...

Não sabia exatamente. Queria tudo. Queria absolutamente tudo. Queria...

– Miranda?

Ele ainda estava com as mãos nos braços dela. Miranda ergueu o rosto, mesmo que soubesse que encarar o azul daqueles olhos seria quase insuportável. Porque sabia muito bem o que *não* veria por trás deles.

E, de fato, não viu. Não havia ali nenhum amor, nenhuma revelação. Contudo, ele estava estranho, diferente.

E ela sentiu o corpo esquentar.

– Sinto muito – gaguejou ela, recuando. – Preciso tomar mais cuidado.

Mas ele não a soltou. Não imediatamente. Ficou parado observando seus traços, sua boca; por um segundo maravilhoso, Miranda pensou que talvez ele quisesse beijá-la. Ficou sem fôlego. Seus lábios se semicerraram e...

Então o momento passou.

Turner recuou.

– Perdão – disse ele, quase sem nenhuma inflexão na voz. – Eu também preciso.

– Eu estava indo procurar Olivia – disse ela, na falta de outra coisa melhor para dizer. – Ela mandou avisar que não vai descer.

A expressão de Turner mudou, apenas o suficiente e com a dose mínima de cinismo para deixá-la ciente de que ele sabia qual era o problema.

– Esqueça isso – falou ele. – Ela vai ficar bem.

– Mas...

– Olivia precisa lidar com os próprios problemas – disse ele, em tom rude – ao menos uma vez na vida.

Surpresa, Miranda ficou boquiaberta com o tom. E foi salva de ter que responder pela chegada de Winston.

– Pronta? – perguntou ele, jovial, alheio aos ânimos alterados no salão. – Onde está Olivia?

– Não virá – disseram Miranda e Turner em uníssono.

Os olhos de Winston corriam entre um e outro, um tanto desconcertado com a resposta conjunta.

– Por quê? – perguntou.

– Ela não está se sentindo bem – mentiu Miranda.

– Ah, que pena – disse Winston, sem muito sinal de tristeza na voz. Ofereceu o braço a Miranda. – Vamos?

Miranda olhou para Turner e perguntou:

– Ainda vai nos acompanhar?

Ele não levou nem dois segundos para responder:

– Não.

11 de junho de 1819

Hoje é meu aniversário – um dia adorável e estranho.

Os Bevelstokes fizeram um jantar de família em minha homenagem. Foi muito gentil e amável da parte deles, ainda mais porque meu próprio pai provavelmente se esqueceu de que hoje existe um motivo para comemorar além de algo como o dia em que um grego qualquer realizou um cálculo matemático especial ou Coisa Importante que o valha.

De lorde e lady Rudland: um lindo par de brincos de água-marinha. Sei que eu não deveria ter aceitado um presente tão caro, mas não quis fazer cena à mesa do jantar, e embora tenha chegado a falar "Não posso..." (ainda que sem muita convicção), fui prontamente silenciada.

De Winston: um conjunto adorável de lenços de renda.

De Olivia: Uma caixa de papel de carta personalizado. Ela também deixou um bilhete "Confidencial" que dizia: "Espero que muito em breve você não possa mais usar este presente!" O que, é claro, quer dizer que ela espera que muito em breve eu me torne uma Bevelstoke.

Não comentei nada.

E, de Turner, um perfume. Aroma de violetas. Na mesma hora pensei no laço lilás que ele prendeu no meu cabelo quando eu tinha 10 anos, mas é claro que ele não estava pensando nisso quando escolheu o presente. Eu não mencionei isso a ele porque teria sido um tanto constrangedor revelar quão sentimental eu sou. Em todo caso, foi um presente muito amável.

Não consigo dormir. Já faz dez minutos que escrevi a linha anterior e, embora esteja bocejando, minhas pálpebras não estão nem um pouco pesadas. Acho que vou à cozinha ver se consigo um copo de leite quente.

Ou talvez não. É improvável que lá embaixo ainda tenha alguém que possa me ajudar, e embora eu seja perfeitamente capaz de preparar um leite quente, o cozinheiro terá uma síncope ao ver que alguém usou seus utensílios sem a sua permissão. Porém, mais importante do que tudo isso: eu tenho 20 anos agora. Acho que já posso tomar um cálice de xerez para me ajudar a dormir.

Acho que é isso mesmo que farei.

Capítulo sete

Turner já tinha acabado com a primeira vela e o terceiro copo de conhaque, e estava sentado no escritório de seu pai, no breu, olhando pela janela, ouvindo o farfalhar das folhas da árvore mais próxima.

Tedioso, talvez, mas, naquele momento, tédio era o que ele buscava. Tédio era o que mais queria depois de um dia daqueles.

Primeiro Olivia, acusando-o de desejar Miranda. E depois Miranda, e ele...

Por Deus, houvera um momento de desejo real.

Lembrava-se do exato momento em que se dera conta. Não quando ela trombara com ele. Nem quando a segurara pelos braços para evitar que caísse. O toque fora agradável, mas ele não havia exatamente registrado isso. Não desse jeito.

O momento... O momento que provavelmente acabaria com a vida dele viera meio segundo depois, quando ela erguera os olhos.

Foram os olhos. Sempre aqueles olhos. Ele é que fora burro demais para perceber o efeito que tinham.

E assim, de pé ali com ela durante um instante que pareceu durar uma eternidade, ele sentira a mudança dentro de si. O corpo se retesou, a respiração cessou, os dedos se crisparam e os olhos dela.... os olhos dela se arregalaram ainda mais.

E ele a desejou. Mais do que qualquer outra coisa que fosse capaz de imaginar, e além de tudo o que era bom e apropriado, ele a desejou.

Nunca sentira tanto nojo de si mesmo.

Porque não a amava. Não *podia* amá-la. Depois da devastação que Leticia causara em seu coração, tinha bastante certeza de que já não era mais capaz de amar ninguém. Era luxúria, pura e simples. E o alvo daquela luxúria era, talvez, a mulher menos apropriada em toda a Inglaterra.

Ele serviu mais uma dose de bebida. Dizem que o que não mata fortalece, mas aquela situação...

Seria seu fim.

E então, sentado ali, ponderando a respeito das próprias fraquezas, ele a viu.

Era uma provação. Só podia ser. Alguém em algum lugar estava muito disposto a testar a determinação dele enquanto cavalheiro, e ele estava fadado ao fracasso. Turner iria tentar, iria se segurar o máximo possível, mas no fundo, naquele cantinho no fundo da alma que ele preferia não investigar, ele sabia. Estava mesmo fadado ao fracasso.

Ela veio como um fantasma, quase luminescente, trajando um vestido branco esvoaçante. Ele tinha certeza de que era de algodão puro, modesto, decente e perfeitamente virginal.

O vestido fez com que ele a desejasse com avidez.

Agarrou os braços da poltrona e segurou-se com toda a força.

Miranda não se sentia nada à vontade invadindo o escritório de lorde Rudland, mas não encontrara o que estava procurando no salão rosa e sabia que o dono da casa mantinha sempre um decantador em uma prateleira ao lado da porta. Levaria apenas um minuto, e com certeza isso não configuraria invasão de privacidade.

– Vejamos agora onde estão os copos – murmurou ela, deixando a vela na mesa. – Pronto. – Achou a garrafa de conhaque e serviu uma dose pequena.

– Espero que isso não esteja virando um hábito – disse uma voz sarcástica.

O copo escorregou dos dedos dela e se espatifou no chão.

– Tsc, tsc, tsc.

Ela seguiu a voz até vê-lo, sentado em uma poltrona, com as mãos pousadas nos braços estofados de forma desconfortável. Mesmo à meia-luz, identificou ironia e aspereza.

– Turner? – sussurrou ela, tolamente, como se pudesse ser qualquer outra pessoa.

– O próprio.

– Mas o que você... por que está aqui? – Miranda deu um passo à frente e pisou em um caco de vidro. – Ai!

– Sua tola. Por que está descalça?

Ele se levantou e atravessou o escritório.

– Eu não ando por aí achando que vou quebrar copos – respondeu ela na defensiva, abaixando-se para tirar o caco.

– Não interessa. Zanzando por aí desse jeito, vai acabar ficando resfriada. – Ele a pegou pelos braços, levando-a para longe dos cacos de vidro.

Naquele momento, ocorreu a Miranda que nunca em sua curta vida ela estivera tão perto do céu. O corpo dele estava quente e dava para sentir o calor penetrando a camisola dela. Estar tão perto de Turner fazia seu corpo inteiro formigar e sua respiração acelerar de um modo estranho.

Era o cheiro dele. Só podia ser. Nunca chegara ao ponto de sentir com tanta intensidade o perfume másculo e singular que ele exalava. Turner recendia a madeira quente e conhaque, mas havia algo mais, algo que ela não estava identificando. Algo que era pura e simplesmente a essência dele. Agarrada ao pescoço de Turner, ela deixou a cabeça pender mais perto do peito dele só para poder inspirar melhor.

E então, quando estava convencida de que a vida não podia ficar mais perfeita, ele a largou no sofá sem a menor cerimônia.

– Qual a necessidade disso? – queixou-se ela, endireitando-se.

– O que você está fazendo aqui?

– O que *você* está fazendo aqui?

Ele se sentou diante dela na mesinha de centro.

– Eu perguntei primeiro.

– Estamos parecendo duas crianças – disse ela, sentando-se sobre as pernas. Ainda assim, decidiu responder porque não via o menor sentido em discutir por uma bobagem daquelas. – Não estou conseguindo dormir. Achei que um cálice de xerez poderia ajudar.

– Isso porque agora você atingiu a maturidade dos 20 anos – zombou ele.

Mas Miranda não mordeu a isca. Apenas inclinou o rosto para o lado, assentindo de forma graciosa como quem diz “exatamente”.

Ele respondeu com uma risadinha.

– Então, por favor, permita-me colaborar com sua ruína. – Ele se levantou e foi até um armário. – Mas, se vai beber, pelo amor de Deus, beba direito. Você precisa é de conhaque, de preferência contrabandeado da França.

Miranda o observou pegar dois copos adequados na prateleira e pousá-los na mesa. Serviu duas doses generosas com mãos firmes e... Mãos podiam ser bonitas?

– Às vezes minha mãe me dava conhaque quando eu era pequena. Quando eu tomava chuva – explicou Miranda. – Um golinho só, para esquentar.

Ele se virou para ela e, mesmo no escuro, seu olhar era penetrante.

– Está com frio agora?

– Não. Por quê?

– Você está tremendo.

Miranda olhou para os próprios braços, dois traidores. Estava realmente trêmula, mas não era de frio. Então usou os traidores para envolver o torso, esperando que Turner não insistisse no assunto.

Ele se aproximou e ofereceu o conhaque. O corpo emanava uma graça elegante e masculina.

– Não beba tudo de uma vez.

Ao ouvir o tom condescendente, ela respondeu com um olhar atravessado antes de tomar um gole.

– O que, afinal, você está fazendo aqui? – perguntou ela.

Turner sentou-se e cruzou as pernas.

– Precisei discutir uns assuntos da propriedade com meu pai, depois ele me convidou para um drinque após o jantar. E aí fui ficando.

– E está desde então sentado aqui sozinho no escuro?

– Eu gosto do escuro.

– Ninguém gosta do escuro.

Ele riu alto, fazendo com que ela se sentisse muito jovem e inexperiente.

– Ah, Miranda – disse ele, ainda rindo. – Muito obrigado, de verdade.

Ela franziu os olhos.

– Quanto você já bebeu?

– Que pergunta impertinente...

– Bem, a resposta revela que já bebeu demais.

Ele se inclinou para a frente.

– Pareço embriagado?

Ela recuou involuntariamente, pois não estava preparada para a intensidade impiedosa naquele olhar.

– Não – disse ela, lentamente. – Mas você é muito mais experiente do que eu, e imagino que esteja acostumado a beber bastante. Aposto que poderia beber oito vezes mais do que eu e nem aparentar.

Turner deu uma risada áspera.

– Bem, tudo isso que você disse é verdade. E você, minha cara, deveria aprender a ficar longe de homens "muito mais experientes" do que você.

Miranda bebeu mais um golinho, mal resistindo à vontade de virar a dose de uma vez só. Mas ela sabia que a bebida desceria queimando, e que Turner iria rir quando ela começasse a tossir.

E ela morreria de vergonha.

A verdade é que ele havia passado a noite inteira de mau humor. Quando estava apenas com ela, Turner era debochado e rascante; quando estavam na companhia de outros, calado e taciturno. Ela amaldiçoava o próprio coração traiçoeiro por amá-lo daquela forma. Teria sido muito mais fácil sentir isso por Winston, que, com sua fraqueza e seu sorriso radiante, tinha passado a noite inteira dando atenção a ela.

Mas não, era Turner que ela queria. Turner, com suas oscilações de humor, num momento rindo e brincando, no outro tratando-a como se ela fosse a cura para o seu mal.

O amor era para os idiotas. Os tolos. E ela era a maior tola de todos.

– No que está pensando? – exigiu saber ele.

– No seu irmão – respondeu ela, só para espezinhar.

Era parcialmente verdade.

– Ah – disse ele, servindo-se de mais conhaque. – Winston. Um bom camarada.

– Sim – replicou Miranda, quase em tom de desafio.

– Alegre.

– Adorável.

– *Jovem.*

Ela deu de ombros.

– Tanto quanto eu. Talvez façamos mesmo um belo par.

Ele não disse nada. Ela terminou a bebida.

– Não acha? – insistiu Miranda.

Ele continuou em silêncio.

– Bem – continuou ela –, ele é seu irmão, afinal. Com certeza você quer vê-lo feliz. Acha que eu seria boa para ele? Acha que o faria feliz?

– Por que está perguntando essas coisas? – A voz grave de Turner soou quase desincorpada.

Ela deu de ombros, então enfiou dois dedos no copo para recolher as últimas gotinhas de conhaque. Depois os lambeu e olhou para ele.

– Com todo o prazer – murmurou ele, servindo mais um pouquinho de bebida para ela.

Miranda agradeceu e prosseguiu:

– Eu quero saber, e não sei a quem mais perguntar. Olivia está tão ansiosa para me ver casada com Winston que diria qualquer coisa capaz de me levar mais rápido ao altar.

Ela esperou e contou os segundos até ele se pronunciar. Um, dois, três... Turner deu um suspiro entrecortado. Quase uma rendição.

– Não sei, Miranda. – Ele parecia cansado. – Não vejo por que você não o faria feliz. Você poderia fazer qualquer um feliz.

"Até você?" Essas eram as palavras que Miranda ansiava dizer, mas, em vez disso, perguntou:

– Acha que ele me faria feliz?

A resposta demorou mais. Quando veio, enfim, saiu em tom comedido:

– Não tenho certeza.

– Por quê? O que há de errado com ele?

– Nada. Só não tenho certeza se ele a faria feliz.

– É? Mas por quê? – Miranda sabia que estava sendo impertinente, mas, se conseguisse fazê-lo explicar sua linha de raciocínio, talvez Turner pudesse se dar conta de que *ele* seria capaz de fazê-la feliz.

– Não sei, Miranda. – Ele passou a mão pelos cabelos louros, bagunçando tudo. – Precisamos mesmo ter essa conversa?

– Sim – disse ela, determinada. – Precisamos.

– Muito bem. – Ele se inclinou para a frente, estreitando os olhos, como se a preparasse para más notícias. – Miranda, você não se enquadra no padrão de beleza determinado pela sociedade, seu sarcasmo pode ser bem prejudicial para você mesma e sei que não gosta de conversa fiada. Honestamente, não a vejo indo em busca de um casamento tradicional na sociedade.

Ela engoliu em seco.

– E?

Ele passou um bom tempo desviando o olhar, até, enfim, ceder e encará-la de novo.

– E a maioria dos homens não saberia apreciar suas características. Se seu marido tentar transformá-la em algo que não é, você será absurdamente infeliz.

Havia certa eletricidade no ar. Miranda não conseguia tirar os olhos dele.

– Mas você acha possível que exista algum homem capaz de apreciar as minhas características? – sussurrou ela.

A pergunta pesou no ar à volta deles, assombrando-os até que, enfim, Turner respondeu:

– Acho.

Mas os olhos dele se fixaram no copo, e então ele virou o que restava do conhaque, dando o suspiro de um homem satisfeito pelo álcool, não de um homem pensando em amor e romance.

Ela desviou o olhar. O momento – se é que houvera mesmo, se é que não tinha sido mero fruto da imaginação dela – se foi, e o silêncio que o sucedeu foi um tanto constrangedor. Era um silêncio desconfortável e canhestro, e *ela* se sentiu desconfortável e canhestra, de modo que, ansiosa para preencher o espaço entre eles, começou a tagarelar o primeiro e mais frívolo assunto que lhe ocorreu.

– Pretende ir ao baile dos Worthingtons na semana que vem?

Ele ergueu a sobrancelha diante da pergunta inesperada.

– Talvez.

– Eu gostaria que fosse. Você sempre faz a gentileza de dançar comigo duas vezes. Se você não for, vão me faltar pares para dançar. – Ela sabia que estava de conversa fiada, mas não se importava muito. Mesmo que se importasse, já não conseguia mais se controlar. – Se Winston fosse, eu não precisaria de você, mas, se não me engano, ele tem que voltar a Oxford amanhã de manhã.

Turner lançou a ela um olhar estranho. Não era bem um sorriso, nem um deboche, tampouco uma ironia. Miranda odiava que ele fosse tão insondável. Ela não fazia a menor ideia de como agir. Mas, ainda assim, perseverou. Afinal, o que tinha a perder depois de tudo aquilo?

– Acha que poderia ir? – pediu. – Eu ficaria muito grata.

– Estarei lá.

– Obrigada! Muitíssimo grata!

– É um prazer ser útil – disse ele, secamente.

Ela assentiu, movida mais por nervosismo do que por qualquer outra coisa.

– E só precisa dançar comigo uma vez, se quiser. Mas, se eu puder escolher, pediria que fosse logo no início. Porque os outros homens logo o imitam, ao que parece.

– Por mais estranho que pareça – murmurou ele.

– Não é nada estranho – disse ela, dando de ombros. Estava começando a sentir os efeitos da bebida; ainda não estava embriagada, mas sentia um calor estranho e certa ousadia. – Você é um homem bonito.

Ele pareceu ficar sem resposta. Ela sorriu consigo mesma. Quase nunca conseguia deixá-lo desconcertado.

A sensação foi inebriante, então ela tomou mais um gole, tendo o cuidado de deixar o líquido descer pela garganta com mais suavidade.

– Na verdade, você se parece bastante com Winston.

– Mas que absurdo!

Miranda deveria ter captado o tom de alerta da frase, mas naquele momento parecia incapaz de sair da cova que ela própria estava cavando.

– Ora, vocês dois têm cabelo louro, embora o dele seja um pouco mais claro. E a postura de ambos é parecida, embora...

– Agora chega, Miranda.

– Ah, mas é que...

– Eu disse *chega*!

O tom amargo surtiu efeito, mas ela logo resmungou:

– Ora, não precisa ficar tão ofendido.

– Você bebeu demais.

– Não exagere! Não estou nem um pouco alterada. Com certeza você bebeu dez vezes mais do que eu.

Ele olhou para ela com um semblante falsamente despreocupado.

– Não é bem assim, mas como você mesma disse antes, tenho muito mais experiência do que você.

– Eu disse mesmo isso, não é? Acho que eu estava certa. Você não parece nem um pouco bêbado.

Ele inclinou o rosto e falou em voz baixa:

– Bêbado, não. Só um tantinho irresponsável.

– Irresponsável, é? – murmurou ela, assimilando a sensação de dizer aquilo. – Uma descrição interessante. Acho que também estou irresponsável.

– Deve estar mesmo, ou já teria voltado lá para cima assim que esbarrou comigo aqui.

– E eu não teria comparado você a Winston.

Um brilho pétreo tomou os olhos azuis dele.

– Você definitivamente não teria feito isso.

– Mas você não se *incomoda*, certo?

Fez-se um silêncio demorado, soturno, e, por um momento, Miranda achou que tinha ido longe demais. Como pôde ter sido tão tola, tão presunçosa a ponto de achar que ele seria capaz de desejá-la? Por que diabo ele se importaria se ela o comparasse ao irmão mais novo? Ela não passava de uma criança para ele, a menininha feia com quem ele fizera amizade por pena. Jamais deveria ter sonhado que, algum dia, Turner poderia desenvolver algum interesse por ela.

– Perdão – murmurou ela, levantando-se abruptamente. – Passei dos limites.

E então, como ainda havia um pouco de conhaque no copo, ela tomou o último gole e correu para a porta. E veio o grito.

– Aaaai!

– Maldição, o que houve? – Turner se pôs de pé em um salto.

– Esqueci dos cacos – choramingou ela. – Do copo quebrado.

– Ah, não chore, Miranda. – Ele atravessou o escritório e, pela segunda vez na mesma noite, pegou-a nos braços.

– Deus do céu, eu sou muito burra. Muito burra – lamentou ela, fungando. As lágrimas eram mais pela dignidade perdida do que pela dor, e era por isso que eram mais difíceis de estancar.

– Não diga besteiras. Nunca ouvi você falar tolices assim. Se continuar, vou ter que lavar sua boca com sabão – brincou ele, carregando-a de volta para o sofá.

Se ele a tivesse repreendido com severidade genuína em vez de gentileza, teria surtido menos efeito. Miranda respirou fundo várias vezes, tentando controlar os soluços que teimavam em escapar de sua garganta.

Ele a colocou sentada no sofá com cuidado.

– Agora vamos ver esse pé.

– Tudo bem, posso cuidar disso sozinha.

– Que besteira. Você está tremendo. – Ele foi até o armário de bebidas e pegou a vela que ela deixara ali. Depois de pousá-la numa mesinha, disse: – Pronto, agora temos um pouco de luz. Deixe-me ver seu pé.

Relutante, ela deixou que Turner pegasse o pé dela e pusesse no colo.

– Eu sou muito burra.

– Será que dá para parar de dizer isso? Você é a mulher menos burra que já conheci na vida.

– Obrigada. Eu... Ai!

– Fique quieta e pare de se retorcer toda.

– Quero ver o que você está fazendo.

– Mas a não ser que você seja contorcionista, não vai dar. Você vai ter que confiar em mim.

– Já está terminando?

– Quase. – Ele pinçou mais um caco com o dedo e puxou.

Ela se retesou de dor.

– Agora só tem mais dois.

– Mas e se você não conseguir tirar tudo?

– Eu vou conseguir.

– Mas e se não conseguir?

– Por Deus, mulher, eu já falei que você é muito insistente?

Ela quase sorriu.

– Já.

E ele quase sorriu de volta.

– Se eu esquecer algum caco – disse Turner –, daqui a uns dias ele sairá sozinho. É o que acontece com as farpas.

– Não seria bom se a vida fosse tão simples quanto uma farpa? – perguntou ela, com tristeza na voz.

Ele ergueu o rosto.

– E se resolvesse sozinha em questão de dias?

Miranda fez que sim com a cabeça.

Ele a encarou por mais um momento e então voltou ao trabalho, tirando um último caco de vidro.

– Prontinho. Logo esse pé estará novinho em folha.

Mas Turner não fez a menor menção de tirar o pé dela do colo.

– Por favor, me desculpe por ser tão desastrada.

– Não precisa pedir desculpas. Foi um acidente.

Era imaginação dela ou ele estava sussurrando? E parecia haver tanto afeto naquele olhar... Miranda se virou até estar sentada ao lado dele.

– Turner...

– Não diga nada – pediu ele, com a voz rouca.

– Mas eu...

– Por favor!

Miranda não captou a urgência no tom dele, não reconheceu o desejo em suas palavras. Só sabia que ele estava muito próximo e que podia sentir sua presença, seu cheiro... e que queria sentir o seu gosto.

– Turner, eu...

– Chega – disse ele, com dificuldade.

Então ele a puxou para perto, de modo que os seios dela ficaram colados ao peito musculoso dele. Um brilho feroz invadiu os olhos dele e de repente Miranda percebeu – de repente *soube* – que nada seria capaz de impedir que em segundos seus lábios continuassem separados.

Turner a beijou.

Miranda sentiu seus lábios quentes. Os movimentos dele eram intensos, vorazes. Ele a desejava, mas ela não estava acreditando. Naquele momento ela mal conseguia ter presença de espírito suficiente para *pensar*, mas soube.

Ele a desejava.

E, por isso, ela se sentiu ousada. Feminina. O desejo dele despertou alguma espécie de conhecimento secreto enterrado dentro dela, talvez desde antes de nascer, e ela retribuiu o beijo. Os lábios eram guiados por um deslumbre inexperiente, a língua sorvia o sal da pele.

Turner puxou-a para mais perto, prendendo-a contra o corpo até que não conseguiram mais manter o equilíbrio e afundaram nas almofadas, Turner por cima de Miranda.

Ele estava louco. Delirante. Não havia nenhuma outra explicação possível, mas, fosse o que fosse, ele parecia incapaz de se fartar dela. As mãos exploravam tudo, experimentando, tocando, apertando, e ele só conseguia pensar – isto é, *quando* vinha um vestígio de lucidez – que a desejava. Desejava-a de todas as maneiras possíveis. Queria devorá-la. Queria idolatrá-la.

Queria se perder dentro dela.

Ele sussurrou o nome de Miranda em um gemido contra a pele. E, quando ela respondeu sussurrando o nome dele, as mãos de Turner seguiram direto para os pequenos botões na gola da camisola dela. Seus dedos foram desabotoando um a um como se não fossem nada. Então bastou puxar para que a pele ficasse exposta. Dava para sentir o volume dos seios por cima da camisola, mas Turner queria mais. Queria sentir o calor, o cheiro, o gosto.

Os lábios dele foram descendo pelo pescoço de Miranda, seguindo a curva elegante da clavícula, até o ponto em que a gola dava lugar à pele. Então foi puxando o tecido aos poucos para baixo, saboreando cada centímetro, explorando com prazer toda aquela doçura com notas de sal, até que a planície do esterno deu lugar ao leve volume de um seio.

Por Deus, como a desejava...

Ele apertou o seio por cima da roupa, erguendo-a, puxando-a para mais perto da boca. Miranda gemia e ele precisou reunir todas as forças para se conter, para refrear o próprio desejo. Turner foi se aproximando cada vez mais, pairando ao redor daquele troféu enquanto as mãos exploravam por baixo da bainha da camisola, correndo pela pele sedosa da panturrilha.

Então, quando a mão dele chegou à coxa, ela quase gritou.

– Sssh – fez ele, silenciando-a com um beijo. – Assim você vai acordar os vizinhos. Vai acordar meus...

Pais.

Um balde de água fria caiu em cima de Turner.

– Ai, meu *Deus*!

– O que foi? – Ela estava sem ar.

– Ah, meu Deus! *Miranda.*

O nome dela saiu junto com todo o choque que inundava a mente dele. Era como se tivesse acabado de acordar de um sonho e...

– Turner, eu...

– Shhh – sussurrou ele, asperamente, e rolou de cima dela com tamanho ímpeto que caiu no tapete. – Meu Deus do céu.

E depois repetiu, porque uma vez só não era suficiente:

– Meu. Deus. Do. Céu.

– Turner...

– Levante-se. Você tem que se levantar, Miranda.

– Mas...

Ele olhou para ela, o que foi um erro crasso. A barra da camisola ainda estava na altura da cintura, e as pernas dela... Céus, quem diria que ela poderia ter pernas tão longas e lindas... e ele só queria...

Não.

Ele estremeceu com a força da própria censura.

– *Agora*, Miranda – grunhiu ele.

– Mas eu não...

Ele a puxou, pondo-a de pé. Não queria tocar na mão dela porque, honestamente, não sabia o que acabaria fazendo se a tocasse, por menos romântico que fosse. Não tinha escolha. Precisava tirá-la dali.

– Vá! – ordenou ele. – Pelo amor de Deus, se ainda lhe resta algum bom senso, *vá*!

Mas ela ficou ali parada, estarrecida, olhando para ele, com cabelos despenteados, lábios vermelhos, e ele a desejava tanto...

Por Deus, o desejo não passava.

– Isso não vai acontecer de novo. – A voz dele era tensa.

Miranda não disse nada. Turner analisou o rosto dela com preocupação. *Por favor,* por favor, *não chore.*

Com um esforço feroz para se conter, Turner se manteve imóvel. Se movesse um músculo, poderia acabar encostando nela. E aí seria o fim.

– Acho melhor você voltar para o seu quarto – sussurrou ele.

Ela assentiu bruscamente e se foi.

Turner ficou encarando a porta. Inferno. Maldição.

O que ia fazer agora?

12 de junho de 1819

Estou sem palavras. Completamente.

Capítulo oito

Turner acordou com uma dor de cabeça lancinante, que nada tinha a ver com o álcool.

Quem dera tivesse sido o conhaque. Conhaque era muito, muito mais simples.

Miranda.

O que estava pensando?

Em nada. Era óbvio que ele não estava pensando, ponto. Pelo menos não com a cabeça.

Beijara Miranda. Céus, ele praticamente a atacara. E era difícil imaginar que existisse, em toda a Grã-Bretanha, alguma jovem *mais* inapropriada para ele do que a Srta. Miranda Cheever.

Ele arderia no fogo do inferno.

Se fosse mais correto, se casaria com ela. A reputação de uma jovem poderia ser arruinada por muito menos. No entanto, uma vozinha dentro da cabeça dele insistia que ninguém tinha visto. Ninguém sabia, só eles dois. E Miranda jamais contaria nada. Não era do feitio dela.

E Turner não era um homem correto. Cortesia de Leticia, que havia matado toda a bondade e gentileza dentro dele. Mas algum bom senso ainda lhe restava. Jamais poderia chegar perto de Miranda outra vez. O primeiro incidente fora compreensível.

O segundo quase fora sua ruína.

E o terceiro...

Céus, era melhor nem *pensar* no terceiro.

O que ele precisava era de distância. Isso mesmo. Distância. Se ficasse longe de Miranda, não haveria tentação, e ela logo esqueceria aquele encontro ilícito e encontraria um bom rapaz com quem se casar. Turner ficou inesperadamente sobressaltado com a imagem de Miranda nos braços de outro, mas disse a si mesmo que era por ser muito cedo ainda, que estava cansado, que não fazia nem seis horas que a beijara e...

E podia haver cem razões diferentes, mas nenhuma era importante o suficiente para merecer uma análise mais aprofundada.

Nesse meio-tempo, ele teria que evitá-la. Talvez devesse sair da cidade. Fugir. Poderia ir para o campo. O plano dele nunca fora passar muito tempo em Londres.

Abriu os olhos, grunhindo. Onde estava seu autocontrole? Miranda era uma mocinha inexperiente de 20 anos. Não era como Leticia, que sabia muito bem usar suas habilidades femininas em benefício próprio.

Miranda era uma tentação, mas ele conseguiria resistir. Turner era homem o bastante para manter a cabeça no lugar. Ainda assim, era melhor não ficar mais na mesma casa que ela. E, já que estava fazendo mudanças, talvez tivesse chegado a hora de inspecionar as mulheres daquela temporada nos eventos da alta sociedade. Havia muitas viúvas jovens e discretas. Ele já estava sem companhia feminina havia tempo demais.

Se havia algo que podia fazê-lo esquecer uma mulher, era outra.

– Turner vai se mudar.

– O quê?

Miranda estava arrumando flores em um vaso de porcelana. Foi apenas graças a mãos ágeis e uma tremenda sorte que o precioso vaso não foi direto ao chão.

– Na verdade, já se mudou – disse Olivia, dando de ombros. – O camareiro dele está arrumando as coisas agora mesmo.

Miranda recolocou o vaso na mesa com tanto cuidado que seus dedos chegaram a doer. Devagar, atenção, inspira, expira. E então, quando teve a certeza de que conseguiria falar sem que a voz falhasse, perguntou:

– Ele vai sair da cidade?

– Creio que não – respondeu Olivia, acomodando-se na espreguiçadeira com um bocejo. – Não estava nos planos dele passar tanto tempo na cidade, então acho que agora resolveu arrumar um apartamento.

Um apartamento? Miranda lutou contra o vazio terrível que tomava seu peito. Turner tinha arrumado um apartamento. Só para fugir dela.

Seria humilhante se não fosse tão triste. Ou talvez as duas coisas.

– Acho que vai ser melhor assim – prosseguiu Olivia, sem nem se dar conta da consternação da amiga. – Sei que ele disse que nunca mais vai se casar de novo, mas...

– Ele disse?

Miranda congelou. Como era possível que ela não soubesse? Ela sabia que ele não estava procurando uma esposa, mas jamais imaginara que era uma escolha definitiva.

– Ah, sim – respondeu Olivia. – Foi um dia desses. Disse em tom categórico. Achei que mamãe fosse ter uma síncope naquele momento. Na verdade, ela praticamente desmaiou.

– Sua mãe? – Miranda tinha dificuldade de imaginar.

– Bem, na verdade, não, mas ela certamente teria desmaiado se não tivesse tanto autocontrole.

Na maior parte do tempo, Miranda gostava das voltas que Olivia geralmente dava para contar uma história, mas naquele momento estava com vontade de *voar* no pescoço dela.

– Em todo caso – continuou Olivia, reclinando-se na espreguiçadeira –, ele disse que não vai se casar, mas eu tenho bastante certeza de que vai acabar reconsiderando. Ele só precisa superar o luto. – Olivia parou de falar e ficou olhando para Miranda com uma expressão sarcástica. – Ou a falta de luto.

Miranda deu um sorriso contido. Tão contido que, na verdade, achou que nem poderia ser chamado de sorriso.

– Mas, a despeito do que ele possa achar – prosseguiu Olivia, reclinando a cabeça para trás e fechando os olhos –, o fato é que Turner nunca vai conseguir encontrar uma mulher enquanto estiver morando aqui. Afinal, como poderia cortejar alguém na companhia da mãe, do pai e das duas irmãs mais novas?

– Duas?

– Bem, uma irmã, é claro, mas você é praticamente uma segunda. Na sua presença, ele não pode agir como *gostaria*.

Miranda não sabia se ria ou chorava.

– E mesmo que ele não encontre uma nova noiva em breve – acrescentou Olivia –, deveria ao menos arrumar uma amante. Com certeza ajudaria a esquecer Leticia.

Miranda não tinha nem palavras.

– E *isso* certamente não é algo que possa acontecer enquanto ele estiver morando aqui. – Olivia abriu os olhos e se apoiou no cotovelo. – Então acho que foi melhor assim. Não concorda?

Miranda assentiu. Porque era o que tinha que fazer. Porque estava entorpecida demais para chorar.

19 de junho de 1819

Já faz uma semana que ele se foi, e estou possessa.

Se ele tivesse apenas ido embora, eu poderia perdoar. Mas ele foi e não voltou uma única vez!

Não veio visitar. Não mandou uma carta. E, embora os rumores e as fofocas contem que ele tem socializado, que tem sido visto nos eventos da alta sociedade, eu mesma nunca o vi. Se vou a um evento, já sei que ele não estará lá. Houve uma vez que pensei tê-lo visto do outro lado do salão, mas não dá para ter certeza, pois só vi as costas do suposto homem a caminho da saída.

Não sei o que fazer. Não posso visitá-lo. Seria o cúmulo do escândalo. Lady Rudland proibiu que até Olivia faça isso; ele está no Albany, e o prédio só permite a entrada de cavalheiros. Nada de familiares ou de viúvas.

– O que pretende vestir hoje à noite, para o baile dos Worthingtons? – perguntou Olivia, colocando três cubos de açúcar no chá.

– É hoje?

Miranda apertou a xícara com mais força. Turner havia prometido que iria ao baile dos Worthingtons para dançar com ela. Ele certamente não descumpriria uma promessa.

Ele estaria lá. E se não estivesse...

Não, ela teria que se certificar de que ele estaria.

– Eu vou usar a seda verde – disse Olivia. – A não ser que você queira ir com o seu vestido verde. Você fica linda de verde.

– Você acha?

Miranda endireitou a postura. De repente, era essencial que se apresentasse da melhor forma possível.

– Sim. Mas não podemos usar a mesma cor, então acho bom você decidir logo.

– O que recomenda? – Miranda não era nenhuma negação quando se tratava de estilo, mas nunca teria tanto tino para a coisa quanto Olivia.

Olivia inclinou o rosto, avaliando a amiga.

– Com a sua compleição, preferiria que você vestisse algo de um tom mais vivo, mas mamãe diz que ainda somos novas demais para isso. Mas talvez... – Ela se levantou, pegou uma almofada em um tom não muito escuro de verde-musgo e a pôs próxima ao rosto de Miranda. – Hum...

– Pretende me reestofar?

– Segure isto – ordenou Olivia, dando vários passos para trás e emitindo um gemidinho agudo ao dar uma topada na perna da mesa. – Sim, sim – murmurou ela, equilibrando-se no braço do sofá. – Perfeito!

Miranda olhou para baixo. E para a amiga.

– Vou vestir uma capa de almofada?

– Não, você vai com o meu vestido de seda verde. É exatamente dessa cor. Vou pedir a Annie que faça os ajustes.

– Mas o que você vai vestir então?

– Ah, qualquer coisa – disse Olivia, com um aceno despreocupado. – Algo cor-de-rosa. Parece que os cavalheiros sempre ficam loucos com essa cor. Disseram que eu fico parecendo um doce.

– E essa comparação não incomoda você? – Miranda odiaria.

– Não me incomodo que eles *pensem* assim – corrigiu Olivia. – Isso me deixa em vantagem. Ser subestimada traz muitos benefícios. Mas você... – Ela balançou a cabeça. – Você precisa de algo mais refinado. Sofisticado.

Miranda deu um último gole no chá e então se levantou, alisando a musselina macia de seu vestido diurno.

– Então é melhor ir prová-lo logo – disse ela. – Para que Annie tenha tempo de fazer os ajustes.

Além disso, Miranda tinha certo bilhete a escrever.

∽

Enquanto amarrava com habilidade o lenço no pescoço, Turner descobria que seu catálogo de termos impróprios era maior e mais extenso do que supunha. Desde que recebera aquele maldito bilhete de Miranda, naquela tarde, já tinha encontrado cem coisas para amaldiçoar. Mas praguejava, acima de tudo, contra si mesmo, e contra qualquer resquício de honra que ainda lhe restava.

Ir ao baile dos Worthingtons era o cúmulo da estupidez – possivelmente a coisa mais desajuizada que poderia fazer. Mas não poderia deixar de cumprir a maldita promessa que fizera à garota, mesmo que fosse para o bem dela.

Inferno. Era a última coisa de que precisava naquele momento.

Olhou para o bilhete mais uma vez. Tinha prometido dançar com ela se lhe faltassem pares, certo? Bem, então não seria um problema. Tudo que precisava fazer era garantir que ela ficasse cheia de cavalheiros querendo tirá-la para dançar. Ela seria a bela daquele maldito baile.

Além do mais, já que se via forçado a ir àquela festa infeliz, poderia aproveitar a oportunidade para dar uma olhada nas jovens viúvas. Com um pouco de sorte, talvez Miranda percebesse qual era, afinal, a real intenção dele e voltasse sua atenção para os demais cavalheiros.

Estremeceu. Não gostava da ideia de chateá-la. Inferno, gostava dela. Sempre gostara.

Turner balançou a cabeça. Não iria chateá-la. Não muito. Além disso, iria recompensá-la.

A bela do baile, disse a si mesmo, enquanto entrava na carruagem e se preparava mentalmente para a noite que haveria de ser um desafio e tanto.

A. Bela. Do. Baile.

~

Olivia viu Turner no instante em que ele chegou.

– Ah, veja só – disse ela, cutucando Miranda com o cotovelo. – Meu irmão veio.

– É mesmo? – respondeu Miranda, surpresa.

– Sim. – Olivia endireitou os ombros, franzindo a testa. – Acabo de me dar conta de que não o vejo há séculos. E você?

Miranda balançou a cabeça distraidamente enquanto esticava o pescoço para tentar avistar Turner.

– Ali, falando com Duncan Abbott – indicou Olivia. – Do que será que estão falando? Sei que o Sr. Abbott é muito politizado.

– É mesmo?

– Sim. Eu mesma adoraria conversar com ele, mas aposto que ele jamais perderia seu tempo discutindo política com uma mulher. Muito inconveniente, se quer saber.

Miranda estava prestes a concordar quando Olivia franziu a testa mais uma vez, irritada.

– Agora ele está indo na direção de lorde Westholme.

– Olivia, deixe o homem falar com quem bem entender.

Apesar do que disse, por dentro Miranda também estava ficando irritada por ele ainda não ter ido falar com ela.

– Ora, mas ele deveria ter vindo nos cumprimentar primeiro. Somos da família.

– Bem, você é, pelo menos.

– Não seja ridícula. Você também, Miranda. – Indignada, Olivia ficou boquiaberta. – Olhe só, mas que disparate! Agora ele foi na direção oposta!

– Quem é aquele com quem ele está conversando agora? Esse cavalheiro eu não conheço.

– É o duque de Ashbourne. Muito bonito, não acha? Acho que ele estava de férias com a esposa no exterior. Dizem que são bastante devotos um ao outro.

Miranda pensou que era um sinal positivo que ao menos *um* dos casamentos da alta sociedade fosse uma união feliz. Ainda assim, considerando que Turner nem se dera ao trabalho de atravessar o salão para cumprimentá-la, não parecia que ele estava muito inclinado a tirá-la para dançar. Foi sua vez de franzir a testa.

– Com licença, lady Olivia. Creio que a senhorita me concedeu esta dança.

Olivia e Miranda olharam para um belo jovem que estava diante delas, cujo nome nenhuma das duas lembrava.

– Mas é claro – Olivia apressou-se em dizer. – Que tolice a minha ter esquecido.

– Acho que eu gostaria de uma limonada – disse Miranda com um sorriso, pois sabia que a amiga sempre se sentia desconfortável quando precisava deixá-la sozinha para ir dançar.

– Tem certeza?

– Vá, vá!

Obedecendo, Olivia flutuou em direção ao centro do salão e Miranda rumou para o criado que servia limonada. Como sempre, o cartão de dança dela só estava cheio até a metade. E onde raios estava Turner, que prometera dançar com ela se lhe faltassem parceiros?

Que sujeito desprezível.

Ela sentia certo prazer em xingá-lo mentalmente, mesmo que não acreditasse no que dizia.

Miranda estava a meio caminho da limonada quando sentiu um aperto firme e másculo em seu cotovelo. Turner? Foi com certo desapontamento que, ao se virar, deu de cara com um cavalheiro que não conhecia, embora seu rosto fosse vagamente familiar.

– Srta. Cheever?

Miranda assentiu.

– A senhorita me concederia o prazer desta dança?

– Ora, é claro, mas creio que ainda não fomos apresentados.

– Ah, queira perdoar. Sou Westholme.

Lorde Westholme. Não era o cavalheiro com quem Turner havia acabado de falar? Miranda sorriu para ele, mas, por dentro, franzia a testa. Nunca acreditara muito em coincidências.

Lorde Westholme mostrou-se um excelente dançarino, e rodopiaram com graça pelo salão. Quando a música foi chegando ao fim, ele fez uma mesura elegante e conduziu-a para fora do espaço de dança.

– Foi uma dança muito agradável, lorde Westholme. Obrigada – disse Miranda, de forma graciosa.

– Eu é que lhe agradeço, Srta. Cheever. Espero que possamos repetir em breve.

Miranda notou que lorde Westholme conseguira deixá-la o mais longe possível da limonada. Quando dissera a Olivia que estava com sede, tinha sido só uma mentirinha inofensiva, mas agora estava com sede de verdade. Miranda suspirou ao perceber que teria que abrir caminho pela multidão, mas não chegou sequer a dar dois passos até que outro bom partido entrou no caminho dela. Ela reconheceu o jovem cavalheiro na mesma hora. Era o Sr. Abbott, o sujeito politizado com quem Turner também tinha dado uma palavrinha.

Em segundos estava de volta ao centro do salão, ficando cada vez com mais raiva.

Não que fosse culpa dos parceiros de dança. Por mais que Turner tivesse sentido a necessidade de subornar aqueles homens para que dançassem com ela, ao menos escolhera cavalheiros agradáveis e educados. No entanto, enquanto o Sr. Abbott a conduzia para fora da pista ao fim da dança, Miranda viu o duque de Ashbourne caminhando em sua direção e decidiu fazer uma retirada estratégica.

Ele achava que ela não tinha orgulho? Achou que ficaria grata por Turner coagir os amigos a dançar com ela? Era humilhante. Isso sem falar no pior, que era a ideia de que havia providenciado outros parceiros de dança para que ele próprio não tivesse que fazê-lo. Miranda estava com os olhos marejados e morrendo de medo de começar a chorar em pleno salão, aos olhos de todos, então disparou para um corredor deserto.

Sozinha, apoiou-se na parede e respirou fundo várias vezes. A rejeição de Turner ardia. Pior: era como um punhal cravado nela. Como tiros de revólver. E a mira era, até certo ponto, certeira.

O que sentia naquele momento era diferente de todos aqueles anos até então, quando ele a via como criança. Naquela época, Miranda podia, pelo menos, encontrar certo consolo ao se convencer de que ele não sabia o que estava perdendo. Mas agora isso mudara. Agora ele sabia exatamente o que estava perdendo, e não dava a mínima.

Miranda não podia passar a noite inteira naquele corredor, mas, como ainda não estava pronta para voltar à festa, decidiu ir ao jardim. Era um cantinho verde bem pequeno, porém de formas harmônicas e de muito bom gosto. Miranda sentou-se em um banco de pedra no canto, de frente para a casa. Grandes portas de vidro davam para o salão de baile, e ela passou vários minutos assistindo aos lordes e damas que rodopiavam ao som da música. Fungou e tirou uma das luvas para poder limpar o nariz com a mão.

– Meu reino por um lenço – disse ela, suspirando.

Talvez pudesse mentir que estava doente e ir para casa.

Experimentou tossir discretamente. Talvez estivesse *mesmo* doente. Sendo bem sincera, não havia o menor sentido em permanecer naquele baile. O objetivo daquilo tudo era passar a noite sendo bonita, sociável e agradável, certo? Ela não conseguiria mais fazer nenhuma dessas coisas aquela noite.

Então viu um lampejo de dourado.

Cabelos dourados, para ser mais exata.

Era Turner. *Mas é claro.* Como poderia ser qualquer outra pessoa, justamente naquela hora em que ela estava sentada ali, patética e sozinha? Ele estava atravessando as portas francesas que levavam ao jardim.

De braço dado com uma mulher.

Um nó estranho se formou em sua garganta, e Miranda ficou sem saber o que fazer. Será que não conseguiria escapar de uma humilhação sequer? Ofegante, arrastou-se para a pontinha do banco para ficar escondida nas sombras.

Quem era *ela*? Já tinha visto aquela mulher. Lady Alguma-Coisa. Ouvira dizer que era uma viúva muito, muito rica e independente. A mulher, no entanto, não se parecia em nada com uma viúva. Na verdade, parecia só um pouco mais velha do que Miranda.

Murmurando um pedido falso de desculpas para ninguém, Miranda apurou a audição para tentar ouvir a conversa. Mas o vento levava as palavras para o outro lado, então ela só conseguia ouvir mínimas impressões. Por fim, depois do que pareceu ser um "Não sei ao certo" vindo dos lábios da moça, Turner inclinou-se e a beijou.

O coração de Miranda se partiu em mil pedaços.

A moça murmurou algo que Miranda não escutou e voltou ao salão. Turner continuou no jardim, mãos na cintura e rosto voltado para o céu, encarando a lua de modo enigmático.

Miranda quis gritar algo como "Vá embora! Agora!". Enquanto ele não fosse, ela teria que ficar presa naquele cantinho do jardim, e ela queria desesperadamente voltar para casa e se atirar na cama. De onde era provável que não saísse nunca mais. Porém, como parecia que não teria opção, chegou mais para a ponta do banco, tentando esconder-se ainda mais nas sombras.

Na mesma hora, o rosto de Turner voltou-se na direção dela. Inferno! Ele a ouvira. Ele franziu a testa, tentando ver melhor, e deu alguns passos na direção dela. Então fechou os olhos e balançou a cabeça lentamente.

– Mas que inferno, Miranda! – exclamou ele, com um suspiro. – Por favor, me diga que não é você.

~

E pensar que a noite dele estava indo tão bem. Tinha conseguido evitá-la por completo, finalmente fora apresentado à adorável viúva Bidwell (na flor de seus 25 anos) e o champanhe nem estava tão ruim assim.

Mas não. Estava claro que os deuses não estavam dispostos a contemplá-lo com nenhuma ajudinha. Lá estava ela. Miranda. Sentada no banco, observando-o. Provavelmente enquanto ele beijava a viúva.

Céus!

– Mas que inferno, Miranda! – exclamou ele, com um suspiro. – Por favor, me diga que não é você.

– Não sou eu.

Ela estava se fazendo de orgulhosa, mas havia uma nota amarga em seu tom que o atingiu como uma adaga. Ele fechou os olhos por um momento porque, maldição, não era para *ela* estar ali. Não era para ele ter aquele tipo de complicação em sua vida. Por que as coisas não podiam ser fáceis?

– O que está fazendo aqui? – perguntou ele.

Ela deu de ombros.

– Vim tomar um pouco de ar.

Ele deu mais alguns passos na direção de Miranda até estar tão envolto nas sombras quanto ela.

– Veio me espionar?

– Você é mesmo muito presunçoso, não é?

– Veio ou não veio?

– É lógico que não – retorquiu ela, com raiva. – Eu jamais me rebaixaria a espionar ninguém. Você, por outro lado, deveria se dar ao trabalho de inspecionar o jardim com mais cuidado da próxima vez que planejar uma peripécia romântica.

Ele cruzou os braços.

– Acho muito difícil acreditar que você esteja aqui fora por outro motivo que não tenha a ver comigo.

– Pois então – respondeu ela –, por gentileza, faça o favor de me explicar como eu poderia ter seguido você, atravessado o jardim e chegado a este banco sem ser notada.

Ele ignorou a pergunta, basicamente porque ela tinha razão. Ele passou a mão pelo cabelo, então agarrou um chumaço e puxou com força; por algum motivo, a dor no couro cabeludo o ajudou a não perder a razão.

– Assim vai acabar arrancando fora – disse ela em um tom tão ponderado que chegava a ser irritante.

Ele respirou fundo. Contraiu os dedos. E, com a voz quase sob controle, exigiu saber:

– Qual é o problema, Miranda?

– Qual é o problema? – repetiu ela, ficando de pé. – Qual é o problema? Como se atreve!? O problema é que você passou uma semana inteira me ignorando e me tratando como se eu fosse um monte de pó a ser varrido para debaixo do tapete. O problema é você achar que eu tenho tão pouco brio que ficaria *grata* a você por ter constrangido seus amigos a me tirar para dançar. O problema é a sua grosseria e seu egoísmo e sua incapacidade de...

Ele tapou a boca de Miranda com a mão.

– Pelo amor de Deus, fale baixo! O que aconteceu semana passada foi um erro, Miranda. E aquele seu bilhete foi um despautério, me forçando a cumprir a promessa e vir ao baile esta noite.

– Mas você cumpriu – sussurrou ela. – Você veio.

– Eu vim – vociferou ele – porque estou à procura de uma amante. *Não* de uma esposa.

Ela recuou. E simplesmente o encarou. Encarou-o até ele começar a sentir que o olhar dela o queimava. Por fim, em uma voz tão grave quanto cáustica, Miranda disse:

– Eu não gosto nem um pouco de você neste momento, Turner.

Que coincidência. Ele também não gostava nem um pouco de si mesmo.

Miranda ergueu o queixo com dignidade, mas sua voz saiu trêmula ao declarar:

– Com licença. O baile está à minha espera. Graças ao senhor, tenho um número considerável de parceiros com quem dançar, e não tenho a intenção de ofender nenhum deles.

Ele ficou olhando Miranda se afastar. Depois ficou olhando a porta. E então foi embora.

~

20 de junho de 1819

Depois de voltar ao salão de baile, vi outra vez aquela viúva. Perguntei a Olivia quem era, e ela disse que seu nome era Katherine Bidwell. Condessa de Pembleton. Casou-se com lorde Pembleton quando ele tinha quase 60 anos e deu um herdeiro a ele sem demora. Lorde Pembleton faleceu logo depois, e agora ela controla toda a fortuna dele até que o garoto atinja a maio-

ridade. Mulher esperta. Imagine, ser tão independente... Duvido que deseje se casar outra vez, o que é muito apropriado aos propósitos de Turner.

Fui forçada a dançar com ele uma vez. Lady Rudland insistiu. E então, como se a noite não pudesse ficar ainda pior, ela me puxou de lado para comentar sobre a minha repentina popularidade. Uma dança com o duque de Ashbourne! (A exclamação ficou por conta dela.) Ele é casado, é claro, e muito bem casado, mas ainda assim, não gosta de desperdiçar seu precioso tempo com mocinhas que mal terminaram os estudos. Lady R. estava radiante, orgulhosíssima de mim. Senti vontade de chorar.

Agora estou em casa, contudo, e decidi inventar algum mal-estar que me impeça de sair por alguns dias. Uma semana, se tiver sorte.

Sabe o que mais me incomoda? Lady Pembleton não é sequer considerada bonita. Veja bem, não é que seja feia, mas também não é formidável. Tem os cabelos e os olhos castanhos, nada notáveis.

Assim como os meus.

Capítulo nove

Miranda passou a semana seguinte inteira fingindo que lia tragédias gregas. Estava impossível manter a concentração em um livro por tempo suficiente para conseguir, de fato, compreender, mas já que teria que encarar de vez em quando as páginas escritas, por que não escolher algo que combinasse com seu humor?

Uma comédia a teria feito chorar. E que Deus a livrasse de uma história de amor. Ela iria querer morrer.

Olivia, que nunca demonstrou desinteresse na vida alheia, estava firme na missão de descobrir o motivo da morosidade de Miranda. Na verdade, ela só deixava de interrogar a amiga quando se empenhava em alegrá-la. E era isso que Olivia estava fazendo, presenteando Miranda com a história de uma certa condessa que pusera o marido para fora de casa até que ele concordasse em lhe comprar quatro minipoodles de estimação, quando lady Rudland veio bater à porta.

– Ah, perfeito – disse ela ao pôr a cabeça para dentro do quarto. – Estão ambas aqui. Olivia, não sente desse jeito. Não é nada feminino.

Olivia obedeceu e corrigiu a postura antes de perguntar:

– O que houve, mamãe?

– Queria informá-las de que fomos convidadas para uma visita à residência de campo de lady Chester na semana que vem.

– Quem é lady Chester? – perguntou Miranda, deixando no colo o exemplar muito marcado de Ésquilo.

– Uma prima nossa – respondeu Olivia. – De terceiro ou quarto grau, não lembro bem.

– Segundo grau – corrigiu lady Rudland. – E eu aceitei o convite em nome de todos nós. Seria muito rude recusar, posto que ela é parenta tão próxima.

– Turner também vai? – perguntou Olivia.

Miranda quis agradecer mil vezes à amiga por fazer a pergunta que ela mesma não se atreveria a pronunciar.

– Acho bom que vá. Já faz tempo demais que ele está se esquivando de suas obrigações familiares – declarou lady Rudland, com uma dureza que não lhe era característica. – Se não for, vai ter que se ver comigo.

– Ó, céus! – exclamou Olivia. – Que perspectiva terrível!

– Não sei o que está havendo com ele. – Lady Rudland balançou a cabeça. – Parece até que está nos evitando.

Não, pensou Miranda, com um sorriso triste. *É só a mim.*

Turner esperava a família descer, batendo o pé no chão com impaciência. Pela vigésima vez naquela manhã, se pegou desejando ser mais parecido com os demais cavalheiros que frequentavam a alta sociedade, que ou ignoravam as mães ou as tratavam como bibelôs. Contudo, de alguma maneira, a mãe dele conseguira convencê-lo a estar presente naquela maldita festa que duraria uma semana e, para piorar, Miranda também iria.

Ele era um idiota. Isso estava cada dia mais claro.

Um idiota que devia ter ofendido os deuses, porque tão logo chegou ao vestíbulo, lady Rudland anunciou:

– Você vai ter que dividir o coche com Miranda.

Os deuses pareciam ter de fato um senso de humor depravado.

Ele pigarreou.

– Mãe, acha mesmo que isso seria apropriado?

Ela lhe lançou um olhar impaciente.

– Você não pretende seduzir a garota no caminho, não é?

Maldito inferno de Deus!

– Lógico que não. Estou só preocupado com a reputação dela. O que as pessoas vão dizer quando nos virem chegar na mesma carruagem? Todos saberão que teremos passado várias horas sozinhos.

– Todos sabem que vocês dois são como irmãos, Turner. E faremos uma parada um quilômetro antes de Chester Park para trocar, assim você chegará junto com o seu pai. Não haverá problema algum. Eu e seu pai temos que dar uma palavrinha a sós com Olivia.

– O que ela fez agora?

– Aparentemente, falou que Georgiana Elster era uma pata-choca.

– Georgiana Elster é mesmo uma pata-choca.

– Mas ela falou na cara dela, Turner! Na cara de Georgiana.

– Um desatino, é lógico, mas não creio que isso justifique um sermão de duas horas.

– Não é só isso.

Turner suspirou. A mãe parecia irredutível. Duas horas a sós com Miranda. O que ele fizera para merecer uma tortura daquelas?

– Ela também chamou sir Robert Kent de mustelídeo balofo.

– Também na cara dele, suponho.

Lady Rudland assentiu.

– Afinal de contas, o que é um mustelídeo?

– Não faço a menor ideia, mas imagino que não seja nada elogioso.

– Creio que mustelídeos são as doninhas e os arminhos – informou Miranda, adentrando o vestíbulo com seu vestido de viagem azul-bebê. Sorriu para ambos, irritantemente contida.

– Bom dia, Miranda – cumprimentou lady Rudland. – Você vai viajar na carruagem junto com Turner.

– Vou?

Miranda quase engasgou com a palavra e teve que fingir uma tosse para disfarçar. O que fez com que Turner sentisse uma satisfação infantil.

– Sim. Eu e lorde Rudland temos que dar uma palavrinha com Olivia. Parece que ela tem feito uns comentários muito impróprios em público.

Ouviu-se um gemido vindo das escadas. Os três viraram a cabeça para acompanhar Olivia descendo os degraus.

– Mamãe, isso é mesmo necessário? Não fiz por mal. Se desconfiasse que poderia chegar aos ouvidos dela, eu jamais teria chamado lady Finchcoombe de velha coroca infeliz.

Lady Rudland ficou lívida.

– Você chamou lady Finchcoombe de *quê*?

– Hum, desse você não sabia? – perguntou Olivia, baixinho.

– Turner, Miranda, sugiro que partam agora mesmo. Nos vemos em algumas horas.

Os dois caminharam em silêncio para a carruagem que já estava à espera, e então Turner estendeu a mão para ajudar Miranda a subir. O toque da mão enluvada de Miranda foi quase elétrico, mas ela pareceu imune.

– Espero que minha presença não seja um grande fardo para o senhor, milorde.

Turner respondeu com um misto de resmungo e suspiro.

– Saiba que eu não tive nada a ver com isso – acrescentou ela.

Ele se sentou diante dela.

– Eu sei.

– Não fazia a menor ideia de que teríamos que... – Ela ergueu o rosto. – Entende?

– Entendo. Mas minha mãe estava bastante determinada a viajar sozinha com Olivia.

– Ah. Bem, agradeço por acreditar em mim.

Ele bufou, olhando pela janela por um momento, enquanto a carruagem se punha em movimento.

– Miranda, não acho que você seja uma mentirosa contumaz.

– Não, é claro que não – rebateu ela imediatamente. – Mas você parecia um tanto furioso quando me ajudou a subir na carruagem antes de partirmos.

– Estou furioso com o destino, Miranda, não com você.

– Nossa, grande diferença – declarou ela, com frieza. – Bem, se me dá licença, trouxe um livro.

Ela se virou, chegando o mais próximo possível de dar as costas para ele, e se pôs a ler.

Turner esperou uns trinta segundos antes de perguntar:

– O que está lendo?

Miranda congelou, e então, como se executasse a mais deplorável tarefa, ergueu a capa do livro bem lentamente.

– Ésquilo – comentou ele. – Deprimente...

– Combina com o meu estado de espírito.

– Céus, isso foi uma indireta?

– Não seja condescendente, Turner. Diante das circunstâncias, não é nada apropriado.

Ele ergueu a sobrancelha.

– O que quer dizer com isso?

– Quero dizer que depois de tudo o que... hã... *transcorreu* entre nós, me parece que sua arrogância não tem mais razão de ser.

– Ora, que frase mais longa!

Miranda respondeu apenas com um olhar atravessado. De volta ao livro, desta vez o ergueu até cobrir o rosto inteiro.

Turner deu uma risadinha e acomodou-se no assento, surpreso ao notar que estava se divertindo com aquela situação. As mulheres quietas eram sempre as mais interessantes. Miranda nunca desejava ser o centro das atenções, mas sabia sustentar uma conversa com sagacidade e elegância. Era muito divertido implicar com ela. E ele não se sentia nem um pouco culpado. Por mais que parecesse irritada, ele não tinha a menor dúvida de que ela apreciava o xadrez verbal tanto quanto ele.

Talvez a viagem não estivesse fadada a ser tão infernal assim. Desde que pudesse mantê-la o tempo todo engajada naquela troca de farpas bem-humorada e não ficasse olhando para os lábios da jovem.

Porque ele gostava muito dos lábios dela.

Mas não convinha pensar nisso. Era melhor retomar a conversa e apreciar a companhia dela, como sempre fizera antes da confusão em que haviam se metido. Sentia saudade da velha amizade que tinha com Miranda e, já que ficariam presos naquela carruagem por duas horas, ele poderia aproveitar a oportunidade e fazer o possível para tentar reatá-la.

– O que está lendo? – perguntou ele.

Ela ergueu os olhos, irritada.

– Ésquilo. Você acabou de me perguntar.

– Mas *qual* Ésquilo? – insistiu ele.

Para grande deleite de Turner, ela teve que baixar os olhos para o livro antes de responder:

– *Eumênides.*

Ele estremeceu.

– Não gosta? – perguntou ela.

– Com todas essas mulheres furiosas? Acho que não. Prefiro uma boa história de aventura.

– Gosto de mulheres furiosas.

– Porque se identifica com elas? Céus, Miranda, pare de ranger os dentes. Pode acreditar, você não gostaria nem um pouco de ter que fazer uma visita ao dentista.

Ao ver a expressão dela, Turner não conseguiu conter uma risada.

– Ah, Miranda – disse ele –, não seja tão sensível.

Ainda lançando um olhar atravessado na direção dele, ela resmungou:

– Queira perdoar, milorde.

Então, sabe-se lá como, ela conseguiu fazer uma mesura profunda e obediente bem ali, dentro da carruagem.

As risadinhas de Turner viraram uma sonora gargalhada.

– Ah, Miranda – murmurou ele, enxugando os olhos. – Você é mesmo uma pérola.

Quando, por fim, ele se recuperou, ela o encarava como se fosse um lunático. Ele chegou a pensar em confirmar as suspeitas dela, erguendo os dedos em garras e dando um urro estranho e animalesco. Mas, por fim, apenas se reclinou e sorriu.

Ela balançou a cabeça, dizendo:

– Eu não entendo você.

Para impedir que a conversa voltasse a ficar séria, ele não respondeu. Miranda então retomou a leitura, e desta vez ele decidiu se entreter contando os minutos entre as trocas de página. Quando chegou aos cinco minutos sem nenhuma troca, abriu um sorriso e perguntou:

– Leitura difícil?

Miranda baixou o livro lentamente e lançou-lhe um olhar fulminante.

– Perdão?

– Muitas palavras compridas?

Ela apenas o encarou.

– Você não virou a página nem uma vez.

Ela soltou um grunhido e, com grande determinação, virou a página.

– É inglês ou grego?

– O que disse?

– Se for grego, explicaria sua velocidade de leitura.

Ela ficou boquiaberta.

– Ou falta de – completou ele, dando de ombros.

– Eu sei ler grego – retrucou ela.

– O que é um feito e tanto.

Miranda baixou os olhos para as mãos. Segurava o livro com força.

– Obrigada – disse ela, entre os dentes.

Ele, contudo, ainda não havia terminado.

– Feito um tanto incomum para uma mulher, não acha?

Desta vez, ela decidiu ignorá-lo.

– Olivia não lê grego – falou ele, casualmente.

– Olivia não tem um pai que não faz *nada* além de ler grego – replicou ela, sem sequer erguer os olhos.

Miranda tentou se concentrar nas palavras no alto da página, mas nada fazia muito sentido, já que não tinha chegado ao fim da anterior. Na verdade, sequer começara.

Tamborilou os dedos na capa do livro que fingia ler. Seria impossível voltar à página anterior sem que ele notasse. Em todo o caso, não importava, pois duvidava ser capaz de se concentrar na leitura sob o olhar atento dele. Era um olhar mortal, definitivamente. Fazia com que ela estremecesse de calor e de frio; para piorar, tudo isso enquanto estava irritadíssima com Turner.

Sabia que ele não tinha a menor intenção de seduzi-la, mas estava fazendo um ótimo trabalho nesse sentido.

– É mesmo um talento peculiar.

Miranda suspirou, contraindo os lábios, e olhou para ele.

– Para? – disse ela.

– Ler sem mexer os lábios.

Ela contou até três antes de responder:

– Nem todo mundo precisa ficar mexendo os lábios para ler, Turner.

– *Touché*, Miranda! Sabia que ainda restava um pouco da chama em você.

Ela cravou as unhas no estofamento do assento. *Um, dois, três. Continue contando. Quatro, cinco, seis.* Naquele ritmo, se quisesse manter o mau humor sob controle, teria que contar até cinquenta.

Turner notou que ela mexia ligeiramente o rosto seguindo um ritmo desconhecido e ficou cada vez mais curioso.

– O que está fazendo?

Dezoito, dezenove...

– O quê?

– O que está fazendo?

Vinte.

– Turner, você está ficando cada vez mais irritante.

– Sou persistente. – Ele deu um sorriso presunçoso. – Achei que, se alguém apreciaria essa característica, esse alguém seria você. Voltando, o que estava fazendo? Estava mexendo a cabeça de um jeito bem curioso.

– Se quer mesmo saber – disse ela, com uma voz cortante –, eu estava contanto até cinquenta para tentar controlar o meu humor.

Ele a observou por um momento, e então disse:

– Estremeço só de pensar o que você teria respondido se não tivesse parado para contar.

– Estou perdendo a paciência.

– Não creio!

Ela tornou a erguer o livro, tentando ignorá-lo.

– Pare de torturar o pobre livro, Miranda. Ambos sabemos que você não está lendo coisa nenhuma.

– Será que dá para me deixar em paz? – explodiu ela.

– A que número você chegou?

– O quê?

– A que número? Você disse que estava contando para se controlar e não magoar meu temperamento sensível.

– Sei lá. Vinte. Trinta. Não sei. Parei de contar uns quatro insultos atrás.

– Chegou até trinta? Acho que você está mentindo para mim, hein, Miranda. Não perdeu a paciência comigo coisíssima nenhuma.

– Perdi... sim... – grunhiu ela.

– Acho que não.

– Aaaaargh!

Ela atirou o livro nele. Acertou-o em cheio na lateral da cabeça.

– Ai!

– Pare de agir que nem um bebê.

– Pare de agir que nem uma tirana.

– Pare de me azucrinar!

– Eu não estava azucrinando.

– Ah, faça-me o *favor*, Turner...

– Ah, está bem – disse ele, de forma petulante, esfregando a cabeça. – Eu estava azucrinando. Mas só porque você estava me ignorando.

– Desculpa, mas tive a impressão de que você queria exatamente isso.

– De onde tirou essa ideia?

Ela ficou boquiaberta.

– Você só pode estar louco. Já faz duas semanas que foge de mim como o diabo foge da cruz. Chegou ao cúmulo de evitar a própria mãe para não ter que me ver.

– Ora essa! Isso não é verdade.

– Pois então diga isso à sua mãe.

Ele estremeceu.

– Miranda, eu gostaria muito que fôssemos amigos.

Ela balançou a cabeça. Será que havia, no mundo, palavras mais cruéis?

– Impossível.

– Por que não?

– Você não pode ter tudo o que quer – prosseguiu Miranda, usando cada gota de energia que tinha para impedir a voz de falhar. – Não pode me beijar e depois dizer que quer ser meu amigo. Não pode me humilhar, como fez no baile dos Worthingtons, e depois dizer que gosta de mim.

– É melhor esquecermos o que aconteceu – sugeriu ele, com a voz suave. – Melhor deixar tudo para trás, se não pela nossa amizade, então pela minha família.

– Você seria capaz? – questionou Miranda. – Seria capaz de esquecer, de verdade? Porque eu não.

– Mas é claro que você também é capaz – disse ele, um pouco rápido demais para o gosto dela.

– Talvez me falte a sua sofisticação, Turner. – Então, com certa amargura, acrescentou: – Ou talvez o que me falte seja a sua leviandade.

– Eu não sou leviano – devolveu ele. – Sou sensato. Deus sabe que pelo menos um de nós precisa ser.

Ela quis ter algo para retrucar. Quis muito ter qualquer tipo de resposta que o cortasse bem incisivamente, que o deixasse sem fala, que o transformasse em uma patética gosma gelatinosa de podridão.

Mas Miranda só tinha a si mesma, e as horríveis lágrimas de raiva que teimavam em brotar. Não tinha sequer a certeza de que conseguiria sustentar um olhar de confronto, de modo que desviou o rosto, contando as construções que passavam pela janela, desejando estar em qualquer outro lugar.

Ser qualquer outra pessoa.

E isso era o pior de tudo, porque durante toda a sua vida, mesmo tendo uma melhor amiga mais bonita, mais rica e mais influente, Miranda nunca havia desejado ser qualquer outra pessoa que não ela mesma.

~

Durante toda a sua vida, Turner fizera coisas das quais não se orgulhava. Já bebera demais e vomitara em um tapete valiosíssimo; já apostara dinheiro que não possuía; em uma ocasião, exigira tanto de seu cavalo e o tratara com tamanho descaso durante uma cavalgada que o animal passara uma semana mancando.

Mas nunca se sentira tão repugnante quanto naquele momento, vendo o perfil de Miranda, obstinadíssima em manter o olhar na paisagem lá fora.

Obstinadíssima em se *afastar* dele.

Turner ficou um bom tempo em silêncio. Passaram pela periferia de Londres, as construções cada vez mais esparsas, até que a estrada deu lugar a um campo aberto que se estendia até onde a vista alcançava.

Ela não olhou para ele nem uma vez. Ele sabia bem, porque não tirou os olhos dela.

Então, incapaz de tolerar mais uma hora daquele silêncio e avesso à ideia de tentar entender exatamente o que ele significava, Turner falou, enfim:

– Não tenho a intenção de ofendê-la, Miranda – disse ele –, mas sei enxergar quando algo é má ideia. E me envolver com você seria uma *péssima* ideia.

Ela não virou o rosto para ele, mas perguntou:

– Por quê?

Ele a encarou, perplexo.

– Por quê? Miranda, onde você está com a cabeça? Não se importa nem um pouco com a sua reputação? Se alguém ficar sabendo o que aconteceu entre nós, você estará arruinada. Arruinada!

– Ou você teria que se casar comigo – retrucou ela, em tom debochado.

– O que não tenho a menor intenção de fazer. Você sabe muito bem disso. – Ele xingou baixinho. Deus do céu, o comentário tinha soado muito mal. – Não tenho a menor intenção de me casar com *ninguém*. Você também sabe muito bem disso.

– O que eu *sei* – os olhos de Miranda ardiam com uma fúria inconfundível – é que... – Ela se deteve, cerrando os lábios com força e cruzando os braços.

– O que você sabe? – exigiu saber ele.

Ela se virou outra vez para a janela.

– Você não seria capaz de entender. – E então: – Nem sequer de escutar.

O desprezo na voz dela o deixou possesso.

– Ora, faça-me o favor... Essa petulância não combina com você.

No mesmo instante ela se virou para Turner.

– E o que, afinal, combina comigo? Por favor, me diga, o que eu deveria sentir?

Com um esgar, ele respondeu:

– Gratidão?

– *Gratidão?*

Ele se acomodou no assento, o epítome da insolência.

– Sabe, eu poderia ter seduzido você. Com a maior facilidade. Mas não a seduzi.

Ela arquejou, horrorizada; quando falou, sua voz assumiu um tom grave e letal.

– Turner, você é um ser abjeto.

– Estou só dizendo a verdade. E quer saber por que não fui além? Por que não arranquei aquela camisola do seu corpo, por que não deitei você no sofá e a possuí ali mesmo?

Ela arregalou os olhos, a respiração alterada; ele sabia muito bem que estava sendo grosseiro, estúpido e, sim, abjeto, mas não conseguia se conter, não conseguia reprimir a necessidade de ser direto, porque, maldição, ela precisava entender. Precisava entender quem ele realmente era, o que ele era capaz – e incapaz – de fazer.

E quanto àquele... *àquilo.* Quanto a ela. Ele tinha conseguido agir de forma honrada, e ela não demonstrava a menor gratidão?

Então foi a vez dele de dizer em tom grave e letal:

– Pois vou lhe dizer: eu me contive por *respeito* a você. E digo mais...

Ele parou, xingou, e Miranda apenas ficou observando, questionadora, desafiadora, provocativa, com um olhar de quem diz "você não sabe nem o que quer dizer".

Mas era exatamente esse o problema. Ele sabia, sim, e estivera prestes a dizer quanto a havia desejado. Estivera prestes a dizer que, se estivessem em qualquer outro lugar que não fosse a casa dos pais dele, não sabia se teria se contido.

Não sabia se teria *conseguido* se conter.

Mas ela não precisava dessa informação. Não *deveria* ter acesso a essa informação. Turner não queria que Miranda tivesse tanto poder sobre ele.

– Acredite você ou não – murmurou ele, mais para si mesmo do que para ela –, eu não quis arruinar o seu futuro.

– O meu futuro é da minha conta – respondeu ela, com raiva. – Sei o que estou fazendo.

Ele deu uma risada curta e desdenhosa.

– Você tem 20 anos. Nessa idade a gente acha que sabe tudo.

Ela o encarou com raiva.

– Quando eu tinha 20 anos– disse ele –, achava que sabia tudo.

A raiva se transformou em tristeza nos olhos dela.

– Eu também – concordou ela, baixinho.

Turner tentou ignorar o nó que uma culpa dolorosa criou em sua garganta. Nem sabia *por que* se sentia culpado; na verdade, a coisa toda era absurda. Não deveria se sentir culpado por *não* tê-la deflorado, ora essa. Mas tudo o que conseguiu dizer foi:

– Um dia você vai me agradecer.

Ela o encarou, incrédula.

– Você está parecendo a sua mãe.

– E você está ficando ranzinza.

– E por acaso eu tenho culpa? Você me trata como uma criança mesmo sabendo muito bem que eu sou uma mulher.

O nó de culpa se ramificava.

– Sou capaz de tomar minhas próprias decisões – disse ela, impávida.

– Definitivamente, não é. – Ele se inclinou para a frente, com um brilho perigoso nos olhos. – Se fosse, você não teria me deixado abaixar seu vestido e beijar os seus seios na semana passada.

Miranda ficou com o rosto vermelhíssimo de vergonha; a voz dela tremia com as implicações de uma acusação quando falou:

– Não ouse tentar me dizer que a culpa é minha.

Ele fechou os olhos e correu as mãos pelo cabelo, ciente de que tinha dito uma imensa besteira.

– Claro que não é culpa sua. Por favor, esqueça que eu disse isso.

– Também não venha me pedir para esquecer que foi você quem me beijou. – A voz dela era totalmente desprovida de emoção.

– Sim. – Então ele viu nos olhos dela uma espécie de morbidez, algo inédito em seu semblante. – Ah, meu Deus, Miranda, não faça essa cara.

– Faça isso, não faça aquilo – vociferou ela. – Esqueça isso, não esqueça aquilo. Decida-se, Turner. Eu não sei o que você quer. E acho que você também não sabe.

– Sou nove anos mais velho do que você – declarou ele, em uma voz terrível. – Pode parar *agora* de ser condescendente comigo.

– Ó, queira perdoar, vossa alteza.

– Não faça isso, Miranda.

Então o semblante dela, até então constrito e amargo, abriu-se de repente em um jorro de sentimentos.

– Pare de me dizer o que fazer! Por acaso lhe ocorreu que eu *queria* que você me beijasse? Que eu queria que me desejasse? Mas você sabia, sim. Eu sei muito bem. Não sou tão ingênua para que você me convença do contrário.

Atônito, Turner apenas a encarou, murmurando:

– Você não sabe o que está dizendo.

– Sei, sim!

Ela trazia a fúria nos olhos e nos punhos cerrados, e Turner teve a terrível premonição de que aquele era *o* momento. Tudo dependia daquele momento. Ele sabia, sem sequer precisar pensar, o que ela ia dizer, e o que ele ia responder, e tinha certeza de que a coisa não ia acabar bem.

– Sei exatamente o que estou dizendo – insistiu ela. – Eu quero você.

O corpo dele se retesou; o coração estava a mil no peito, mas ele não podia permitir que a situação se estendesse.

– Miranda, você só *acha* que quer. Você nunca beijou outra pessoa e...

– Não seja paternalista comigo. – Ela o encarava com olhos ardentes de desejo. – Eu sei muito bem o que quero, e eu quero você.

Ele deu um suspiro entrecortado. Merecia ser santificado pelo que estava prestes a dizer.

– Não quer, não. É só uma paixonite.

– Mas que diabo, Turner – estourou ela. – Por acaso você é cego? Cego, surdo e burro? Não é só uma paixonite, sua besta! Eu amo você!

Ah, meu Deus.

– Sempre amei. Desde o dia em que o conheci, nove anos atrás. Eu te amei desde então, a cada minuto.

– Ah, meu Deus.

– E não tente me dizer que é bobagem de garota, porque não é. Talvez tenha começado assim, mas agora não mais.

Turner não disse nada. Ficou apenas olhando para ela, abobalhado.

– Eu... Eu simplesmente conheço bem o meu coração e sei que te amo, Turner. E diga alguma coisa, se é que ainda lhe resta algum pingo de decência, porque eu já disse *tudo* o que poderia e não consigo aguentar esse silêncio, está bem? Ah, pelo amor de Deus! Quer ao menos piscar?

Mas nem isso ele conseguiu fazer.

Capítulo dez

Dois dias depois, Turner ainda estava em uma espécie de torpor.

Miranda não tinha tentado falar com ele novamente, nem sequer se aproximara, mas de vez em quando ela o flagrava encarando-a com uma expressão insondável. Sabia que ele estava atordoado porque, quando o encarava de volta, faltava a ele a presença de espírito de desviar o rosto. Então ele simplesmente a encarava um pouco mais, piscava, atônito, e ia embora.

Miranda sempre ficava na esperança de que, pelo menos uma vez, ele assentisse.

Ainda assim, durante a maior parte do fim de semana, conseguiram a proeza de nunca estar no mesmo lugar. Se Turner ia cavalgar, Miranda explorava a *orangerie*. Se Miranda caminhava pelos jardins, Turner jogava cartas.

Tudo muito civilizado. Muito adulto.

E (Miranda pensara mais de uma vez) muito infeliz.

Não se viam nem durante as refeições. Lady Chester orgulhava-se muito de suas habilidades como casamenteira e, como ninguém jamais imaginaria que Turner e Miranda pudessem se envolver, ela nunca os colocava lado a lado. Turner estava sempre cercado de uma revoada de jovens bonitas, enquanto Miranda quase sempre se via relegada à companhia de viúvos grisalhos. Lady Chester, pelo visto, não dava muito crédito à habilidade dela de fisgar um bom partido. Olivia, por outro lado, sempre ficava ao lado de três homens bonitos e ricos, um à direita, um à esquerda e um à sua frente.

Miranda aprendeu um bocado sobre remédios caseiros para gota.

Contudo, lady Chester deixara ao acaso os pares de um dos eventos da agenda, que era a caça anual ao tesouro. Os convidados deveriam participar das buscas em duplas e, já que o objetivo de todos ali presentes era se casar ou se amigar (dependendo, é claro, do estado civil de cada um), cada equipe teria um homem e uma mulher. Lady Chester escrevera o nome de todos em tiras de papel, colocando os das damas em um saco e os dos cavalheiros em outro.

Naquele exato momento ela realizava o sorteio. Miranda estava nauseada.

– Sir Anthony Waldove e... – lady Chester enfiou a mão na outra bolsa – lady Rudland.

Miranda, que nem sequer havia percebido que prendia a respiração, exalou profundamente. Queria, mais do que tudo, ser o par de Turner – e também *não* ser.

– Pobre mamãe – murmurou Olivia no ouvido dela. – Sir Anthony Waldove é um tapado. Ela vai ter que fazer todo o trabalho sozinha.

Miranda levou o dedo aos lábios.

– Não quero ouvir.

– Sr. William Fitzhugh e... Srta. Charlotte Gladdish.

– Quem você quer que seja a sua dupla? – perguntou Olivia.

Miranda deu de ombros. Se não fosse Turner, não importava nem um pouco.

– Lorde Turner e...

O coração de Miranda parou de bater.

–... lady Olivia Bevelstoke. Ah, não é um amor? Já faz cinco anos que realizamos essa brincadeira e é a primeira vez que um time é formado por irmãos.

Miranda voltou a respirar, sem saber ao certo se estava desapontada ou aliviada.

Olivia, por sua vez, não tinha dúvidas sobre seus sentimentos.

– Estou *désolée* – murmurou ela, em seu francês sempre macarrônico. – Tantos cavalheiros, e fui acabar logo com meu irmão. Quando será que vou ter outra ocasião para saracotear por aí sozinha com um cavalheiro? É um desperdício, Miranda! Um desperdício!

– Poderia ser pior. – Miranda foi pragmática. – Nem todos os cavalheiros aqui são... hã... cavalheiros. Com Turner, pelo menos, você sabe que ninguém vai tentar seduzir você.

– Não é muito consolador, isso eu lhe garanto.

– Livvy...

– Shhh, estão chamando o par de lorde Westholme.

– E a moça é... – trinou lady Chester – a Srta. Miranda Cheever!

Olivia a cutucou com o cotovelo, dizendo:

– Que sorte!

Miranda apenas deu de ombros.

– Ah, não seja tão indiferente – repreendeu Olivia. – Não acha que ele é divino? Eu daria meu pé esquerdo para trocar de lugar com você. Ora, mas por que *não* trocar de lugar? Não há nenhuma regra contra isso. E, afinal de contas, você gosta do Turner.

Até demais, pensou Miranda, amarga.

– Então? Quer trocar comigo? A não ser que você também esteja de olho em lorde Westholme...

– Não – respondeu Miranda, tentando não aparentar desalento. – É claro que não.

– Então vamos trocar! – exclamou Olivia, animada.

Miranda não sabia se deveria agarrar a chance ou correr para se esconder embaixo da cama. De qualquer maneira, não tinha nenhuma desculpa para recusar o pedido de Olivia. Livvy certamente perguntaria por que motivo ela não queria ficar sozinha com Turner. Sendo assim, o que poderia dizer? "Acabei de me declarar para o seu irmão e agora temo que ele me odeie? Não posso ficar sozinha com Turner por medo de que ele me deflore? Não posso ficar sozinha com ele por medo de que *eu* o deflore?"

Só de pensar, tinha vontade de rir.

Ou chorar.

Mas Olivia a encarava com expectativa, naquele jeito olivesco que ela já tinha aperfeiçoado, vejamos, aos 3 anos. Foi então que Miranda percebeu que não havia nada que pudesse dizer ou fazer, pois acabaria sendo dupla de Turner.

Não que Olivia fosse mimada – embora fosse um pouco, sim. Mas fato é que, se Miranda sequer tentasse evitar o assunto, Olivia iria reagir com um interrogatório tão preciso e persistente que ela acabaria revelando tudo.

E depois lhe restaria apenas sair do país. Ou, ao menos, encontrar uma cama sob a qual pudesse se esconder. Durante uma semana inteira.

Sendo assim, Miranda suspirou. E concordou. E tentou pensar no lado bom ou nos males que vêm para o bem, mas logo deduziu que isso não se aplicava a ela naquele momento.

Olivia pegou a mão da amiga e apertou.

– Ah, Miranda, obrigada!

– Espero que Turner não se incomode – disse Miranda, cautelosa.

– Ah, ele não vai se incomodar. Aposto que vai é cair de joelhos, agradecendo aos céus por não ter que passar a tarde inteira comigo. Ele acha que eu sou uma pirralha.

– Não acha, não.

– Acha, sim. Ele vive dizendo que eu deveria ser mais como você.

Miranda virou-se para ela, surpresa.

– Ah é?

– Aham.

Mas Olivia havia voltado a prestar atenção em lady Chester, que estava no fim da tarefa de parear as damas e os cavalheiros. Quando terminou, os homens foram em busca de suas parceiras.

– Eu e Miranda trocamos de lugar! – exclamou Olivia, quando Turner chegou ao lado dela. – Você não se incomoda, certo?

Ele disse que não, mas Miranda não apostaria nem um centavo na verdade daquelas palavras. Afinal, o que mais ele poderia dizer?

Lorde Westholme chegou logo depois e, embora tenha tido a educação de tentar esconder, parecia maravilhado com a troca.

Turner não disse nada.

Perplexa, Olivia franziu os olhos para Miranda, mas foi ignorada.

– Tenho aqui a primeira pista! – anunciou lady Chester. – Cavalheiros, por favor, venham buscar seus envelopes.

Turner e lorde Westholme foram até o meio do salão e voltaram logo depois, de posse de impecáveis envelopes brancos.

– Vamos abrir lá fora – disse Olivia a lorde Westholme, lançando um sorriso travesso para Turner e Miranda. – Não quero que ninguém escute enquanto discutimos nossa estratégia.

Parecia que os demais competidores também tinham tido a mesma ideia, pois logo depois Turner e Miranda se viram completamente sozinhos.

Ele respirou fundo e colocou as mãos na cintura.

– Não fui eu que pedi para trocar – disse Miranda imediatamente. – Foi Olivia.

Ele ergueu a sobrancelha.

– É verdade! – insistiu ela. – Livvy está interessada em lorde Westholme e acha que você a considera uma pirralha.

– Ela é mesmo uma pirralha.

Naquele momento em particular, Miranda não sentia a menor vontade de discordar, mas comentou mesmo assim:

– Ela não faz a menor ideia das consequências de sermos uma dupla.

– Você poderia ter se recusado a trocar – observou ele.

– Ah, é mesmo? Sob quais argumentos? – indagou Miranda, irritada; afinal, ele não tinha nada que se mostrar tão contrariado com a troca. – Poderia me dizer, por favor, como eu teria explicado a ela por que nós não deveríamos passar a tarde juntos?

Turner não respondeu, já que, presumiu ela, não tinha resposta para dar. Apenas girou nos calcanhares e saiu do salão, pisando forte.

Miranda ficou observando por um momento, mas, quando se tornou evidente que ele não tinha a menor intenção de esperar, bufou e saiu correndo logo atrás.

– Turner, será que dá para ir mais devagar?

Ele estacou, deixando sua impaciência bem clara nos movimentos exagerados do corpo. Quando ela o alcançou, o semblante dele transparecia tédio e irritação.

– Sim? – disse, arrastadamente.

Ela se esforçou para não perder a paciência.

– Será que podemos ao menos ser educados um com o outro?

– Não estou bravo com você, Miranda.

– Bem, saiba então que sua imitação me enganou direitinho.

– Estou frustrado. – E, de uma forma que fez com que ela tivesse certeza que ele queria chocá-la, ele grunhiu: – Em mais sentidos do que você seria capaz de imaginar.

Ela enrubesceu; era capaz de imaginar, inclusive imaginava com bastante frequência.

– Só abra o envelope, pode ser? – resmungou ela.

Ele entregou a ela, que então o abriu.

– Sua próxima pista fica sob o sol em miniatura – leu Miranda.

Ela olhou para Turner, mas ele não estava olhando para ela. Também não estava *não* olhando para ela, simplesmente encarava o nada, como quem preferiria estar em outro lugar.

– A *orangerie.* – *Àquela altura,* Miranda estava quase indiferente se ele iria ou não participar. – Sempre achei que laranjas são como bolinhas de sol.

Ele assentiu bruscamente e fez um gesto indicando que ela deveria passar na frente. Em seus movimentos, contudo, havia um certo quê de grosseria, de modo que, ao avançar, ela sentiu uma vontade incontrolável de cerrar os dentes.

Sem dizer nada, ela saiu marchando da casa e seguiu para a *orangerie*. Ao que tudo indicava, ele mal podia esperar para chegar ao fim daquela maldita caça ao tesouro, não é? Bem, ela teria o maior prazer em fazer a vontade dele. Miranda era muito inteligente; decerto aquelas pistas seriam fáceis. Em cerca de uma hora já poderiam estar de volta a seus respectivos aposentos.

De fato, encontraram uma pilha de envelopes sob um pé de laranja. Sem dizer nada, Turner pegou um e o entregou a ela.

No mesmo silêncio, Miranda o abriu. Leu e passou para Turner.

Os romanos estão com a próxima pista.

Se estava irritado com o silêncio dela, ele não demonstrou. Dobrou o papel de qualquer jeito, encarando-a com uma expressão de tédio e expectativa.

– Embaixo de um arco – declarou ela. – Os romanos foram os primeiros a usar essa estrutura arquitetônica. Há vários no jardim.

E, de fato, em dez minutos eles estavam com outro envelope nas mãos.

– Sabe quantas pistas ao todo teremos que decifrar? – perguntou Turner.

Era a primeira frase dele desde o início do jogo; o que ele queria saber era quando poderia se ver livre dela. Miranda trincou os dentes com o insulto, balançou a cabeça e abriu o envelope. Precisava manter a compostura. Se permitisse que Turner abrisse a menor fenda em sua fachada, ela iria ruir por completo. Controlando-se a ponto de assumir uma expressão impassível, ela abriu o papel e leu:

– Agora começa a caçada para a próxima pista.

– Algo a ver com caça, presumo – arriscou Turner.

Ela ergueu a sobrancelha.

– Ah, resolveu participar?

– Não seja mesquinha, Miranda.

Ela deixou escapar um suspiro irritado e decidiu ignorá-lo.

– Tem uma pequena cabana de caça a leste daqui. É uma caminhada de uns quinze minutos.

– E como você descobriu essa cabana?

– Tenho caminhado um bocado.

– Sempre que eu estou na casa, presumo.

Miranda não viu por que negar.

Turner olhou para o horizonte, franzindo os olhos.

– Acha mesmo que lady Chester nos mandaria tão longe da casa?

– Eu acertei todas até agora – retorquiu Miranda.

– De fato. – Entediado, ele deu de ombros. – Pode ir na frente.

Então seguiram pela mata quando, dez minutos depois, Turner olhou ressabiado para o céu.

– Parece que vai chover – disse, lacônico.

Miranda olhou para cima. Ele tinha razão.

– E o que pretende fazer?

– Agora?

– Não, semana que vem. Claro que é agora, seu palerma.

– Palerma? – Ele sorriu, quase a cegando com seus dentes brancos. – Assim você me magoa.

Miranda estreitou os olhos.

– Por que decidiu me tratar bem de uma hora para a outra?

– Decidi? – murmurou ele, deixando-a mortificada. – Ah, Miranda – prosseguiu ele, com um suspiro condescendente –, talvez eu goste de tratá-la bem.

– Talvez não.

– Talvez sim – insistiu ele. – E talvez você é que dificulte as coisas de vez em quando.

– *Talvez* – disse ela, imitando a impertinência dele – vá chover daqui a pouco, então é melhor andarmos logo com isso.

O estrondo de uma trovoada abafou a última palavra dela.

– Talvez você esteja certa – respondeu Turner, olhando para o céu de cara fechada. – Estamos mais perto da cabana ou da casa?

– Da cabana.

– Então vamos logo. A última coisa que quero é ter que enfrentar uma tempestade de raios no meio das árvores.

Miranda concordava, a despeito de suas preocupações com a decência, então se pôs a caminhar mais rápido em direção à cabana de caça. Mas não tinham andado nem dez metros quando as primeiras gotas caíram. Dez metros depois, já estavam sob uma chuva torrencial.

Turner pegou a mão dela e começou a correr, puxando-a pela trilha. Miranda tropeçava atrás dele, perguntando-se por que correr, uma vez que ambos já estavam encharcados da cabeça aos pés.

Poucos minutos depois, chegaram à cabana de caça. Turner foi até a porta e girou a maçaneta, mas nada aconteceu.

– Mas que diabo – resmungou ele.

– Está trancada? – perguntou Miranda, batendo o queixo.

Ele fez que "sim" com a cabeça.

– O que vamos fazer?

Ele respondeu tentando arrombar a porta com o ombro.

Miranda mordeu o lábio. Devia ter doído... Ela tentou abrir uma janela. Trancada.

Turner arremeteu outra vez contra a porta.

Miranda contornou a casa e tentou outra janela. Com um pouco de esforço, conseguiu abri-la. No mesmo instante, ouviu Turner arrombar a porta, entrando na cabana aos tropeços. Chegou a pensar em entrar pela janela mesmo assim, mas então decidiu ser caridosa e fechou-a outra vez. Ele tinha se esforçado tanto para arrombar a porta, o mínimo que ela podia fazer era deixá-lo acreditar que tinha sido seu salvador.

– Miranda! – chamou ele.

Ela voltou para a frente da casa.

– Estou aqui – respondeu, correndo para dentro e fechando a porta ao passar.

– Que diabo estava fazendo lá fora?

– Sendo muito mais generosa do que você seria capaz de imaginar – resmungou ela, arrependendo-se de não ter entrado pela janela.

– Como?

– Só estava olhando – desconversou ela. – Chegou a danificar a porta?

– Não muito. Mas o trinco está quebrado.

Ela estremeceu.

– Machucou o ombro?

– Não. – Ele tirou o casaco encharcado, pendurando-o em um gancho na parede. – Tire o seu... – ele gesticulou, indicando a leve peliça dela – ... troço, qualquer que seja o nome.

Miranda balançou a cabeça, abraçando o próprio tronco.

Turner olhou para ela com impaciência.

– Está um pouco tarde demais para se importar com o recato.

– Alguém pode entrar a qualquer momento.

– Duvido muito – disse ele. – Aposto que estão todos a salvo no escritório quentinho de lorde Chester, olhando para todas as cabeças empalhadas que ele tem na parede.

Miranda tentou ignorar o nó que se formava em sua garganta. Esquecera que lorde Chester era um caçador contumaz. Olhou ao redor. Turner estava certo. Não havia nenhum envelope branco à vista. Era muitíssimo improvável que alguém topasse com eles ali e o temporal lá fora, pelo jeito, não dava o menor sinal de diminuir.

– Por favor, me diga que você não é uma daquelas mulheres que dão mais importância à moral do que à própria saúde.

– Não, é claro que não. – Miranda tirou a peliça e a pendurou no gancho ao lado do casaco dele. – Sabe acender a lareira? – perguntou ela.

– Saberia, se tivesse madeira seca.

– Ah, mas com certeza deve haver lenha em algum lugar por aqui. Afinal, estamos em uma cabana de caça. – Ela ergueu os olhos esperançosos para Turner. – Os homens não gostam de se aquecer durante a caçada?

– *Depois* da caçada – corrigiu ele, distraído, enquanto procurava lenha. – E quase todos os homens, incluindo lorde Chester, presumo, são tão preguiçosos que preferem fazer a curta viagem de volta em vez de se dar ao trabalho de acender uma fogueira no meio da trilha.

– Ah. – Por um momento ela ficou imóvel, observando-o percorrer o cômodo, e então falou: – Vou ao outro aposento para ver se há roupas secas que possamos vestir.

– Boa ideia.

Turner ficou olhando as costas dela enquanto Miranda se afastava. A blusa encharcada estava colada ao corpo e o tecido molhado deixava entrever uma nuance quente e rosada de pele. Turner, que estava morrendo de frio por causa da chuva, sentiu um calor intenso surgir no meio das pernas com impressionante rapidez. Xingou, dando uma topada ao abrir um baú de madeira à procura de lenha.

Céus, o que fizera para merecer aquele tormento? Se recebesse papel e caneta e tivesse que descrever a tortura perfeita, jamais teria sido capaz de conceber algo tão cruel. E olha que Turner tinha uma imaginação muito fértil.

– Achei lenha!

Turner seguiu a voz de Miranda e foi ao aposento contíguo.

– Ali. – Ela apontou para uma pilha de lenha ao lado da lareira. – Presumo que lorde Chester prefira usar esta lareira quando está aqui na cabana.

Turner olhou para a cama imensa, coberta de colchas macias e travesseiros fofinhos. Fazia uma boa ideia do motivo pelo qual lorde Chester preferia aquele quarto, e não era nada que envolvesse a rechonchuda lady Chester. Na mesma hora, pôs um pedaço de lenha na lareira.

– Não acha que deveríamos usar a da outra sala? – perguntou Miranda, que também não poderia ter deixado de notar a imensa cama.

– Está bem claro que esta aqui é mais usada. É perigoso usar uma chaminé suja. Pode estar entupida.

Miranda assentiu lentamente e Turner percebeu que ela fazia um esforço enorme para não deixar transparecer seu desconforto. Então continuou a procurar roupas secas enquanto Turner acendia o fogo, mas só o que encontrou foram uns cobertores velhos que pareciam ser bem ásperos. Turner estava olhando quando ela se enrolou em uma coberta.

– Caxemira? – perguntou ele, sarcástico.

Ela arregalou os olhos e Turner percebeu que até aquele momento ela não havia notado que ele a observava. Ele sorriu (na verdade, estava mais para um esgar). Miranda podia estar desconfortável, mas, ora diabos, ele também estava. Ela por acaso achava que estava sendo fácil para ele? Ela dissera que o amava, pelo amor de Deus! Por que diabo fazer uma coisa dessas? Será que Miranda não sabia absolutamente nada sobre os homens? Será que não entendia que uma declaração de amor iria apavorá-lo com toda a certeza?

Não queria que ela confiasse o coração a ele. Não queria aquela responsabilidade. Já fora casado. Seu próprio coração já tinha sido arrancado, pisoteado e atirado em um braseiro. A última coisa que queria era se ver encarregado do coração de outra mulher, ainda mais o de Miranda.

– Use a colcha da cama – disse ele, dando de ombros; parecia ser mais confortável que os panos que ela encontrara.

Mas ela recusou.

– Não quero desfazer a cama. Não quero que ninguém saiba que estivemos aqui.

– Ah sim – disse ele, sem muito tato. – Porque, se soubessem, eu teria que me casar com você, não é?

Miranda ficou tão abalada que ele se viu forçado a murmurar um pedido de desculpas. Céus, ele não gostava nada da pessoa em que estava se transformando. Não queria magoá-la. Só queria...

Inferno, ele não sabia o que queria. Naquele momento, mal conseguia pensar no que aconteceria dali a dez minutos, mal conseguia se concentrar em qualquer coisa além do esforço de conter as próprias mãos.

Sendo assim, resolveu se ocupar com a lareira, grunhindo com satisfação quando finalmente uma pequena chama amarelada envolveu um pedaço de lenha.

– Calma, calma – murmurou ele, com muito cuidado, colocando um graveto menor no fogo. – Isso, assim... *isso*!

– Turner?

– Consegui acender a lareira – disse ele, sentindo-se meio bobo por estar tão animado.

Miranda estava agarrada ao cobertor fino ao redor dos ombros.

– Isso não vai ajudar em nada depois que a sua blusa molhada encharcar o cobertor – observou ele.

– Não tenho muita escolha, não é mesmo?

– Você quem sabe. Eu pretendo me secar. – Turner levou os dedos aos botões da camisa.

– Melhor eu ir para a outra sala – murmurou ela.

Turner notou que ela nem se mexeu, então deu de ombros e tirou a camisa de uma vez.

– É melhor eu ir – repetiu ela.

– Então vá – disse ele, com ar zombeteiro.

– Eu... – Miranda não conseguiu dizer o que pretendia. Seu rosto foi tomado por uma expressão de horror.

– Você o quê?

– Eu preciso ir.

E então ela realmente saiu do quarto.

Turner balançou a cabeça. *Mulheres.* Será que havia no mundo quem as entendesse? Primeiro tinha dito que o amava. Depois, que queria seduzi-lo. Depois, passara dois dias inteiros o evitando. E naquele momento parecia apavorada.

Turner chacoalhou a cabeça, lançando gotículas de água da chuva. Com um cobertor por cima do ombro, postou-se diante do fogo para se secar. Suas pernas, contudo, ainda estavam desconfortavelmente frias. Olhou de relance para a porta que Miranda fechara ao sair. Dado o estado de constrangimento virginal em que se encontrava, ele duvidara que ela entraria sem bater.

Com pressa, arrancou a calça. O fogo começou a aquecê-lo no mesmo instante. Olhou outra vez para a porta. Por via das dúvidas, tirou o cobertor do ombro e prendeu-o ao redor da cintura. Parecia um kilt.

A expressão que ela fizera ao sair correndo do quarto... Timidez de uma menina virgem, mas também algo mais. Fascínio? Desejo?

O que ela estava prestes a dizer? Não era "Eu preciso ir", que foi o que disse, de fato.

Se ele tivesse parado na frente dela, tomado o seu rosto nas mãos e sussurrado "Diga", o que ela teria falado?

∽

3 de julho de 1819

Eu quase disse outra vez. E acho que ele sabia. Acho que ele sabia o que eu ia dizer.

Capítulo onze

Turner estava tão perdido em pensamentos sobre o seu desejo intenso de tocar Miranda – em qualquer parte do corpo, em todas as partes do corpo – que até esqueceu que ela devia estar congelando na outra sala. Só quando finalmente estava aquecido é que se deu conta de que ela não estaria.

Xingando-se de todos os sinônimos para "idiota", ele se levantou, abriu a porta com força e deixou escapar mais uma torrente de palavrões ao vê-la encolhida no chão, tiritando violentamente.

– Sua boba – ralhou ele. – Quer morrer?

Ela ergueu o rosto e arregalou os olhos ao vê-lo. De repente, Turner lembrou que mal estava vestido.

– Que se dane – murmurou consigo mesmo, balançando a cabeça.

Exasperado, foi até ela e a levantou do chão.

Arrancada de seu torpor, Miranda tentou se libertar do toque.

– O que você está fazendo? – indagou ela.

– Tentando colocar um pouco de juízo nessa cabecinha.

– Estou ótima – declarou ela, mas logo foi traída pelo bater do queixo.

– Não está *mesmo*. Só de vir aqui falar com você eu mesmo já estou congelando. Anda, vamos para perto do fogo.

Ela lançou um olhar de desejo para as chamas alaranjadas que crepitavam no quarto.

– Só se você ficar aqui.

– Está bem – concordou ele.

Ele estava disposto a qualquer negócio para que ela se aquecesse. Com um empurrão bem pouco gentil, indicou o caminho a ela.

Miranda parou diante do fogo, estendendo as mãos. Um gemido rouco de prazer escapou de seus lábios, atravessou o quarto e acertou Turner bem no estômago.

Ele deu um passo à frente, hipnotizado pela tez pálida daquela nuca quase transparente.

Miranda suspirou outra vez, virando-se para aquecer as costas. Sobressaltou-se ao vê-lo ali, tão perto.

– Você disse que ia ficar lá fora – acusou ela.

– Menti. – Turner deu de ombros. – Não acredito nem um pouco que você vá se secar da maneira correta.

– Não sou criança.

O olhar dele correu para os seios dela. Seus trajes eram brancos e, colados ao corpo como estavam, deixavam entrever a leve sombra avermelhada dos mamilos.

– Estou vendo.

Ela cruzou os braços sobre o peito.

– Se não quer que eu olhe, vire de costas.

Ela se virou, não antes de ficar boquiaberta com a audácia dele.

Turner ficou um longo tempo perscrutando as costas dela. Eram quase tão belas quanto os seios. A pele da nuca era fascinante; as mechas de cabelo molhadas que haviam fugido do penteado caíam pelo pescoço em ondas suaves. Miranda recendia a rosas molhadas e ele precisou reunir todas as forças que tinha para não se aproximar e acariciar o braço da jovem.

Não, o braço, não. A cintura. Ou talvez a coxa. Ou talvez...

Ele respirou fundo. Era muito difícil.

– Algum problema? – Ela não se virou, mas havia uma nota de tensão nas palavras.

– Não. Está começando a se aquecer?

– Ah, sim. – Mas Miranda ainda tremia.

Antes que pudesse dissuadir a si mesmo, Turner se aproximou e abriu a blusa dela.

Miranda deixou escapar um soluço estrangulado.

– Vestindo essa coisa gelada você nunca vai se aquecer. – Ele começou a puxar o tecido para baixo.

– Eu acho que... eu sei que... isso é realmente...

– Sim?

– Isso é uma péssima ideia.

– Muito provavelmente.

A saia encharcada logo estava aos pés dela e Miranda ficou só com a combinação, uma peça tão fina que parecia uma segunda pele.

– Deus... – gemeu ela.

Miranda tentou se cobrir, mas estava claro que não sabia nem por onde começar. Cruzou os braços sobre o peito, cobriu o meio das pernas com a mão. E então, aparentemente se dando conta de que nem sequer estava virada para ele, pôs os braços para trás e cobriu o traseiro.

Turner quase esperou que ela o apertasse.

– Você poderia ir embora, por favor? – sussurrou ela, mortificada.

Ele quis obedecer. Por Deus, tudo o que ele queria era obedecer. Mas suas pernas recusavam-se terminantemente a se mexer, e ele não conseguia tirar os olhos daquela visão: aquele belo traseiro redondo, coberto pelas mãos esguias.

Mãos que ainda tremiam de frio.

Xingando outra vez, ele se lembrou, enfim, do motivo pelo qual havia tirado a roupa dela.

– Chegue mais perto do fogo! – ordenou.

– Só se eu entrar na lareira! – vociferou ela. – Saia logo daqui.

Ele deu um passo atrás. Gostava mais dela assim, cuspindo fogo.

– Saia! – insistiu ela.

Ele foi para perto da porta, fechando-a, mas não saiu. Miranda continuou imóvel por um momento, de frente para a lareira, e então finalmente deixou o cobertor cair no chão e se ajoelhou.

O coração de Turner batia tão alto que ele chegava a se surpreender por Miranda não ter se dado conta de sua presença ali.

Ela suspirou e se alongou.

Ele ficou ainda mais duro – algo que até então considerava impossível.

Ela levantou as tranças pesadas que cobriam a nuca e inclinou a cabeça para os lados com languidez.

Turner gemeu.

Miranda virou o rosto para ele na mesma hora.

– Seu infame! – vociferou ela, esquecendo-se até mesmo de se cobrir.

– Infame? – Ele ergueu a sobrancelha, surpreso com a palavra antiga.

– Infame, biltre, patife, pode escolher.

– Confesso minha culpa no cartório.

– Se fosse um legítimo cavalheiro, você iria embora.

– Mas você me ama. – Ele não sabia muito bem por que estava trazendo o assunto à baila.

– Bastante vil de sua parte mencionar isso – sussurrou ela.

– Por quê?

Miranda o encarou muito séria, chocada.

– Por que eu amo você? Não sei. Mérito seu é que não é.

– De fato.

– Em todo caso, não interessa. Acho que não amo mais – disse ela, apressada, valendo-se de qualquer coisa para tentar preservar seu orgulho ferido. – Você estava certo. Era só uma paixonite de criança.

– Não era, não. E não se desapaixona assim, com tanta rapidez.

Os olhos de Miranda se arregalaram. O que ele estava dizendo? Ele queria que ela o amasse?

– Turner, o que você quer afinal?

– Você. – A palavra saiu como o mais suave dos sussurros, como se ele mal conseguisse se convencer a dizê-la.

– Não quer, não – retrucou ela, mais por nervosismo do que qualquer outra coisa. – Você mesmo disse.

Ele deu um passo adiante. Iria direto para o inferno, mas, antes disso, teria um gostinho do céu.

– Eu quero você – afirmou ele.

E queria mesmo. Ele a queria com uma força, um ardor e uma intensidade além da compreensão. Além da necessidade.

Além do desejo.

Era inexplicável, completamente irracional, mas verdadeiro, impossível de negar.

Lentamente, Turner venceu a distância que os separava. Miranda estava paralisada diante da lareira, lábios entreabertos, respiração entrecortada.

– O que você vai fazer? – sussurrou ela.

– Acho que, a esta altura, já está bem óbvio.

E então, em um movimento fluido, ele a tomou nos braços.

Miranda não se mexeu, não tentou se desvencilhar. A calidez do corpo dele era inebriante. Embebia todo o seu ser, fundia-se em seus ossos, a fazia sentir-se deliciosamente devassa.

– Ah, Turner... – suspirou ela.

– Ah, sim.

Enquanto Turner a deitava na cama com gentileza e reverência, criava uma trilha de beijos em seu maxilar.

Pouco antes de ser coberta pelo corpo dele, Miranda não conseguia fazer nada além de encará-lo, pensando no amor que sentira durante todos aqueles anos, que cada sonho, cada devaneio, tudo fora um prenúncio para aquele momento. Ele ainda não dissera as palavras que derreteriam o coração dela, mas, naquele instante, nada mais importava. Os olhos dele queimavam com uma chama azul tão intensa que ela só pôde pensar que ele devia amá-la pelo menos um pouco. E isso devia bastar.

Para que aquele momento fosse possível.

Para que aquele momento fosse certo.

Para que fosse perfeito.

Miranda afundou no colchão sob o peso do corpo dele e passou as mãos em seu cabelo denso.

– Seu cabelo é tão macio – murmurou ela. – Que desperdício...

Turner ergueu o rosto e a encarou com ares de riso.

– Desperdício?

– Um cabelo como esse em um homem – disse ela, com um sorriso tímido. – E os cílios. Algumas mulheres seriam capazes de matar para ter cílios mais longos.

– Ah, é? – Ele sorriu. – E pode me dizer como seria a demanda pelos meus cílios?

– Alta, muito alta.

– Até você mataria por cílios longos?

– Mataria pelos *seus*.

– Ah, é? Não acha que são claros demais para o tom escuro do seu cabelo?

Ela deu um tapinha brincalhão nele.

– Eu quero os seus cílios roçando no meu rosto, seu bobo, não nas minhas pálpebras.

– Você me chamou de bobo?

Ela sorriu.

– Chamei.

– E isso aqui, parece bobo? – Ele correu a mão pela perna nua dela.

Miranda balançou a cabeça, sem ar.

– E isso? – A mão dele se fechou sobre o seio dela.

Ela grunhiu algo incoerente.

– Parece bobo?
– Não. – Foi o que ela conseguiu dizer.
– Como é, então?
– É bom.
– Só isso?
– Maravilhoso.
– E?

Soltando um suspiro ofegante, Miranda tentava não se concentrar no dedo indicador dele, que deslizava em círculos pelo tecido fino que cobria o mamilo rijo dela. E respondeu a única palavra que poderia descrever o que estava sentindo:

– Eriçada.

Ele sorriu, surpreso.

– Eriçada?

Ela só assentiu, porque não conseguia fazer mais nada. Sentia o corpo inteiro ser afetado pelo calor de Turner, tão sólido, pesado e másculo. Miranda sentia-se à beira de um precipício. Estava caindo, mas não queria ser salva. Queria cair, e queria levá-lo com ela.

Ele mordeu a orelha dela, depois desceu até a clavícula e puxou com os dentes a alça fina da combinação.

– Como está se sentindo agora? – perguntou ele, com a voz rouca.

– Quente. – Essa única palavra parecia descrever cada centímetro da sensação em seu corpo.

– Hum, que bom. Gosto de você assim. – Ele enfiou a mão por dentro do tecido suave e pegou o seio nu.

– Ah, meu Deus! Ah, Turner!

Ela arqueou as costas, dando a ele ainda mais acesso aos seios.

– Você quer Deus, ou a mim? – provocou ele.

A respiração de Miranda saía em arquejos curtos.

– Eu... nem... sei...

A outra mão de Turner enterrou-se na bainha da combinação e foi subindo até encontrar a curva suave do quadril.

– Dadas as circunstâncias – murmurou ele, com o rosto enterrado no pescoço dela –, acho que sou eu.

Ela teve forças para abrir um sorriso suave.

– Sem misturar religião, por favor.

Afinal, não precisava se lembrar de que aquelas ações contrariavam todos os preceitos aprendidos na igreja, na escola ou em qualquer outro lugar.

– Tenho uma única condição...

Ela abriu os olhos, questionando.

– Você vai ter que tirar essa maldita roupa – declarou ele.

– Eu não posso... – Ela engasgou com as palavras.

– Eu sei que é muito bonita, muito macia, e sei que posso te comprar cem iguais a essa, mas se não se livrar dela agora, vou ter que rasgá-la em pedaços. – Para demonstrar que falava sério, ele pressionou o quadril contra a pele de Miranda, evidenciando a intensidade de seu desejo.

– Eu não posso, Turner. Não sei por quê... – Ela engoliu em seco. – Mas você pode.

Ele ergueu um canto da boca em um meio sorriso prepotente.

– Não era a resposta que eu esperava, mas vou me dar por satisfeito.

Ele ficou de joelhos sobre ela e foi puxando a combinação para cima, libertou os seios e, por fim, tirou de vez a peça pela cabeça.

Miranda sentiu o ar frio na pele nua, mas, estranhamente, não viu a menor necessidade de se cobrir. Era a coisa mais natural do mundo que aquele homem pudesse ver e tocar cada centímetro do seu corpo. Com um olhar possessivo, Turner analisou cada pedaço da pele reluzente de Miranda; ela ficou encantada com a intensidade da expressão que dominava seu rosto. Queria pertencer a ele, de todas as formas que uma mulher podia pertencer a um homem. Queria se perder no calor e na força dele.

E queria que ele se rendesse tão completamente do mesmo modo.

Ela levou a mão ao peito de Turner e, com a ponta dos dedos, acariciou seu mamilo. Em resposta, ele estremeceu.

– Machuquei você?

– Não. Faz de novo... – pediu ele, com a voz rouca.

Imitando as carícias dele, ela pinçou o mamilo entre o indicador e o polegar. O bico logo ficou intumescido, fazendo Miranda se deleitar de prazer. Como uma criança explorando um brinquedo novo, ela esticou a mão para brincar com o outro. Percebendo que estava perdendo o controle sob o toque daqueles dedos curiosos, Turner cobriu a mão dela com a dele, imobilizando-a. Passou um minuto inteiro encarando-a com aqueles olhos azuis intensos. Era um olhar tão poderoso que Miranda precisou controlar o impulso de desviar. Ainda assim, se forçou a corresponder porque queria que ele soubesse que ela não estava com medo, nem com vergonha e, acima de tudo, que tinha dito a verdade quando confessara o amor que sentia por ele.

– Me toque... – sussurrou ela.

Mas Turner parecia paralisado, ainda segurando a mão dela contra o peito. Seu semblante tinha uma expressão estranha, dividida, quase... amedrontada.

– Não quero machucar você – disse ele, com uma voz profunda.

Mesmo sem saber como tinham chegado ao ponto em que *ela* precisava tranquilizá-lo, Miranda murmurou:

– Você não vai me machucar.

– Eu...

– Por favor – implorou ela.

Ela precisava dele. *Imediatamente.*

O apelo apaixonado rompeu a relutância e, com um grunhido, Turner ergueu o tronco dela, puxando-a para um beijo intenso antes de deitá-la de novo na cama. Então deitou-se junto, comprimindo os seios de Miranda com seu tronco rijo e longilíneo. As mãos dele exploravam todos os lugares. Ele sussurrava o nome dela e parecia que cada toque, cada som, atiçava a chama dentro dela.

Ela queria senti-lo. Cada centímetro.

Puxou o kilt improvisado, ávida para se livrar da última barreira que os separava. Sentiu a fricção do tecido se desfazer e então não havia mais nada além de... Turner.

Miranda ficou pasma diante da ereção dele.

– Ah, meu Deus...

Ao que ele respondeu com uma risadinha.

– Deus, não. Só eu. – Ele enterrou o rosto no pescoço dela. – Já disse.

– Mas você é tão...

– Grande? – Ele sorriu, colado a ela. – Culpa sua, meu bem.

– Não é possível. – Ela se remexeu sob o corpo dele. – Não pode ser mérito meu.

Ele se envolveu nela com ainda mais firmeza.

– Shhhh...

– Mas eu quero...

– E vai.

Ele a calou com um beijo ardente, sem saber muito bem o que prometera. Assim que ela começou a gemer outra vez, ele começou a descer, percorrendo um caminho fumegante até o umbigo dela. Circundou-o com a ponta da língua, depois penetrou-o de forma escandalosa. Levou as mãos às coxas dela, abrindo-as, preparando-a para ser invadida.

Queria beijá-la ali, entre as pernas. Queria devorá-la. Mas achava que Miranda ainda não estava pronta para tamanha intimidade, de modo que se concentrou em descer a mão...

E deslizar um dedo para dentro dela.

– Turner! – gritou Miranda, e ele não conseguiu conter um sorriso.

Ele acariciou as dobras suaves e rosadas, deleitando-se com o jeito com que Miranda se retorcia sob o seu corpo. Aliás, se ele não estivesse usando a mão livre para segurar o quadril dela com firmeza, ela acabaria rolando da cama.

– Abra para mim – pediu ele em um grunhido, arrastando a boca de volta para os lábios dela.

Ela emitiu um leve gemido de prazer e sentiu as pernas derreterem. Obedecendo, abriu as pernas tanto quanto pode e logo ele a penetrou, tocando levemente em sua maciez. Turner chegou ao pé do ouvido dela e sussurrou:

– Vou fazer amor com você agora.

Ofegante, ela concordou.

– Você vai ser minha.

– Ah, sim, *por favor*.

Paciente, ele arremeteu lentamente para dentro do espaço estreito de pureza. Ia se conter, mesmo que isso o matasse um pouquinho. Tudo o que mais queria naquele momento era se enterrar dentro dela com estocadas fortes e firmes, mas isso ia ter que ficar para outro momento. Não para a primeira vez dela.

– Turner... – sussurrou ela, e ele percebeu que estava imóvel fazia vários segundos.

Com os dentes trincados, ele recuou o suficiente para deixar só a pontinha dentro dela.

Miranda agarrou-o pelos ombros.

– Não, Turner, não. Não sa...

– Shhh. Tudo bem. Eu estou aqui.

– Não saia de perto de mim – sussurrou ela.

– Não vou a lugar algum. – Então ele voltou a penetrá-la e grunhiu ao encontrar a resistência da castidade dela. – Isso vai doer, Miranda.

– Não me importo. – Os dedos dela se cravaram na pele dele.

– Não agora, mas talvez depois.

Ele avançou um pouco mais, tentando ser o mais cuidadoso possível. Ela arquejava, gemia o nome dele, abraçava seu corpo e enterrava os dedos em suas costas, em espasmos.

– Por favor, Turner... – implorou ela. – Ah, por favor. *Por favor...*

Incapaz de manter o autocontrole, Turner penetrou-a com força, estremecendo com a prazerosa sensação de ter o membro comprimido por ela. Sentiu, no entanto, Miranda se retesar e ouviu seu gemido de dor.

– Desculpe – apressou-se em dizer, enquanto tentava ficar imóvel e ignorar as demandas dolorosas de seu próprio corpo. – Desculpe. Sinto muito. Está doendo?

Miranda fechou os olhos com força e balançou a cabeça.

Turner beijou as gotículas de lágrimas que começavam a se formar no canto dos olhos dela.

– Não minta.

– Um pouco – admitiu ela, sussurrando. – Foi mais de surpresa do que qualquer outra coisa.

– Vai melhorar – disse ele, com fervor. – Dou-lhe a minha palavra.

Apoiando-se nos antebraços para não largar o peso do corpo sobre Miranda, ele começou a se mexer outra vez – investidas lentas e precisas, cada uma delas provocando um jorro de puro prazer.

Turner passara aquele tempo todo com o maxilar trincado, e cada músculo de seu corpo estava retesado de concentração e esforço para se controlar. "Dentro e fora, dentro e fora", entoava consigo mesmo. Se saísse do ritmo por um segundo que fosse, perderia completamente o controle, mas era muito importante tornar a experiência prazerosa para ela. Não estava se preocupando nem um pouco consigo mesmo naquele momento. Sabia que, antes do fim da noite, tocaria o céu.

Mas para Miranda... Ele se cobrava a responsabilidade de fazer com que ela também atingisse o ápice do prazer. Nunca havia desvirginado uma mulher, então não sabia qual a probabilidade de conseguir esse feito, mas, por Deus, daria tudo de si. Mesmo temendo perder o rumo caso tentasse falar, conseguiu perguntar:

– Como está se sentindo?

Miranda abriu os olhos e piscou.

– Bem. – Parecia surpresa. – Parou de doer.

– Nem um pouco?

– Nem um pouco. Estou esplêndida. E... faminta. Ela correu dedos hesitantes pelas costas dele.

Mesmo ao levíssimo toque, Turner estremeceu e sentiu-se na iminência de, finalmente, render-se aos instintos.

– E como *você* está se sentindo? Também está faminto?

Ele grunhiu algo que ela nem conseguiu entender e começou a se mexer mais rápido. Miranda sentiu algo se acelerar em seu abdômen, seguido de uma tensão insuportável. Seus dedos das mãos e dos pés começaram a formigar e, no instante em que achou que seu corpo iria se estilhaçar em mil fragmentos, a tensão se partiu dentro dela, fazendo-a compelir o quadril para cima com tanta força que ela chegou efetivamente a levantar Turner da cama.

– Turner! – gritou. – Me ajuda!

Ele seguia arremetendo de forma implacável.

– Vou ajudar – grunhiu ele. – Pode ter certeza.

Então ele soltou um rugido, o rosto tomado por uma expressão quase de dor, e finalmente respirou fundo, largando-se em cima dela.

Suados e exaustos, passaram vários minutos entrelaçados. Miranda estava encantada com o peso do corpo dele sobre o seu e amando aquela sensação lânguida de satisfação. Acariciava distraidamente o cabelo de Turner, desejando que o mundo lá fora desaparecesse. Quanto tempo poderiam ficar ali, no casulo daquela pequena cabana de caça, antes que dessem pela falta deles?

– Como está se sentindo? – perguntou ela, delicadamente.

Ele deu um sorriso travesso.

– Como você acha?

– Muito bem, espero.

Ele rolou para o lado, apoiando-se no cotovelo, e ergueu o queixo de Miranda.

– Muito bem, pode ter *certeza* – respondeu ele, enfatizando bem a última palavra.

Miranda sorriu. Nenhuma resposta poderia ser melhor.

– E você? – perguntou ele, baixinho, com a testa franzida de preocupação. – Está dolorida?

– Acho que não. – Ela se remexeu um pouco, como se estivesse testando o corpo. – Talvez fique depois.

– Vai ficar, com certeza.

Miranda franziu a testa. Será que ele tinha tanta experiência assim com virgens? Ele dissera que Leticia já estava grávida no casamento. Mas preferiu deixar o assunto de lado. Não queria pensar em Leticia naquele momento. A falecida esposa de Turner não tinha lugar ali, na cama com eles.

E então ela se pegou sonhando com bebês. Bebezinhos louros de olhos muito azuis, sorrindo para ela com alegria. O que ela queria era uma miniatura de Turner. Sabia que o bebê poderia dar o azar de herdar dela características menos notáveis, mas em sua imaginação ele era todo Turner, até as covinhas.

Quando enfim abriu os olhos, viu que ele a encarava; Turner então tocou a boca dela, bem no canto em que se erguia um sorriso.

– Em que belo devaneio você estava perdida? – murmurou ele, com a voz rouca de satisfação.

Miranda desviou o olhar, constrangida pelos próprios pensamentos.

– Nada importante – murmurou. – Ainda está chovendo?

– Não sei – respondeu ele, levantando-se para olhar pela janela.

Miranda cobriu-se com o lençol, arrependendo-se da pergunta. Se a chuva tivesse aliviado, teriam que voltar à casa. Àquela altura, as pessoas já estariam se perguntando onde os dois haviam se metido. Poderiam alegar que ficaram abrigados da chuva em algum lugar, é claro, mas se não estivessem de volta assim que o tempo melhorasse, a desculpa esfarrapada ficaria nítida.

Ele ajeitou a cortina e virou-se outra vez para ela. Sua absoluta beleza masculina deixou Miranda sem fôlego outra vez. Já vira ilustrações de estátuas em muitos dos livros do pai e tinha, inclusive, uma réplica em miniatura de Davi. Mas nada se comparava ao homem em carne e osso que estava ali, diante dela; com medo de ser seduzida outra vez pela mera visão de Turner, ela desviou o olhar para o chão.

– Ainda chovendo – comentou ele. – Mas está estiando. Acho melhor arrumarmos a nossa... hã... a nossa bagunça, assim poderemos ir assim que o tempo melhorar.

Miranda concordou:

– Poderia me passar as minhas roupas?

Ele ergueu a sobrancelha.

– Ficou tímida agora?

Ela fez que sim. Talvez fosse mesmo bobagem, depois dos atos libertinos que acabara de cometer, mas Miranda não era uma mulher tão altiva a ponto de se levantar nua da cama na presença de outrem. Ela indicou a saia, que ainda estava embolada no chão.

– Por favor?

Turner passou a peça para ela. Ainda estava um pouco úmida, já que Miranda esquecera-se completamente de deixá-la esticada para secar, mas, como ficara bem perto da lareira, não estava tão mal. Ela se vestiu com pressa e refez a cama, esticando os lençóis da maneira cuidadosa com que as criadas de sua casa o faziam. Deu mais trabalho do que imaginara, visto que a cama ficava encostada na parede.

Quando terminaram de deixar a cabana apresentável novamente, a tempestade havia se transformado em um leve chuvisco. Miranda esticou a mão para fora da janela para testar a intensidade e comentou:

– Nossas roupas não vão ficar muito mais molhadas do que já estão.

Turner concordou, e ambos seguiram de volta para a casa. Ele não disse nada, e Miranda também não conseguiu se convencer a romper o silêncio. O que aconteceria agora? Ele seria obrigado a se casar com ela? Ele *deveria*, é claro, e se fosse mesmo tão cavalheiro quanto ela sempre achara, era exatamente o que faria. A questão é que ninguém sabia que a honra dela havia sido comprometida. E Turner a conhecia bem demais, sabia que Miranda não seria capaz de dar com a língua nos dentes só para forçá-lo a se casar.

Quinze minutos depois, estavam diante dos degraus da entrada da Chester House. Turner parou e olhou para Miranda, muito sério e resoluto.

– Você vai ficar bem? – perguntou ele, com gentileza.

Ela piscou, surpresa. Por que a pergunta naquele momento?

– É porque lá dentro não vamos conseguir conversar – explicou ele.

Ela fez que sim, tentando ignorar o nó que se formava em seu estômago. Havia algo errado ali.

Ele pigarreou e alongou o pescoço, como se o lenço estivesse apertado demais. Pigarreou outra vez e, então, uma terceira.

– Você vai me avisar se surgir uma situação que nos exija agir rapidamente.

Miranda assentiu outra vez, tentando entender se a fala dele tinha sido uma pergunta ou uma afirmação. Decidiu que era um pouco de cada coisa. E não sabia muito bem por que isso importava.

Turner respirou fundo.

– Vou precisar de um tempinho para pensar.

– Sobre? – perguntou ela, sem nem se dar a chance de ponderar.

Àquela altura, não deveria ser uma coisa simples? O que mais havia para ser debatido?

– Preciso de um tempo para mim – disse ele, com a voz rouca, talvez um pouco distante. – Mas volto a procurar você em breve. Vai ficar tudo bem. Não precisa se preocupar com nada.

Então, porque estava cansada de esperar, porque estava cansada de ser sempre tão *conveniente*, ela disparou:

– Você vai se casar comigo?

Porque, Deus do céu, parecia que o sujeito estava falando através de uma neblina.

Turner ficou surpreso com a pergunta em tom estridente, mas respondeu de forma brusca:

– É claro que vou. – Contudo, enquanto Miranda esperava o júbilo que sabia que deveria estar sentindo, ele acrescentou: – Mas não vejo motivo para pressa, a não ser que surja uma razão muito contundente.

Miranda assentiu, engoliu em seco. Ele estava falando de uma gravidez. Turner só se casaria caso ela estivesse grávida. Do contrário, ele ainda honraria o compromisso, mas levaria todo o tempo que quisesse.

– Se nos casarmos imediatamente – disse ele –, vai ficar óbvio para todo mundo que fomos obrigados a isso.

– Que *você* foi obrigado – resmungou Miranda.

Ele se inclinou para a frente.

– Como?

– Nada, nada.

Dizer uma vez já tinha sido muito humilhante. Repetir seria pior ainda.

– Acho melhor entrarmos – falou ele.

Ela assentiu. Estava se tornando exímia na arte de assentir.

Sempre cavalheiro, Turner fez uma mesura e deu o braço a ela. Então a conduziu para a sala de estar e agiu como se não tivesse a menor das preocupações.

∽

3 de julho de 1819

E depois do ocorrido ele não falou comigo nem uma única vez.

Capítulo doze

Quando voltou para casa, no dia seguinte, Turner se trancou no escritório com um copo de conhaque e a mente confusa. Os festejos na casa de lady Chester só terminariam em alguns dias, mas ele tinha inventado um assunto urgente para tratar com seus advogados na cidade e partira mais cedo. Tinha bastante certeza de que seria capaz de agir como se nada tivesse acontecido, mas não sabia se o mesmo valeria para Miranda. Ela era uma garota pura – ou pelo menos tinha sido até pouco tempo –, desacostumada àquelas falsidades. E, pelo bem da reputação dela, tudo tinha que parecer absolutamente normal.

Turner lamentava muito não ter sido capaz de explicar a ela os motivos de sua partida precoce. Não achava que ela se sentiria insultada; afinal, ele tinha dito que precisava de tempo para pensar. Também tinha afirmado que se casaria com ela; Miranda certamente não haveria de duvidar das intenções dele só porque ele precisava de alguns dias para refletir a respeito da situação inesperada.

Ele entendia muito bem o peso de suas ações. Seduzira uma dama jovem e solteira. Uma dama, inclusive, de quem gostava muito e por quem nutria muito respeito. Uma dama que a família dele adorava.

Para um homem que não queria se casar novamente, estava muito claro que ele não havia pensado com a cabeça.

Grunhindo, afundou na poltrona e lembrou-se das regras que ele e os amigos haviam determinado todos aqueles anos antes, quando deixaram Oxford para se entregar aos prazeres de Londres e do convívio com a alta sociedade. Eram duas, apenas: nunca se envolver com uma dama casada – a não ser que ficasse completamente explícito que o marido não se importava – e, acima de tudo, nunca se envolver com uma virgem. Nunca, de modo algum, seduzir uma virgem.

Jamais.

Tomou outro gole da bebida. Céus! Se precisasse de uma mulher, havia dezenas de outras que seriam muito mais apropriadas. Ele tivera chances consideráveis com aquela adorável condessa que ficou viúva ainda tão jovem. Katherine teria sido a amante perfeita, e não teria havido a menor necessidade de se casar com ela.

Casamento.

Ele se casara uma vez, o coração ainda romântico, os olhos ainda brilhando, tudo para acabar de coração partido. Na verdade, era risível. A lei inglesa dava ao marido a autoridade absoluta no casamento, mas ele nunca se sentira mais impotente do que quando estivera casado.

Leticia fizera picadinho do coração dele e o transformara em um homem irritado e desalmado. Ainda bem que estava morta. "Ainda bem", pensava ele. Mas que tipo de homem ele era? No dia do acidente, quando o mordomo entrara em seu escritório para informar, hesitante, que sua esposa havia morrido, Turner não sentira nem mesmo alívio. Alívio, pelo menos, teria sido um sentimento inocente. Não, a primeira coisa que veio à mente dele foi...

Graças a Deus.

Por mais deplorável que Leticia tivesse sido, por mais que ele tivesse se arrependido tantas e tantas vezes de ter se casado com ela, não deveria ter reagido à morte dela de forma mais humana? Ou, pelo menos, de forma menos desumana?

E agora... e agora... A verdade era que não queria se casar. Essa era a decisão que havia tomado quando trouxeram de volta para casa o corpo sem vida de Leticia, e que se confirmara quando ele estava diante do túmulo dela. Já tivera uma esposa. Não queria outra. Pelo menos não tão cedo.

Contudo, a despeito dos esforços, parece que Leticia não tinha conseguido matar toda a retidão e bondade que havia nele, pois lá estava Turner, planejando casar-se com Miranda.

Ele sabia que ela era uma boa mulher, e também sabia que ela jamais o trairia, mas, por Deus, a garota sabia ser teimosa às vezes. Turner se lembrou do ocorrido na livraria, quando ela agrediu o livreiro com a bolsa. Aquela mulher seria *esposa* dele. *Ele* seria o responsável por mantê-la longe de encrenca.

Falou um palavrão e pegou outra bebida. Não queria esse tipo de responsabilidade. Tudo que Turner queria era um descanso. Seria pedir demais? Um descanso de ter que pensar em qualquer outra pessoa que não fosse ele mesmo. Um descanso de ter que se importar, de ter que proteger o coração contra mais um golpe.

Seria egoísmo demais? Muito provável que sim. Mas depois de Leticia ele merecia ser um pouco egoísta. Com certeza.

Por outro lado, o casamento também tinha alguns benefícios muito bem-vindos. A pele dele formigava só de pensar em Miranda. Na cama. Embaixo dele. E então, quando começou a imaginar o que o futuro traria...

Miranda. Na cama de novo. E na cama de novo. E na cama de novo. E na cama...

Ora, mas quem diria? *Miranda.*

Um casamento. Com Miranda.

Por outro lado, pensou ele, bebendo o que ainda restava no copo, não havia quase ninguém de quem ele gostasse mais do que ela. Miranda era, sem dúvida, mais interessante e mais divertida do que qualquer outra dama. Se era para se casar com alguma delas, poderia muito bem ser Miranda. Ela era muito melhor do que todas as outras mulheres.

Mas Turner logo percebeu que estava observando aquela situação sob um prisma nada romântico. Precisaria de mais tempo para pensar. Talvez fosse melhor ir para a cama e torcer para que na manhã seguinte estivesse mais capaz de pensar com clareza. Suspirando, colocou o copo na mesa e se levantou, depois reconsiderou e pegou o copo outra vez.

O que ele precisava mesmo era de mais uma dose.

Na manhã seguinte, a cabeça de Turner latejava, e não se sentia nem um pouco mais disposto a lidar com a questão do que estivera na noite anterior. É claro que ainda pretendia se casar com Miranda – um cavalheiro não comprometia a pureza de uma dama bem-nascida sem sofrer as consequências.

Mas odiava a sensação de ser pressionado. Por mais que ele mesmo tivesse se metido naquela enrascada, ainda preferia sentir que havia resolvido tudo de maneira deliberada, por escolha própria.

Foi por isso que, ao descer para o desjejum, recebeu de bom grado a carta de seu amigo, lorde Harry Winthrop. Harry estava cogitando comprar uma propriedade em Kent e queria saber se Turner estaria disposto a acompanhá-lo na viagem para dar sua opinião.

Em menos de uma hora, Turner já saía porta afora. Seriam só alguns dias. Cuidaria de Miranda na volta.

Miranda não achou de todo mal que Turner tivesse abandonado os festejos na casa de lady Chester. Se pudesse, ela teria feito o mesmo. Além do mais, sem ele por perto ela poderia pensar com mais clareza, e embora não houvesse muito a ser debatido (ela se comportara de forma contrária a todos os preceitos segundo os quais fora criada e, se não se casasse com Turner, cairia em desgraça para sempre), foi certo alívio sentir que, pelo menos, ainda tinha algum controle sobre as emoções.

Alguns dias depois, quando voltaram a Londres, Miranda estava certa de que Turner daria as caras imediatamente. Seu desejo não era forçá-lo a se casar, mas um cavalheiro era um cavalheiro e uma dama era uma dama, e quando algo transcorria entre os dois, o casamento era a consequência inevitável. E ele sabia disso. Dissera que se casaria com ela.

E decerto haveria de *querer* se casar com ela. Miranda estava completamente comovida com a intimidade que partilharam, então ele também devia ter sentido algo. Não podia ter sido unilateral, ao menos não inteiramente.

Conseguiu manter um tom casual ao perguntar a lady Rudland onde ele estava, mas ela respondeu que não fazia a menor ideia; só sabia que não estava na cidade. Miranda sentiu um aperto no peito e murmurou "Ah", ou "Compreendo" ou algo do gênero, antes de subir correndo as escadas e voltar para o quarto, onde chorou da maneira mais silenciosa possível.

Mas em pouco tempo seu lado otimista acabou prevalecendo e ela decidiu que talvez alguma emergência tivesse acontecido na propriedade dele na Nortúmbria. O caminho era muito longo e ele ficaria fora por, no mínimo, uma semana.

Uma semana inteira se passou e, no coração de Miranda, a frustração foi se avizinhando do desespero. Não podia perguntar sobre o paradeiro dele, pois nenhum dos Bevelstokes desconfiava de alguma proximidade entre eles – Miranda sempre fora considerada amiga de Olivia, não de Turner –, e decerto levantaria suspeitas se começasse a querer saber dele de forma recorrente. Também estava fora de questão ir até o apartamento dele para tentar descobrir algo. Isso, sim, arruinaria para sempre sua reputação. Pelo menos naquele momento sua desgraça ainda era uma questão particular.

Contudo, quando outra semana se passou, ela decidiu que não conseguiria suportar nem mais um dia em Londres. Inventou que o pai fora acometido de um mal-estar qualquer e disse aos Bevelstokes que precisava voltar imediatamente para cuidar dele. Todos ficaram terrivelmente preocupados e Miranda sentiu-se muito culpada quando lady Rudland insistiu que retornasse à Cúmbria na carruagem da família, levando dois sentinelas e uma aia.

Mas fizera o que tinha de ser feito. Não podia continuar em Londres. Doía demais.

Em poucos dias estava em casa. Seu pai ficou perplexo. Não entendia nada do universo das jovens, mas sabia bem que todas desejavam sua temporada em Londres. Não se incomodou, no entanto, porque Miranda nunca atrapalhava. Na metade do tempo ele nem sequer notava sua presença. Sendo assim, deu um tapinha afetuoso na mão da filha e voltou aos preciosos manuscritos.

Quanto a Miranda, quase se convenceu de que estava feliz por voltar para casa. Sentira falta dos campos verdejantes e do ar limpo dos Lagos, do ritmo pacato do vilarejo, de ir dormir cedo e acordar cedo. Exceto, talvez, pelo último aspecto: sem compromissos e sem nada para fazer, dormia até o meio-dia e ficava acordada até tarde, escrevendo furiosamente no diário.

Apenas dois dias após sua chegada, Miranda recebeu uma carta de Olivia. Olivia era mesmo tão impaciente que era de seu feitio mandar uma carta logo após a partida da amiga. Miranda sorriu ao abri-la e, antes de ler, correu os olhos pela missiva à procura do nome de Turner, mas não havia menção a ele. Sem saber se estava desapontada ou aliviada, voltou ao início e começou a ler com atenção. Olivia escrevia que Londres era um tédio sem ela. Só percebera quanto realmente apreciava os comentários mordazes de Miranda sobre a alta sociedade quando deixara de ouvi-los. Quando Miranda iria voltar para casa? O pai dela por acaso estava melhor? Se não, estava ao menos melhorando? (Sublinhado três vezes, típico de Olivia.) Miranda leu as frases com certa dor na consciência, afinal, o pai estava lá embaixo, no escritório, comprazendo-se dos manuscritos sem dar o menor espirro.

Suspirando, Miranda deixou a consciência de lado, dobrou a carta de Olivia e a guardou na gaveta da escrivaninha. Disse a si mesma que mentir nem sempre era pecado. Achava justo dizer o que fosse necessário para ausentar-se de Londres, onde tudo o que conseguia fazer era sentar e esperar, torcendo para que Turner aparecesse.

É claro que, também no campo, tudo o que ela fazia era sentar e pensar nele. Uma noite, obrigou-se a contar quantas vezes o nome dele surgia no relato que estava escrevendo no diário e, para desgosto seu, a conta chegou a 37.

Era evidente que o campo não a estava ajudando a desanuviar a cabeça.

Então, depois de uma semana e meia, Olivia chegou de surpresa.

– Livvy, o que está fazendo aqui? – perguntou Miranda, correndo para a saleta onde a amiga estava à espera. – Aconteceu alguma coisa? Alguém se feriu?

– Não, de jeito nenhum – respondeu Olivia alegre. – Só vim resgatar você. Sua presença está fazendo uma falta desesperadora em Londres.

O coração de Miranda começou a bater mais forte.

– Para quem?

– Para mim! – Olivia tomou o braço dela, levando-a para a sala de estar. – Céus, sem você está tudo um desastre para mim.

– Não acredito que sua mãe permitiu que você saísse da cidade no meio da temporada.

– Ela praticamente me enxotou. Estou um monstro desde que você foi embora.

Miranda teve que rir.

– Não creio que esteja assim tão mal.

– Não estou exagerando, Miranda. Mamãe sempre afirmou que você é uma boa influência para mim, mas acho que só entendeu a verdadeira dimensão disso quando você foi embora. – Olivia deu um sorriso culpado. – Pareço incapaz de segurar a língua.

– Como sempre. – Miranda sorriu, a caminho do sofá. – Gostaria de tomar um chá?

Olivia assentiu.

– Eu realmente não sei por que vivo me metendo em encrencas. Quase tudo que digo nem chega aos *pés* das coisas que você diz. Você tem a língua mais afiada de Londres.

Miranda puxou a campainha para chamar a criada, protestando:

– Não tenho, não.

– Ah, mas tem sim. Você é a pior. E eu sei que você sabe disso. *Mas* você nunca se dá mal. É muito injusto.

– Ora essa, talvez eu apenas não diga as coisas tão *alto* quanto você – respondeu Miranda, reprimindo um sorriso.

– Tem razão. – Olivia suspirou. – Sei que você tem razão, mas ainda assim é muito irritante. Você tem o senso de humor de uma víbora.

– Ah, o que é isso, Olivia. Não sou tão má assim.

Olivia deu uma risada curta, dizendo:

– Ah, mas é sim. E não sou só eu que penso assim, Turner sempre diz o mesmo.

À mera menção do nome dele, Miranda teve que engolir em seco o nó que se formou em sua garganta.

– Então ele já está de volta à cidade? – perguntou ela, a informalidade em pessoa.

– Não. Faz séculos que não o vejo. Ele está em algum lugar em Kent com os amigos.

Kent? Com amargor, Miranda pensou que não tinha como ele ter ido mais longe da Cúmbria sem ter que sair do país.

– Já faz um tempo que ele partiu.

– É mesmo, não é? Bem, ainda assim, ele viajou com lorde Harry Winthrop, e Harry sempre foi um tanto selvagem, se é que me entende.

O pior é que ela entendia, sim.

– Imagino que só estejam entusiasmados demais com todo aquele vinho, mulheres e tudo mais – prosseguiu Olivia. – Com certeza não há uma única dama de respeito na companhia deles.

O nó na garganta. Era absurdamente doloroso pensar em Turner com outra mulher, ainda mais agora que já entendia a proximidade que podia surgir entre um casal. Havia criado vários pretextos para a ausência dele – seus dias eram tomados de desculpas e justificativas pelo comportamento dele. Era, pensou ela, amarga, seu único passatempo.

Mas até então ela jamais cogitara que ele poderia estar com outra mulher. Ele sabia muito bem que ser traído era terrivelmente doloroso. Como poderia fazer o mesmo com ela?

Ele não a queria. Doeu quando a verdade cruel enterrou suas garras no peito dela.

Ele não a queria, mas ela ainda o desejava ardentemente, e *isso sim* doía. Uma dor física, como se alguma coisa de fato a apertasse por dentro, e graças aos céus que Olivia estava concentrada no valioso vaso grego de sir Rupert, porque Miranda tinha certeza de que não estava conseguindo esconder sua agonia naquele momento.

Resmungando um comentário que não era mesmo para ser compreendido, Miranda se levantou e foi até a janela, onde fingiu fitar o horizonte.

– Bem, ele deve estar se divertindo.

– Quem, Turner? – perguntou a voz atrás dela. – Deve, sim, ou então não estaria se demorando tanto. Mamãe já está em desespero, ou estaria, na verdade, se não vivesse sempre tão desesperada por minha causa. Bem, você não vai se incomodar se eu ficar aqui com você, não é? É que quando não tem mais ninguém por lá, Haverbreaks é imensa e gelada.

– Claro que não. – Emotiva como estava, Miranda passou mais alguns instantes na janela antes de ser capaz de olhar para Olivia sem chorar. – Será um prazer ter você aqui. Ando bem sozinha, tendo só papai como companhia.

– Ah, sim. Como ele está? Espero que esteja melhor.

– Meu pai? – Miranda deu graças pela interrupção quando, naquele instante, chegou a criada que havia chamado. Pediu um chá antes de responder à amiga: – Hã, está bem melhor.

– Por favor, me lembre de passar no escritório e estimar melhoras. Mamãe também pediu que eu mandasse seus cumprimentos.

– Ah, não, não faça isso – disse Miranda, apressada. – Ele não gosta de lembrar que fica doente. É um homem muito orgulhoso, sabe?

Olivia, que nunca tivera muito tato, disse:

– Nossa, que curioso.

– É porque ele estava com uma doença, digamos... *masculina* – improvisou Miranda.

Já tinha ouvido falar bastante sobre doenças femininas, então era de pensar que homens também tivessem quadros que fossem só deles. E, se não tivessem, concluiu que Olivia também não saberia.

Miranda, contudo, não contara com a curiosidade insaciável da amiga.

– Ah, é mesmo? – insistiu ela, inclinando-se para a frente. – E qual seria, exatamente, essa doença *masculina*?

– Não convém falar, Olivia – apressou-se em dizer Miranda, mandando um pedido silencioso de desculpas ao pai. – Ele ficaria terrivelmente constrangido.

– Mas...

– E sua mãe ficaria com raiva de mim. Não é uma conversa apropriada a ouvidos puros.

– Ouvidos puros? – Olivia deu uma risada irônica. – Como se os seus ouvidos fossem muito mais impuros que os meus.

Talvez os ouvidos não fossem, mas o resto do corpo definitivamente era, pensou Miranda, com certa tristeza.

– Vamos deixar esse assunto para lá – disse, com firmeza. – O resto que fique por conta da sua magnífica imaginação.

Olivia resmungou um pouco mas logo suspirou e perguntou:

– Quando você vai voltar para casa?

– Eu *estou* em casa – lembrou-lhe Miranda.

– Ah, sim, é claro. Está *oficialmente* em casa, mas posso lhe assegurar que todos os Bevelstokes sentem muitas saudades suas. Quando você vai voltar para Londres?

Miranda mordeu o lábio. Era óbvio que nem *todos* os Bevelstokes sentiam saudades dela, ou então certo membro da família não estaria prolongando tanto sua estadia em Kent. Ainda assim, a única maneira de lutar pela própria felicidade seria voltar a Londres; amofinada como estava ali, na Cúmbria, chorando sobre o diário e olhando a janela de forma apática, sentia-se uma trouxa covarde.

– Se é para ser trouxa – murmurou ela –, ao menos que seja uma trouxa corajosa.

– O que *disse*?

– Disse que vou voltar a Londres – falou Miranda, determinada. – Papai já está bem o suficiente para ficar sem mim.

– Esplêndido. Quando partimos?

– Ah, em uns dois ou três dias, acho. – Podia ser corajosa, mas ainda preferia adiar o inevitável um pouquinho mais. – Preciso fazer as malas, e imagino que você ainda esteja cansada da viagem.

– Um pouco, sim. Será que podemos ficar uma semana aqui? Isto é, se você já não estiver entediada da vida no campo. Acho que me faria bem um descanso de toda a agitação londrina.

– Ah, não, assim está ótimo – assegurou Miranda.

Turner que esperasse. Nesse meio-tempo, ele decerto não haveria de se casar com outra, e Miranda gostaria de ter um tempo a mais para fortalecer sua coragem.

– Perfeito. O que acha de ir cavalgar comigo esta tarde? Estou louca de vontade de fazer um passeio a cavalo.

– Seria ótimo. – O chá chegou, e Miranda tratou de servir. – Acho que uma semana é ideal.

Uma semana depois, Miranda estava convicta de que não seria capaz de voltar a Londres. Nunca mais. Suas regras, que eram mesmo tão regradas que faziam jus ao nome, estavam atrasadas. Deveriam ter descido alguns dias antes de Olivia chegar. Nos primeiros dias, conseguira controlar a preocupação, convencendo-se de que o atraso tinha a ver com seu estado de nervos. Depois, com a agitação da chegada da amiga, havia esquecido. Agora, contudo, estava mais de uma semana atrasada. E enjoando todas as manhãs, sem falta. Por mais que tivesse sido superprotegida a vida inteira, Miranda era uma garota do campo e sabia o que aquilo significava.

Deus do céu. Grávida. O que ia fazer agora? Precisava contar a Turner, não havia como fugir. Por mais que não quisesse usar a vida de um bebê inocente como ardil para forçar um casamento que claramente não estava escrito nas estrelas, como privar aquela criança do berço de ouro em que tinha o direito de nascer? Contudo, a mera ideia de retornar a Londres era a mais pura agonia. Além disso, ela estava cansada de correr atrás de Turner, de rezar e torcer para que um dia ele aprendesse a amá-la. Pelo menos uma vez, era pedir muito que ele fosse atrás dela?

E ele iria... não? Era um cavalheiro, afinal. Podia não amá-la, mas Miranda não poderia estar julgando toda aquela situação de modo tão equivocado. Ele não seria capaz de se esquivar de tal obrigação.

Triste, Miranda sorriu consigo mesma. Então aquele era o ponto a que chegara. Ela era uma obrigação. Ela o teria – depois de tantos anos sonhando, finalmente seria lady Turner, mas nunca seria nada além de uma obrigação para ele. Pôs a mão na barriga. Era para ser um momento de alegria, mas só queria chorar.

Houve uma batida na porta do quarto. Miranda ergueu o rosto, a expressão assustada, e não disse nada.

– Miranda! – A voz de Olivia era muito insistente. – Abra a porta. Estou ouvindo você chorar.

Miranda respirou fundo e foi até a porta. Não seria fácil esconder aquele segredo de Olivia, mas precisava tentar. Olivia era extremamente leal e jamais trairia a confiança de Miranda, mas ainda assim, Turner era irmão dela. Era impossível prever o que Olivia poderia acabar fazendo. Miranda não ficaria nada surpresa se ela o pusesse na mira de um revólver, forçando-o a marchar de volta para o norte.

Miranda deu uma olhadela no espelho antes de ir até a porta. As lágrimas ela podia enxugar, mas teria que pôr a culpa dos olhos vermelhos no jardim. Respirou fundo algumas vezes, depois estampou o sorriso mais alegre que conseguiu e abriu a porta.

Não passou nem perto de conseguir enganar Olivia.

– Céus, Miranda! – Olivia entrou correndo, abraçando a amiga. – O que aconteceu?

– Está tudo bem. É que meus olhos sempre ficam irritados nessa época do ano.

Olivia recuou, perscrutando-a por um momento, depois fechou a porta com o pé.

– Mas você está tão pálida...

A barriga de Miranda se revirou, e ela engoliu em seco várias vezes.

– Acho que peguei algum tipo de.... – Miranda gesticulou, torcendo para que Olivia terminasse a frase por ela. – Talvez seja melhor me sentar.

– Não pode ter sido algo que você comeu – falou Olivia, ajudando-a a se acomodar na cama. – Você mal tocou na comida ontem. Além do mais, eu comi as mesmas coisas que você. – Ela afofou os travesseiros. – E nunca estive tão bem.

– Deve ser só um resfriado – murmurou Miranda. – Acho melhor você voltar para Londres sem mim, Livvy. Não quero que pegue isso que eu tenho, seja lá o que for.

– Nada disso! Não posso deixar você sozinha nesse estado.

– Não estou sozinha. Meu pai está aqui.

Olivia lhe lançou um olhar sugestivo, e então disse:

– Você bem sabe que eu tenho muito respeito por seu pai, mas duvido que ele saiba cuidar de uma pessoa doente. Na metade do tempo, parece que ele nem se lembra que estamos aqui.

Miranda fechou os olhos e se deixou afundar nos travesseiros. Olivia tinha razão, é claro. Amava o pai, mas a verdade era que, quando precisava interagir com outros seres humanos, ele era um caso perdido.

Olivia sentou-se na beirada da cama, fazendo o colchão ranger. Miranda tentou ignorá-la, tentou fingir não saber, mesmo de olhos fechados, que Olivia a encarava, esperando apenas por uma resposta.

– Por favor, Miranda, me diga o que está acontecendo – pediu Olivia, baixinho. – É algo com o seu pai?

Miranda balançou a cabeça mas, naquele exato momento, Olivia se mexeu de novo. O colchão afundou para o lado feito um barco oscilando e Miranda, que nunca sofrera de náusea a bordo na vida, sentiu o estômago se revirar e uma vontade urgente de...

Então saltou da cama, derrubando Olivia no chão, mas chegando ao penico bem na hora.

– Misericórdia! – exclamou Olivia, guardando uma distância respeitosa. – Há quanto tempo você está se sentindo assim?

Miranda preferiu não responder, mas suas entranhas logo se manifestaram.

Olivia deu um passo para trás.

– Hã, tem algo que eu possa fazer por você?

Miranda balançou a cabeça, bastante grata por estar com o cabelo preso para trás.

Olivia a observou por mais alguns momentos, depois foi à bacia para buscar um pano úmido.

– Aqui. – Olivia esticou o braço o máximo que pôde.

Miranda aceitou o pano.

– Obrigada – sussurrou, limpando o rosto.

– Acho que não é um resfriado – arriscou Olivia.

Miranda fez que não com a cabeça.

– Tenho certeza de que o peixe de ontem à noite estava bom, e não consigo imaginar...

Miranda não via a expressão de Olivia, mas não foi sequer necessário para interpretar o arquejo que a amiga soltou. Olivia tinha ligado os pontos. Podia ainda não acreditar, mas havia entendido.

– Miranda...

Miranda continuou no mesmo lugar, debruçada de maneira patética sobre o penico.

– Você está... você fez...

Miranda engoliu em seco. E confirmou.

– Ah, meu Deus! Ah, Deus! Ah ah ah ah...

Era talvez a primeira vez na vida que Miranda via Olivia sem palavras. Miranda limpou a boca, esperou o estômago se acalmar um pouco e se afastou do penico, endireitando as costas.

Olivia ainda a encarava como se tivesse visto um fantasma.

– Como? – perguntou, enfim.

– Da forma mais costumeira – respondeu Miranda. – Mas garanto que não há necessidade de chamar a cavalaria, está bem?

– Desculpe... perdão... desculpe. Não tive a intenção de aborrecer você, Miranda. É só que... bem... você pode imaginar que... bem... é uma surpresa e tanto.

– Para mim também – respondeu Miranda, um tanto entediada.

– Não pode ter sido uma surpresa tão grande assim, certo? – retrucou Olivia, sem pensar. – Quer dizer, se você fez... se você andou... – Deixou as palavras morrerem ao perceber que estava falando demais.

– Ainda assim, Olivia, foi uma surpresa.

Olivia ficou algum tempo em silêncio, assimilando o choque. Depois, recomeçou:

– Miranda, eu preciso perguntar...

– Não! – advertiu Miranda. – Por favor, não me pergunte quem foi.

– Foi Winston?

– Não! – respondeu Miranda com ferocidade, e então resmungou: – Pelo amor de Deus...

– Então quem?

– Não posso dizer – falou Miranda, com a voz embargada. – Ele... ele é completamente inadequado para mim. Eu... eu não sei o que estava passando pela minha cabeça, mas, por favor, não me pergunte mais isso, está bem? Não quero mais falar desse assunto.

– Tudo bem – respondeu Olivia, notando que insistir seria uma péssima ideia. – Não vou perguntar de novo, prometo. Mas o que vamos fazer?

Miranda não pôde deixar de se sentir um pouco acolhida pelo uso de "vamos".

– Mas você tem certeza de que está mesmo? – perguntou Olivia, de repente, os olhos cheios de esperança. – Você pode estar com as regras atrasadas, só isso. As minhas atrasam o tempo todo.

Miranda lançou um olhar muito óbvio para o penico.

– Minhas regras nunca atrasam. Nunca mesmo.

– Você vai ter que ir para algum lugar – ponderou Olivia. – Seria um escândalo monumental.

Miranda concordou. Planejava mandar uma carta para Turner, mas não podia dizer isso a Olivia.

– A melhor coisa a fazer seria sair do país. Talvez ir para o continente. Como é o seu francês?

– Pavoroso.

Olivia deu um suspiro pesaroso.

– É, você nunca foi muito boa com idiomas.

– Nem você – respondeu Miranda, irritada.

Olivia nem se dignou a responder. Em vez disso, sugeriu:

– Que tal a Escócia?

– Para a casa dos meus avós?

– Sim. Não me diga que eles a botariam para fora por causa da sua condição. Você vive dizendo que eles são tão bondosos.

Escócia. Sim, era uma solução perfeita. Ela poderia avisar Turner, e ele poderia ir depois. Assim poderiam se casar sem proclamas e a situação, por mais que não fosse ideal, estaria resolvida.

– Eu vou com você – afirmou Olivia. – Ficarei o máximo que puder.

– Mas o que a sua mãe vai dizer?

– Ah, eu digo a ela que há alguém doente. Essa desculpa funciona bem, não? – perguntou, lançando um olhar sagaz que dizia claramente que Olivia havia entendido que Miranda inventara a condição do pai.

– É uma quantidade assustadora de gente doente.

Olivia deu de ombros.

– Uma epidemia. Mais uma razão para minha mãe não sair de Londres. Mas o que você vai dizer ao seu pai?

– Ah, qualquer coisa – respondeu Miranda, sem maiores preocupações. – Ele não liga muito para o que eu faço.

– Bem, pela primeira vez na vida, isso é uma vantagem. Vamos hoje mesmo.

– Hoje? – repetiu Miranda, quase sem voz.

– Já estamos com as malas prontas, afinal, e não há por que esperar.

Miranda olhou o ventre ainda sem volume.

– De fato. Não há por que esperar.

13 de agosto de 1819

Eu e Olivia chegamos hoje a Edimburgo. Vovó e vovô ficaram muito surpresos ao me ver. Ainda mais surpresos quando expliquei o motivo da minha visita. Ficaram um bom tempo em silêncio, preocupados, mas não permitiram, nem por um momento, que eu pensasse tê-los desapontado ou envergonhado. Serei eternamente grata a eles.

Antes de partirmos, Livvy mandou um bilhete aos pais avisando que me acompanharia à Escócia. Pergunta todas as manhãs se minhas regras chegaram. Como esperado, a resposta é não. Eu me pego olhando para a barriga o tempo todo. Não sei o que espero ver. Imagino que não vá aumentar do dia para a noite, e certamente ainda não tão cedo.

Preciso contar a Turner. Sei que preciso, mas nunca consigo escapar de Olivia, e não posso escrever a carta na presença dela. Por mais que a adore, vou ter que mandá-la embora. Ela não pode estar aqui quando Turner vier, o que decerto ele irá fazer quando receber minha carta – presumindo, é claro, que eu consiga enviá-la em algum momento.

Ah, céus, aqui está ela outra vez.

Capítulo treze

Turner não entendia muito bem por que havia decidido ficar tanto tempo em Kent. A viagem de dois dias se estendera quando lorde Harry decidira adquirir a propriedade. E também quando mandou chamar uns amigos para fazer, de imediato, uma festança. Não havia como ir embora sem parecer grosseiro e, sinceramente, Turner não queria mesmo ir, não quando sua perspectiva imediata era voltar a Londres para encarar suas responsabilidades.

Não que estivesse tramando algum meio de se esquivar do casamento com Miranda. Na verdade, era bem o contrário. Quando enfim se resignou à ideia de se casar outra vez, o fardo deixou de ser tão pesado assim.

Em todo caso, ainda hesitava. Se não tivesse aproveitado a mais pífia desculpa para sair da cidade, poderia ter resolvido a situação de imediato. Mas quanto mais esperava, mais queria continuar esperando. Como diabo poderia justificar a ausência?

Assim, o compromisso de dois dias dera lugar a uma festança de uma semana, que dera lugar, por sua vez, a três semanas de caçadas, corridas e uma infinidade de mulheres fáceis que tinham acesso irrestrito à casa. Turner, por outro lado, tratava sempre de evitar as companhias femininas. Por mais que estivesse se esquivando do compromisso que tinha com Miranda, o mínimo que podia fazer era se manter fiel.

E então a notícia dos festejos em Kent chegou aos ouvidos de Winston, que tratou de comparecer e se entregar à pândega. Divertia-se com tanta avidez que Turner se sentiu na obrigação de ficar e prover um pouco de orientação fraterna. Isso requereu mais duas semanas do tempo de Turner e foi de bom grado que ele as concedeu, sentindo-se um pouco mais aliviado da culpa que o perseguia. Não podia abandonar o irmão, podia? Se não vigiasse Winston, o pobre rapaz poderia acabar com uma doença venérea.

Por fim, Turner compreendeu que não podia mais continuar evitando o inevitável e voltou a Londres, sentindo-se um perfeito cafajeste. Miranda devia estar soltando fogo pelas ventas. Ele teria sorte se ela ainda quisesse saber dele. Assim, abaladíssimo, Turner galgou os degraus da frente da casa dos pais e adentrou o vestíbulo.

No mesmo instante, o mordomo se materializou.

– Olá, Huntley – cumprimentou Turner. – A Srta. Cheever está? Ou minha irmã?

– Não, senhor.

– Hum. E quando devem voltar?

– Não sei, senhor.

– À tarde? Pela hora do jantar?

– Imagino que em algumas semanas, talvez.

– Semanas?! – Por essa Turner não esperava. – Mas onde diabo elas estão?

Huntley se retesou ao ouvir a imprecação, mas respondeu:

– Na Escócia, senhor.

– Na Escócia? Mas que inferno! Que diabo estão fazendo lá?

Turner sabia que Miranda tinha parentes em Edimburgo, mas ele não fora informado de quaisquer planos de visitá-los.

A não ser que... Miranda não estava prometida a algum nobre escocês conhecido dos avós dela, estava? Se fosse o caso, *alguém* teria dito a ele. Para começar, a própria Miranda. E Deus sabia que Olivia não era capaz de guardar segredo.

Turner chegou ao pé da escada e começou a bradar:

– Mãe! Mãe! – E então retornou a Huntley. – Presumo que ao menos minha mãe não tenha largado tudo e ido para a Escócia, certo?

– Não, senhor. Ela está em casa.

– Mãe!

Lady Rudland desceu as escadas, apressada.

– Meu Deus, Turner, o que houve? E onde você estava? Ficando esse tempo todo em Kent, sem sequer nos avisar.

– Por que Olivia e Miranda estão na Escócia?

Lady Rudland ergueu as sobrancelhas, curiosa com o interesse dele.

– Doença na família. Digo, a família de Miranda.

Turner nem comentou a obviedade da última informação, já que os Bevelstokes não tinham parentes na Escócia.

– E Olivia foi com ela?

– Bem, sim, elas são melhores amigas, não é mesmo?

– E quando devem voltar?

– Não sei Miranda, mas já escrevi a Olivia pedindo que retornasse. Imagino que chegue em poucos dias.

– Excelente – resmungou Turner.

– Com certeza ela ficará muito satisfeita ao saber de sua devoção fraternal.

Turner estreitou os olhos. Aquilo no tom da mãe era um traço de sarcasmo? Não tinha certeza.

– Até logo, mãe. Nos vemos em breve.

– Sei. Ah, Turner?

– Sim?

– Você deveria passar um tempo com o seu camareiro. Está bem mal-ajambrado.

Turner resmungou e deixou a casa da mãe.

Dois dias depois, foi informado do retorno da irmã a Londres. Saiu na mesma hora para encontrá-la. Se havia uma coisa que odiava na vida, era esperar. Só não mais do que se sentir culpado.

E estava sentindo uma culpa dos infernos por fazer Miranda esperar por mais de seis semanas.

Quando chegou, Olivia estava no quarto. Em vez de esperar na saleta de visitas, Turner subiu as escadas e foi direto bater à porta dela.

– Turner! – exclamou Olivia. – Céus! O que está fazendo aqui em cima?

– Eu morei aqui nesta casa, Olivia. Lembra?

– Sim, sim, é claro. – Ela sorriu, voltando a se sentar. – A que devo o prazer da sua visita?

Turner abriu a boca, depois fechou, sem saber ao certo o que dizer a ela. Não podia simplesmente falar "Eu seduzi a sua melhor amiga e agora tenho que consertar as coisas, então quero saber se você acha que seria apropriado se eu fosse vê-la na casa dos avós, mesmo com uma pessoa doente na família."

Abriu a boca outra vez.

– Turner?

Fechou, sentindo que estava fazendo papel de idiota.

– O que você quer me perguntar?

– Como foi na Escócia?

– Foi ótimo. Já esteve lá?

– Não. E Miranda, como está?

Olivia hesitou antes de responder.

– Está bem. Mandou lembranças.

Disso Turner duvidava muito. Respirou fundo. Precisava seguir com cautela.

– Ela está bem de saúde?

– Hã, sim. Está, sim.

– Não ficou chateada por perder o resto da temporada?

– Não, é claro que não. Para começo de conversa, ela nunca gostou muito das atividades sociais. Você sabe bem disso.

– Sim. – Turner virou para a janela, tamborilando na perna com impaciência. – Ela volta logo?

– Ainda vai demorar uns bons meses, presumo.

– A avó dela está doente assim?

– Infelizmente.

– Então devo mandar minhas condolências.

– Mas não é para tanto – atalhou Olivia. – O médico disse que ainda vai levar um tempo... hã... talvez meio ano, ou um pouco mais, mas acha que ela vai se recuperar.

– Entendo. E você sabe me dizer o que ela tem?

– É uma doença feminina – respondeu Olivia, talvez um pouco insolente demais.

Turner ergueu a sobrancelha. Uma doença feminina, em uma mulher que já era avó. Intrigante. Um tanto suspeito.

Ele se virou outra vez e perguntou:

– Espero que não seja contagioso. Não queremos que Miranda fique doente, certo?

– Ah, não. Hã, a doença não é contagiosa. – Ao ver que a expressão soturna de Turner não se alterava, ela acrescentou: – Olhe só para mim. Passei mais de quinze dias por lá e continuo saudável.

– Estou vendo. Mas ainda assim fico preocupado com Miranda.

– Ah, não há necessidade – insistiu Olivia. – Ela está ótima, de verdade.

Turner estreitou os olhos. Percebeu que as faces da irmã estavam ruborizando levemente.

– Você está me escondendo alguma coisa.

– Eu? N-não sei do que está falando – gaguejou ela. – E posso saber por que você está fazendo todas essas perguntas sobre a Miranda?

– Ela também é uma grande amiga minha – respondeu ele, inabalável. – E sugiro que você comece a me contar a verdade.

Turner arrastou a irmã para o outro lado da cama.

– Não sei do que você está falando – insistiu ela.

– Ela se envolveu com algum homem? – quis saber ele. – Hein? É por isso que você inventou essa mentira deslavada sobre uma doença na família?

– Não é mentira! – protestou ela.

– Olivia, por favor!

Ela cerrou os lábios com força.

– Olivia... – advertiu ele em tom de ameaça.

– Turner! – A voz dela saiu um tanto esganiçada. – Não estou gostando nada desse olhar. Vou chamar a mamãe.

– Mamãe não tem metade do meu tamanho. Ela não vai me impedir de estrangular você, sua pestinha.

Ela arregalou os olhos.

– Turner, você ficou maluco...

– Quem é ele?

– Eu não sei! – vociferou ela. – Eu não sei.

– Ah, então *há* alguém.

– Sim! Não! Não há mais.

– O que diabo está acontecendo? – Turner tinha sido invadido por um ciúme louco.

– Nada!

– O que aconteceu com Miranda, Olivia?

Ele rodeou a cama, encurralando a irmã. Além do ciúme, também foi tomado por um medo muito primitivo. Medo de perdê-la, medo de que algo de ruim acontecesse com ela. E se fosse realmente esse o caso? Afinal, ele jamais suspeitara que, um dia, o bem-estar de Miranda seria fonte de tamanha preocupação, mas ali estava ele, preocupadíssimo – e, por Deus, que sensação horrível. Ele nunca pretendera se importar com ela tanto assim.

Olivia olhava de um lado para o outro como quem procura uma saída.

– Ela está bem, Turner. Juro!

As mãos enormes dele cobriram os ombros dela.

– Olivia. – A voz de Turner era muito grave e seus olhos azuis faiscavam de fúria e de medo. – Vou falar só uma vez. Quando éramos crianças, eu nunca bati em você, embora deva dizer que motivo não me faltou. Mas posso afirmar que nunca é tarde para começar.

O lábio inferior dela estremeceu.

– Se não me disser agora mesmo qual foi a confusão em que Miranda se meteu, vai se arrepender amargamente.

O semblante de Olivia demonstrou vários tipos de emoção, quase todas relacionadas a pânico ou medo.

– Turner – suplicou ela –, Miranda é minha melhor amiga. Não posso trair a confiança dela.

– O que aconteceu, Olivia? – insistiu ele, falando entre os dentes.

– Turner...

– Diga!

– Não, eu não posso, eu... – De repente, Olivia empalideceu. – *Ah, meu Deus!*

– O que foi?

– Ah, meu Deus! – Olivia ficou sem ar. – Foi você.

O semblante de Olivia foi tomado por uma expressão que Turner nunca vira antes na irmã (ou em ninguém, a bem da verdade), e então...

– Como pôde fazer uma coisa dessas, Turner?! – gritou ela, dando vários socos sem força no peito dele. – Como foi capaz? Você é um animal, ouviu bem? Um animal! E que falta de decoro da sua parte largá-la nesse estado!

Turner recebia imóvel todo o ataque, tentando assimilar as palavras e a raiva da irmã.

– Olivia – disse ele pausadamente. – Do que você está falando?

– Miranda está grávida, Turner! – sibilou ela. – Grávida!

– Ah, meu Deus! – Turner largou os ombros da irmã, em choque, e se deixou cair na cama.

– Presumo que você seja o pai – disse ela, friamente. – O que é repugnante. Pelo amor de Deus, Turner, você é praticamente irmão dela!

As narinas dele se inflaram de irritação.

– Discordo.

– Você é mais velho do que ela, mais experiente. Não deveria ter se aproveitado dela dessa forma.

– Não devo satisfação a você – atalhou ele.

Olivia bufou, mas não disse nada.

– Por que ela não me contou? – disse ele.

– Não sei se você se lembra, mas você estava lá em Kent, se acabando em conhaque e mulheres e...

– Desde Miranda, não me deitei com nenhuma outra mulher.

– Queira me perdoar se não lhe dou o menor crédito. Você é desprezível. Saia já do meu quarto!

– Grávida – repetiu ele, como se isso pudesse tornar o fato mais palpável. – Miranda. Um filho. Meu Deus.

– Meio tarde para rezar agora, está bem? – observou Olivia, friamente. – Seu comportamento tem sido pior que repreensível.

– Eu não sabia que ela estava grávida.

– E faz alguma diferença saber?

Ele não respondeu. Não tinha como responder porque sabia que dessa vez estava totalmente errado. Enterrou o rosto nas mãos, ainda impactado pela notícia. Deus do céu, só de pensar no próprio egoísmo... ele havia adiado o acerto de contas com Miranda por pura preguiça. Tinha tanta certeza de que, ao voltar, ela estaria ali esperando por ele. Porque... porque...

Porque ela sempre estava. Não havia passado todos aqueles anos esperando por ele? Ela mesma não dissera que...

Ele era um cretino. Não havia explicação, não havia desculpa. Ele só presumira que... e se aproveitara de... e...

Nem em seus devaneios mais loucos Turner imaginou que ela poderia estar sozinha, quinhentos quilômetros ao norte, lidando com uma gravidez não planejada que logo se transformaria em uma criança ilegítima.

Ele tinha pedido que ela avisasse caso acontecesse algo do gênero. Por que ela não escrevera? Por que não dissera nada?

Olhou para as próprias mãos. Sentia uma estranheza, uma falta de familiaridade. Ao contrair os dedos, os músculos estavam duros e esquisitos.

– Turner?

Ouviu a irmã sussurrar o nome dele, mas, por algum motivo, não conseguia responder. Sua garganta vibrava, mas as palavras não saíam e o ar não entrava. Tudo que ele conseguia no momento era ficar ali sentado feito um panaca pensando em Miranda.

Sozinha.

Sozinha e provavelmente apavorada quando deveria estar casada, acomodada com todo o conforto na residência nortumbriana dele, gozando de boa comida e ar fresco à vontade, sob seu olhar cuidadoso.

Um filho.

Ele sempre achara que deixaria para Winston a tarefa de perpetuar o sobrenome da família, o que era curioso, já que, naquele momento, daria tudo para tocar o ventre de Miranda, para segurar o bebê nos braços. Tomara, pensou ele, que seja menina. Tomara que tenha olhos castanhos. Haveria tempo de sobra para conseguir um herdeiro depois. Com Miranda em sua cama, tinha plena confiança de que ela logo engravidaria de novo.

– O que você vai fazer? – pressionou Olivia.

Turner ergueu a cabeça devagar. A irmã estava diante dele em uma posição de confronto, mãos na cintura.

– O que você acha? – replicou ele.

– Sei lá, Turner.

Pela primeira vez na vida, não havia nenhuma insinuação na voz da irmã. Turner percebeu que não era uma resposta atravessada. Não era empáfia. Olivia não sabia mesmo se ele pretendia fazer o que era certo e se casar com Miranda.

Turner nunca se sentiu tão inferior.

Suspirando profundamente, ele se levantou e pigarreou.

– Olivia, pode fazer a gentileza de me informar o endereço de Miranda na Escócia?

– Com prazer. – Ela marchou até a escrivaninha, pegou um pedaço de papel qualquer e rabiscou algumas palavras. – Aqui está.

Turner pegou o papel e guardou no bolso, dizendo:

– Obrigado.

Olivia fez questão de não responder.

– Presumo que agora não nos veremos por um bom tempo.

– Espero que, no mínimo, uns sete meses – retorquiu ela.

Turner saiu da Inglaterra em disparada rumo a Edimburgo, concluindo a jornada em impressionantes quatro dias e meio. Ao chegar à capital escocesa, estava cansado e coberto de poeira, mas não importava. Cada dia que Miranda passasse sozinha era mais um dia em que ela poderia... diabo, ele não sabia nem o que ela poderia fazer, mas não queria descobrir.

Conferiu o endereço mais uma vez antes de subir os degraus da frente. Os avós de Miranda moravam em uma casa bastante nova, em um bairro elegante de Edimburgo. Turner ficara sabendo que eram aristocratas e que eram proprietários de terras em algum lugar ainda mais ao norte. Ele estava muito aliviado por terem o hábito de passar o verão mais perto da fronteira. Não teria gostado nada de ter que estender a viagem até as Terras Altas. Ele já estava exausto.

Bateu à porta. Um mordomo veio atender, cumprimentando-o com um sotaque tão pomposo que se adequaria bem à residência de um duque.

– Vim visitar a Srta. Cheever – falou Turner, com a voz entrecortada.

O mordomo fitou as roupas amarrotadas de Turner com desdém.

– Ela não está.

– Ah, é?

O tom de Turner deixava bem claro que não acreditava. Ele não ficaria nada surpreso se ela o tivesse descrito para todos na casa, instruindo que qualquer um o barrasse à porta.

– Vai ter que voltar em outra ocasião. Contudo, posso transmitir algum recado se...

– Vou esperar.

Turner passou direto pelo mordomo e chegou ao pequeno vestíbulo contíguo ao salão principal.

– Ora, escute aqui, senhor! – protestou o sujeito.

Turner pegou um cartão de visita e entregou a ele. O mordomo leu o nome, olhou para ele, depois tornou a ler o nome. Estava claro que não esperava que um visconde fosse tão mal-ajambrado. Turner deu um sorriso zombeteiro. Às vezes, um título vinha, e muito, a calhar.

– Meu senhor, por favor, queira aguardar aqui – disse o mordomo, de forma mais contida. – Pedirei que lhe tragam um chá.

– Agradeço.

Assim que o mordomo saiu, Turner se pôs a perambular pelo recinto, examinando devagar o ambiente à volta. Os avós de Miranda tinham muito bom gosto. O mobiliário era discreto, num estilo clássico que jamais ficaria cafona ou antiquado. Enquanto examinava um quadro, perguntou-se, pela milésima vez, o que diria a Miranda. O mordomo não chamara a guarda no instante em que descobrira quem ele era. Supôs que era um bom sinal.

O chá chegou em poucos minutos, mas a demora de Miranda indicou que o mordomo havia falado a verdade. Tudo bem. Ele esperaria o tempo que fosse necessário. No fim das contas, chegaria até ela. Não tinha a menor dúvida.

Miranda era uma jovem sensata. Sabia que o mundo era um lugar hostil para os filhos ilegítimos. E também para as mães de filhos ilegítimos. Por mais que estivesse furiosa com ele – e Turner tinha certeza de que estava –, ela não condenaria o filho a uma vida tão difícil.

O bebê também era dele. Merecia viver sob a proteção do sobrenome Turner. Assim como ela. Não queria nem pensar na possibilidade de Miranda continuar sozinha, mesmo que estivesse recebendo apoio dos avós naquela hora difícil.

Turner passou meia hora sentado ali diante do chá, e devorou uns seis pãezinhos doces que foram servidos como acompanhamento. A jornada a partir de Londres fora longa e ele mal parara para comer. Estava maravilhado com o sabor, pensando que eram mais gostosos do que qualquer coisa que já provara na Inglaterra, quando ouviu a porta da frente se abrir.

– MacDownes!

A voz de Miranda. Turner se levantou de um salto, ainda com meio pãozinho na mão. Passos no corredor, presumivelmente do mordomo.

– Pode me ajudar com esses pacotes? Sei que deveria ter mandado entregar em casa, mas estava impaciente demais.

Turner ouviu o som de pacotes sendo passados para o mordomo, que então falou:

– Srta. Cheever, devo informá-la de que há uma visita à sua espera na saleta.

– Visita? Para mim? Curioso. Deve ser um dos MacLeans. Devem ter ficado sabendo que estou aqui. Sempre nos encontramos quando estou na Escócia.

– Creio que não seja escocês, senhorita.

– Não? Então quem poderia...

Turner quase sorriu quando a voz dela morreu. Dava até para imaginar o queixo de Miranda caindo.

– O cavalheiro foi muito insistente, senhorita – prosseguiu MacDownes. – Aqui está o cartão dele.

Depois de um longo silêncio, por fim, Miranda falou:

– Por favor, diga a ele que não estou disponível. – A voz dela vacilou na última palavra, e ela subiu a escada correndo.

Turner entrou no corredor bem a tempo de trombar com MacDownes, que já se preparava para botá-lo para fora.

– Ela não quer vê-lo, senhor – recitou o mordomo, com uma leve sugestão de sorriso no rosto.

Empurrando-o para o lado, Turner passou.

– Ah, mas ela vai me ver, sim.

– Não vai, não, senhor. – MacDownes segurou o casaco dele.

– Veja bem, meu caro. – Turner tentava parecer simpático e frio, como se tal coisa fosse possível. – Nada me impede de bater em você.

– Pois digo o mesmo.

Turner perscrutou o sujeito com desdém e exigiu:

– Saia já da minha frente!

Cruzando os braços, o mordomo fincou os pés no chão.

De cara feia, Turner puxou o braço para que o homem soltasse seu casaco e correu para as escadas.

– Miranda! – gritava ele. – Desça aqui agora mesmo! Já! Temos assuntos a disc...

Pof!

Céus, o mordomo desferira um soco bem no queixo dele. Aturdido, Turner passou a mão no maxilar sensível.

– Você é louco?

– De modo algum, senhor. Apenas desempenho meu trabalho com muito orgulho.

Com a graça e a facilidade de um profissional, o mordomo ergueu os punhos para brigar. Era a cara de Miranda contratar um pugilista para ser seu mordomo.

– Escute – falou Turner, em tom conciliatório. – Preciso falar com ela. É de suma importância. A honra da dama está em jogo aqui.

Pof! Turner cambaleou sob o peso de um segundo golpe.

– Isso, meu senhor, é por insinuar a menor mácula na honra da Srta. Cheever.

Turner estreitou os olhos de maneira ameaçadora, mas sabia que não tinha a menor chance contra o mordomo maluco de Miranda, não depois de já ter sofrido dois golpes desnorteantes.

– Diga à Srta. Cheever – falou em tom mordaz – que eu vou voltar, e que acho bom que ela me receba.

Saiu furioso da casa e desceu os degraus da frente.

Possesso com a recusa de Miranda em recebê-lo, deu meia-volta para olhar a casa uma última vez. Lá estava ela, diante de uma janela aberta do segundo andar, cobrindo a boca com dedos nervosos. Turner olhou em sua direção de cara feia e, ao perceber que ainda estava com o pãozinho parcialmente comido na mão, atirou-o com força na direção da janela.

O pãozinho acertou Miranda bem no meio do peito.

Turner sentiu certa satisfação.

~

24 de agosto de 1819

Céus.

Nunca mandei a carta, é claro. Levei um dia inteiro escrevendo-a e, quando estava pronta para postar, já não era mais necessário.

Não sabia se ria ou se chorava.

E agora Turner está aqui. Deve ter extraído a verdade à força (ou melhor, o que costumava ser verdade) de Olivia. De outra forma, ela jamais teria traído minha confiança. Livvy, pobrezinha. Ele fica muito assustador quando está furioso.

O que, inclusive, parece ser o caso. Ele atirou um pão em mim. Um pão! É difícil até de imaginar.

Capítulo catorze

Duas horas depois, Turner fez outra visita à casa. Dessa vez, Miranda estava à sua espera.

Antes mesmo que ele pudesse bater à porta da frente, ela a abriu com força. Turner, contudo, nem piscou. Só ficou parado ali com sua postura perfeita, o braço erguido, o punho pronto para bater.

– Ora essa, pelo amor de Deus – falou ela, irritada. – Entre de uma vez.

Turner ergueu a sobrancelha.

– Estava me esperando?

– É lógico.

E, sabendo muito bem que não podia adiar mais, ela saiu marchando em direção à sala de estar sem nem olhar para trás.

Sabia que ele a seguiria.

– O que você quer? – O tom dela era de exigência.

– Mas que recepção agradável, Miranda – disse ele, com delicadeza. Estava limpo e impecável e lindo e completamente à vontade e... Ah, ela queria matá-lo! – Com quem aprendeu boas maneiras? – prosseguiu. – Átila, o Huno?

Ela repetiu a pergunta, falando entre os dentes:

– O que você quer?

– Casar com você, ora essa.

O que era, naturalmente, tudo que ela mais havia desejado desde a primeira vez que o vira. E em toda a sua vida jamais sentira tanto orgulho de si mesma quanto naquele momento, porque enfim tomou coragem e respondeu:

– Não, obrigada.

– Não... obrigada?

– Não, obrigada – repetiu ela, enérgica. – Se é só isso o que veio fazer, vou acompanhá-lo até a porta.

Mas Turner a pegou pelo pulso no instante em que ela fez menção de sair.

– Não tão rápido, mocinha.

Ela ia conseguir. Sabia que ia. Era orgulhosa, e já não tinha mais nenhum motivo convincente para se casar com ele. E nem deveria, de todo modo. Por mais que o coração doesse, não podia ceder. Ele não a amava. Nutria tão pouca consideração por ela que, passadas seis semanas desde o encontro na cabana de caça, ele não havia entrado em contato nem uma única vez.

Turner podia ter sido um cavalheiro algum dia, mas já não se portava mais como tal.

– Miranda.

Ele falava com uma voz aveludada e ela sabia que ele estava tentando seduzi-la, talvez não para levá-la para a cama, mas decerto para que ela concordasse com o casamento.

Ela respirou fundo e disse:

– Você veio até aqui, fez a coisa certa, e eu disse não. Agora não tem mais motivo para se sentir culpado, de modo que pode voltar para a Inglaterra com a consciência tranquila, está bem? Adeus, Turner.

– Acho que não, Miranda – disse ele, apertando o pulso dela com mais força. – Temos muito a discutir, eu e você.

– Não temos, não. Mas agradeço pela preocupação.

Sentia o braço formigar sob o toque dele, e sabia muito bem que deveria se livrar o mais cedo possível, ou sua determinação logo vacilaria.

Turner fechou a porta com o pé.

– Discordo.

– Turner, não faça isso! – Miranda puxou o braço e tentou abrir a porta, mas ele estava no caminho. – Estamos na casa dos meus avós. Não vou permitir que você os envergonhe com este comportamento indecente.

– Acho que você deveria se preocupar mais com a hipótese de acabarem ouvindo o que tenho a dizer.

Só de ver a expressão implacável no rosto dele, Miranda se calou.

– Muito bem. Pois diga o que veio me dizer.

Ele começou a alisar a palma da mão dela.

– Ando pensando muito em você, Miranda.

– É mesmo? Fico lisonjeada.

Ignorando o tom sardônico na voz dela, ele se aproximou.

– Você também pensou em mim?

Meu Deus! Ah, se ele soubesse...

– Esporadicamente.

– Apenas?

– Rarissimamente.

Ele a puxou para mais perto, a mão deslizando em curvas pelo braço.

– Rarissimamente quanto? – murmurou ele.

– Quase nunca. – A voz dela, contudo, ficava cada vez mais suave e menos determinada.

– É mesmo? – Ele ergueu a sobrancelha, fazendo cara de incrédulo. – Acho que seu cérebro deve estar sendo afetado por toda essa comida escocesa. Andou comendo *haggis*?

– *Haggis*? – perguntou ela, num sussurro.

Sentia o peito leve, como se embriagada pelo próprio ar à sua volta, como se a mera presença dele fosse inebriante.

– Ahã. Um prato horroroso, na minha opinião.

– Não... não é tão ruim.

Do que ele estava falando? E por que estava olhando para ela daquele jeito? Os olhos dele pareciam duas safiras. Não, pareciam o céu noturno ao luar. Ah, Deus do céu! Para onde estava indo toda aquela determinação?

Turner deu um sorriso indulgente.

– Sua memória não parece muito boa, meu bem. Acho que você precisa de algo que a reavive.

O beijo suave de Turner espalhou uma ardência por todo o corpo de Miranda. Ela se vergou diante dele, suspirando o seu nome.

E quando ele a puxou para mais perto, ela sentiu o volume do desejo.

– Está sentindo o que você faz comigo? – sussurrou ele. – Está?

Trêmula, Miranda assentiu, quase se esquecendo de que estava no meio da sala de estar dos avós.

– Só você consegue fazer isso comigo, Miranda – murmurou ele com a voz rouca. – Só você.

O comentário fez soar uma nota dissonante na mente dela, e Miranda se enrijeceu nos braços dele. Turner não tinha acabado de passar mais de um mês em Kent com o amiguinho dele, lorde Harry Não-sei-das-quantas? E a própria Olivia não afirmara que os festejos incluíram vinho, uísque e mulheres? Mulheres fáceis. Aos montes.

– O que houve, meu bem?

Ele sussurrou as palavras contra a pele dela. Parte de Miranda só queria voltar a se derramar sobre ele, mas não se deixaria seduzir. Não dessa vez. Antes de mudar de ideia, espalmou as mãos no peito dele e o empurrou.

– Não tente fazer isso comigo – advertiu ela.

– Fazer o quê? – Ele parecia a inocência em pessoa.

Se Miranda estivesse com um vaso nas mãos, teria atirado em cima dele. Ou, ainda melhor, um pãozinho pela metade.

– Não tente me seduzir para me convencer a fazer o que você quer.

– Por que não?

– Por que não? – repetiu ela, incrédula. – Por que não? Porque eu... porque você...

– Por que o quê? – Ele estava sorrindo.

– Porque... oras!

Miranda estava com os punhos cerrados e chegou até mesmo a bater com o pé no chão. O que a deixou ainda mais furiosa. Ver-se reduzida àquilo... era muito humilhante.

– Calma, Miranda... Calma...

– Nada de "calma, Miranda", seu arrogante, prepotente...

– Vejo que está com raiva de mim.

Ela estreitou os olhos.

– Você sempre foi mesmo tão inteligente, não é?

Ele ignorou o sarcasmo na voz dela.

– Está bem, então, peço desculpas. Eu não tinha planejado passar tanto tempo em Kent. Não sei por que acabei ficando, mas fiquei, e sinto muito. Era para ser uma viagem de dois dias.

– Uma viagem de dois dias que durou quase dois meses? – Ela bufou. – Vai me perdoar se eu não acreditar em você.

– Eu não fiquei esse tempo todo em Kent. Quando voltei a Londres, minha mãe disse que você estava cuidando de um parente acamado. Só consegui descobrir o que aconteceu de verdade quando Olivia voltou.

– Não me interessa quanto tempo você passou em... seja lá onde estivesse! – gritou ela, cruzando os braços decididamente. – Você não devia ter me abandonado dessa forma. Entendo que precisava de tempo para pensar, porque sei muito bem que você jamais quis se casar comigo, mas por Deus, Turner, tinha que levar sete semanas? Isso não é jeito de tratar uma mulher! Você foi grosseiro e insensível e... e nada cavalheiro!

Isso era o pior que ela podia fazer? Turner reprimiu a vontade de sorrir. Achou que seria muito mais difícil do que estava sendo.

– Você tem razão – falou ele, em voz baixa.

– E mais o quê... Hein? – Ela piscou, confusa.

– Você tem razão.

– Tenho?

– Não quer ter?

Ela abriu a boca, depois fechou, e então disse:

– Pare de tentar me confundir.

– Não estou fazendo isso. Caso não tenha percebido, estou concordando com você. – Ele abriu seu sorriso mais envolvente. – Desculpas aceitas?

Miranda suspirou. Devia ser proibido um sujeito ser tão charmoso.

– Está bem. Aceitas. Mas – prosseguiu ela, desconfiada – o que você ficou fazendo esse tempo todo em Kent?

– Em geral, me embebedando.

– Só isso?

– Cacei um pouco também.

– E?

– E, quando Winston apareceu por lá de repente, fiz tudo o que estava ao meu alcance para mantê-lo longe de encrencas. O que, inclusive, me prendeu em Kent por mais duas semanas.

– E?

– Está tentando me perguntar se havia mulheres por lá?

Ela desviou o olhar.

– Talvez.

– Havia.

Ela tentou engolir o imenso nó que se formou na garganta e deu um passo para trás, deixando livre o caminho entre ele e a porta.

– Vá embora, por favor – falou ela, baixinho.

Ele a pegou pelos dois braços, forçando-a a olhar para ele.

– Eu não toquei em nenhuma delas, Miranda. Nem uma vez.

A declaração foi tão veemente que ela sentiu vontade de chorar.

– Por que não? – sussurrou ela.

– Porque sabia que ia me casar com você. Porque sei muito bem o que é ser traído. – Pigarreou. – E eu jamais faria isso com você.

– Por quê? – A pergunta saiu quase em um sopro.

– Porque não quero ferir seus sentimentos. E porque tenho muito respeito por você.

Ela se afastou dele, indo até a janela. Começava a anoitecer, mas os dias de verão eram longos na Escócia. O sol ainda ia alto no céu e a rua estava cheia de pessoas terminando suas tarefas diárias aparentemente sem a menor preocupação. Miranda queria ser uma delas, queria largar os problemas ali e sair andando pela rua para nunca mais voltar.

Turner queria se casar com ela. Tinha se mantido fiel. Ela devia estar pulando de alegria. Contudo, não conseguia se livrar da sensação de que ele estava fazendo tudo isso por obrigação, não por amor ou afeição. Exceto, é claro, por desejo. Estava bem claro que ele sentia desejo por ela.

Uma lágrima correu pela face de Miranda. Não era o bastante. Talvez pudesse ser, se ao menos ela não o amasse tanto. Mas esse descompasso... Era discrepante demais. Sabia que iria adoecê-la aos poucos, até reduzi-la a uma casca triste e solitária.

– Turner, eu... eu agradeço por você ter feito essa viagem longa só para me ver. Sei que não foi fácil. E, de fato, foi muito... – Procurou a palavra apropriada. – Foi muito íntegro de sua parte recusar todas as mulheres em Kent. Imagino que fossem todas muito bonitas.

– Nenhuma chegava aos seus pés – sussurrou ele.

Ela engoliu em seco. Estava ficando mais difícil a cada segundo. Agarrou-se ao parapeito da janela e declarou:

– Mas não posso me casar com você.

Silêncio sepulcral. Miranda nem se virou. Não o via, é claro, mas sentia a ira que emanava do corpo dele. *Por favor, vá embora*, rogou ela, em silêncio. *Não venha até aqui. E por favor... ah, por favor... não me toque.*

Mas as preces dela não foram atendidas, pois logo sentiu as mãos de Turner agarrando-a e girando-a. Ele a encarou, perguntando:

– O que foi que disse?

– Eu disse que não posso me casar com você – respondeu ela, trêmula, fitando o chão porque sabia que os olhos azuis dele crivavam os dela.

– Diabos, olhe para mim! Onde está com a cabeça? Você tem que se casar comigo.

Ela balançou a cabeça.

– Sua tola.

Miranda não sabia o que dizer. Por isso, não disse nada.

– Por acaso já se esqueceu disso aqui? – Ele a puxou com força, enterrando os lábios nos dela. – Já?

– Não.

– Então já esqueceu que você confessou que me ama? – continuou ele.

Ela queria morrer ali mesmo.

– Não.

– Isso tem que valer de alguma coisa – disse ele, balançando-a tanto que uma mecha de cabelo até se soltou do penteado. – Não?

– E você, por acaso, disse que me ama? – retrucou ela.

Ele a encarou, mudo.

– Você me ama? – As faces dela ardiam de raiva e vergonha. – Ama?

Turner engoliu em seco, sentindo-se engasgado de repente. Parecia que as paredes estavam se fechando ao redor dele, tornando-o incapaz de falar, incapaz de pronunciar as palavras que ela queria ouvir.

– Já entendi – disse ela, com a voz grave.

Ele sentia um espasmo muscular na garganta. Por que não conseguia dizer? Não sabia se era amor, mas também não sabia se *não* era amor o que sentia por ela. Sabia, contudo, que não queria magoá-la, então por que não era capaz de dizer aquelas três palavrinhas que a deixariam feliz?

Ele dissera a Leticia que a amava...

– Miranda – falou ele, pausadamente. – Eu...

– Não diga se não for verdade! – vociferou ela, engasgando ao falar.

Turner girou nos calcanhares; tinha visto um decantador em algum canto daquela sala. Logo abaixo do conhaque havia uma garrafa de uísque e, sem pedir permissão, ele serviu uma dose. Bebeu toda de uma vez só, mas o líquido ardente não ajudou em nada.

– Miranda... – Ele queria muito que sua voz estivesse só um pouco mais firme. – Eu não sou perfeito.

– Mas deveria ser! – protestou ela. – Você por acaso faz ideia de quão maravilhoso era comigo quando eu era pequena? E não tinha nem que fazer esforço. Você era simplesmente... simplesmente *você*. Por sua causa, eu não me sentia mais aquela garotinha esquisita. Até que um belo dia você mudou, mas eu achei que fosse capaz de fazer você voltar a ser como era. E eu tentei, ah, como tentei, mas não foi suficiente. *Eu* não fui suficiente.

– Miranda, não é você...

– Não me venha com desculpas! Eu não sou a pessoa de que você precisa e o odeio por isso! Ouviu? Eu te odeio! – Derrotada, ela deu as costas a ele e abraçou o próprio corpo, tentando controlar os tremores.

– Você não me odeia – afirmou ele, com a voz suave e reconfortante.

– Não – concordou ela, reprimindo um soluço. – Não odeio, realmente. Mas odeio Leticia. Se ela já não tivesse morrido, eu mesma a mataria.

Ele deu um meio sorriso torto.

– De forma bem lenta e dolorosa.

– Boneca, você tem mesmo um certo quê de crueldade. – Ele ofereceu a ela um sorriso indulgente.

Ela tentou sorrir também, mas os lábios não obedeceram.

Após uma longa pausa, Turner voltou a falar:

– Vou tentar fazer você feliz, mas nunca serei tudo o que você espera.

– Eu sei – disse ela, com tristeza. – Eu achava que talvez pudesse ser, mas estava errada.

– Mas ainda podemos ter um bom casamento, Miranda. Melhor que a média.

"Melhor que a média" podia significar apenas que eles se falariam pelo menos uma vez por dia. Sim, poderiam ter um bom casamento. Bom, mas vazio. E Miranda não sabia se suportaria viver com ele, mas sem o seu amor. Balançou a cabeça.

– Mas que diabo, Miranda! Você precisa se casar comigo! – Ela não reagiu ao rompante dele, de modo que ele gritou: – Pelo amor de Deus, mulher, você está esperando um filho meu!

Pronto. Ela sabia que era por isso que ele viajara tão longe e com tanta determinação. E, por mais que apreciasse a hombridade dele – ainda que muito atrasada –, não poderia esconder que perdera o bebê. Houvera um sangramento certo dia, o apetite retornara e o penico havia voltado a seu uso normal.

A mãe dela havia comentado algo sobre essa situação; dissera ter passado pela mesmíssima coisa duas vezes antes de ter Miranda e três vezes depois. Embora não fosse um assunto muito apropriado para se ter com uma jovem que mal concluíra os estudos, lady Cheever sabia que estava morrendo e quisera passar à filha todo conhecimento feminino que podia. Dissera a Miranda que, se por acaso passasse por isso, não deveria ficar triste, pois sempre sentira que alguns bebês não eram para ser.

Miranda umedeceu os lábios e engoliu em seco. E então, em voz baixa e solene, falou:

– Não estou esperando um filho seu. Eu estava, mas não estou mais.

Turner não disse nada. E então:

– Não acredito em você.

Miranda ficou estupefata.

– Não seja absurdo.

Ele deu de ombros.

– Não acredito. Olivia me disse que você estava grávida.

– E estava mesmo, quando ela ainda estava aqui.

– Como vou saber que você não está apenas tentando se livrar de mim?

– Porque eu não sou nenhuma *idiota* – atalhou ela. – Acha mesmo que, se estivesse grávida de você, eu recusaria seu pedido de casamento?

Ele parou por um momento, pensativo, então cruzou os braços e disse:

– Bem, ainda assim, você continua com a honra comprometida e ainda vai ter que se casar comigo.

– Não vou, não – teimou ela.

– Ah, mas vai, sim. – Os olhos dele brilhavam implacáveis. – Você só não sabe disso ainda.

Ela recuou, dizendo:

– Não vejo como você poderia me forçar.

Ele deu um passo adiante.

– Não vejo como você poderia me impedir.

– Eu vou gritar e chamar MacDownes.

– Duvido.

– Vou, sim. Juro. – Ela abriu a boca e olhou de soslaio para ele, para ver se estava acompanhando a ameaça.

– Pode gritar – disse ele, dando de ombros. – Desta vez, ele não vai me pegar desprevenido.

– Mac...

Com impressionante velocidade, ele tapou a boca de Miranda.

– Sua tola. Tirando o fato de que não tenho o menor interesse em ter a minha privacidade interrompida por esse velho pugilista que é o seu mordomo, já parou para pensar que, se ele entrar aqui agora, isso só vai apressar o nosso casamento? Você não vai querer que ele a flagre nesta situação comprometedora, não é?

Miranda grunhiu alguma coisa contra a palma da mão dele, socando-o no quadril até que ele a soltasse. Mas não tentou chamar MacDownes outra vez. Por mais que detestasse ter que admitir, ele estava certo.

– Então por que não me deixou gritar, hein? – provocou ela. – Não é casamento que você quer?

– Sim, mas achei que você fosse preferir percorrer esse caminho com um pouco mais de dignidade.

Miranda ficou sem resposta, então cruzou os braços.

– Escute aqui. – Falando em voz baixa, ele ergueu o queixo dela de modo que não tivesse escolha a não ser encará-lo. – E escute bem, porque só vou falar uma vez: você vai se casar comigo até o final desta semana. Já que, convenientemente, você fugiu para cá, fique sabendo que na Escócia não é preciso nenhuma licença especial. Ainda tem sorte por eu não sair arrastando você para a igreja agora mesmo. Arrume um vestido e umas flores, meu bem, porque você vai trocar de sobrenome.

Ela o fuzilou com o olhar, sem palavras para expressar a fúria que sentia.

– E nem pense em tentar fugir de novo – alertou ele, indolente. – Para sua informação, estou hospedado a duas casas daqui, e pus esta residência em constante vigilância. Você não vai chegar nem ao fim da rua.

– Deus do Céu – murmurou ela. – Você enlouqueceu.

Turner riu.

– Vamos analisar esta sua frase. Se eu por acaso trouxesse dez pessoas aqui e explicasse a elas que tirei a sua virgindade e pedi para casar com você, e que você recusou, quem você acha que eles diriam que enlouqueceu?

Ela estava tão irada que parecia prestes a explodir.

– Garanto que não seria eu! – disse ele, alegre. – Então anime-se, boneca, e veja o lado bom das coisas. Vamos fazer mais bebês, o que vai ser imensamente divertido, eu prometo que nunca vou bater em você ou proibi-la de fazer alguma coisa, desde que não seja algo absurdamente idiota, e você será, de fato, irmã da Olivia. O que mais você poderia desejar?

Amor. Mas ela não conseguiu sequer pronunciar a palavra.

– No fim das contas, Miranda, você podia estar numa situação bem menos favorável.

Ela permaneceu sem dizer nada.

– Muitas mulheres adorariam estar no seu lugar.

Ela ficou se perguntando se haveria alguma maneira de arrancar aquela expressão presunçosa do rosto dele sem causar um mal permanente.

Ele se inclinou para a frente e, em tom sedutor, acrescentou:

– E posso assegurá-la de que eu sempre farei de tudo, tudo mesmo, para satisfazer todos os seus desejos.

Ela cruzou as mãos às costas, para impedi-las de tremer de raiva e frustração.

– Um dia você ainda vai me agradecer.

E foi a gota d'água.

– Aaaaargh! – Ela deu um berro incoerente e se atirou em cima dele.

– Mas que diabo...? – Turner se virou, tentando escapar dela e da chuva de socos.

– Nunca mais... *nunca mais* diga "um dia você ainda vai me agradecer"! Ouviu bem? Nunca mais!

– Pare com isso, mulher! Deus do céu, você perdeu o juízo!

Ele ergueu os braços para proteger o rosto. Era uma atitude covarde demais para o gosto dele, mas, se não ficasse na defensiva, podia acabar levando uma bordoada no olho. Não havia muito o que fazer, já que não podia revidar. Nunca batera em uma mulher e não tinha planos de começar.

– E nunca mais use essa vozinha condescendente comigo – exigiu ela, cutucando-o com força no peito.

– Opa, calma, meu bem. Prometo que nunca mais vou usar essa vozinha condescendente com você.

– Está usando agora mesmo – grunhiu ela.

– De jeito nenhum.

– Estava, sim.

– Não estava, não.

– Estava, sim.

Deus, que rumo mais tedioso a conversa tomara.

– Miranda, estamos parecendo duas crianças.

De repente, ela pareceu ficar mais alta e o brilho de selvageria em seu olhar deve ter insuflado o medo no coração dele. Dando um leve aceno de cabeça, Miranda disparou:

– Não ligo.

– Bem, se você começasse a agir como adulta, talvez eu parasse de usar essa voz supostamente condescendente.

Ela estreitou os olhos e soltou um grunhido gutural.

– Quer saber, Turner? Às vezes você é um tremendo de um idiota.

Com isso, ela cerrou o punho, puxou a mão para trás e desferiu o soco.

– Meu Deus do céu! – Ele levou a mão ao olho, incrédulo, tocando a pele dolorida. – Quem diabo ensinou você a dar um soco desses?

Ela abriu um sorriso convencido.

– MacDownes.

∽

24 de agosto de 1819 – mais tarde

MacDownes informou da minha visita de hoje a vovó e vovô, e eles logo adivinharam a relação que havia entre mim e o visitante. Vovô passou uns dez minutos esbravejando sobre como aquele filho de uma não-sei--das-quantas (não me atrevo a escrever aqui a palavra que ele usou) tivera o topete de dar as caras aqui, até que, por fim, vovó conseguiu acalmá--lo e me perguntou por que ele viera.

Não consigo mentir para eles. Nunca consegui. Contei a eles a verdade – que veio para se casar comigo. Eles reagiram com grande alegria e imenso alívio, até o instante em que contei ter recusado. Vovô se lançou em mais uma série de impropérios, mirando, desta vez, em mim e na minha falta de bom senso. Pelo menos eu acho que foi isso que disse. Ele é das Terras Altas e, embora fale o inglês britânico com perfeita dicção, o sotaque escocês volta com força total quando ele se aborrece.

E aborrecido era pouco para descrever o estado em que ele se encontrava.

Assim, estou agora com os três contra mim. Temo estar travando uma batalha inglória.

Capítulo quinze

Dada a oposição que enfrentava, a resistência de Miranda durou um tempo bastante impressionante, que foi de três dias.

A avó foi a primeira a atacar, valendo-se da abordagem gentil e sensata.

– Ora, minha querida – dissera ela –, concordo que talvez a retidão de lorde Turner tenha chegado bastante atrasada, mas o que importa é que ele veio, e bem, no fim das contas, você de fato fez...

– Não precisa dizer o que eu fiz – abreviara Miranda, ficando muitíssimo vermelha.

– Bem, você *fez*.

– Eu *sei*.

Por Deus, e como sabia... Mal conseguia pensar em outra coisa.

– Enfim, minha querida, qual é o problema do visconde, afinal? Ele parece ser um rapaz bem agradável, e nos garantiu ter plena capacidade de sustentá-la e cuidar de você como merece.

Miranda trincou os dentes. Na noite anterior, Turner havia feito uma visita para se apresentar aos avós. E, em menos de uma hora, a avó ficara encantada. O homem era uma ameaça para mulheres de todas as idades.

– Além do mais, ele é muito bonito, na minha opinião – prosseguiu a avó. – Não concorda? Ora, mas é claro que sim. Afinal, ele não faz o tipo que é considerado belo por umas e não por outras. Ele é o tipo que *todas* consideram muito bonito. Não acha?

Miranda concordava, naturalmente, mas ai dela admitir isso.

– É claro que beleza não põe mesa. Muita gente por fora é bela viola, mas por dentro é pão bolorento.

Miranda não queria nem comentar.

– Mas ele parece ser um rapaz de bem, e também é deveras afável. No fim das contas, Miranda, você poderia acabar com alguém muito pior. – E, diante do silêncio da neta, ela prosseguiu, com severidade atípica: – E não acho que você vá conseguir alguém tão melhor.

Doía, mas era verdade. Mesmo assim, Miranda insistiu:

– Posso não me casar.

A avó nem se dignou a responder, pois não considerava aquela opção viável, e prosseguiu, em tom áspero:

– Não estou falando do título dele. Nem da fortuna. Ele seria um excelente partido mesmo se não tivesse um tostão furado.

Miranda deu de ombros e encontrou um jeito de responder com um misto de grunhido desinteressado, aceno de cabeça e meneio de pescoço. Esperava que isso fosse o ponto final daquele assunto.

Mas não foi. Nem chegou perto. Turner tentou outra investida, apelando para o lado romântico dela. Mandou entregar, a cada duas ou três horas, imensos buquês de flores, todos com um bilhete que dizia "Miranda, case comigo".

Miranda fez o que pôde para ignorá-los, o que não foi fácil, pois em pouco tempo eles já estavam ocupando cada canto da casa. Com a avó, contudo, ele fez grandes progressos, já que ela redobrou os esforços para ver a neta casada com aquele visconde charmoso e generoso.

Logo o avô também resolveu atacá-la, em uma versão ainda mais arrebatada de sua abordagem já agressiva.

– Pelo amor de Deus, garota – rugiu ele. – Perdeu o juízo, foi?

Miranda não respondeu, pois já não tinha mais segurança na resposta para aquela pergunta.

O próximo esforço veio de Turner, que, dessa vez, cometeu um erro tático. Mandou um bilhete que dizia: "Eu perdoo você por ter me dado um soco." A princípio, Miranda ficou tomada de cólera. Lá estava aquela mesma condescendência que causara aquele mesmo soco. Mas então ela entendeu a verdade por trás do bilhete: era um aviso sutil. A paciência dele para a teimosia dela não duraria para sempre.

No segundo dia de cerco, Miranda decidiu que precisava de ar fresco – estava sufocada com o aroma de todas aquelas flores – então vestiu a touca e foi para o Queen Street Garden, um parque que ficava ali perto.

Turner foi atrás dela assim que a viu pôr os pés fora de casa. Não estava brincando quando disse que a mantinha sob vigilância. Contudo, o que ele não mencionara era que não contratara profissionais para isso. A honra ficara a cargo do pobre coitado do camareiro dele e, depois de oito horas ininterruptas olhando pela janela, o sujeito ficou muito aliviado quando Miranda finalmente saiu e ele pôde abandonar o posto.

Turner sorriu ao ver Miranda caminhando até o parque com passos ligeiros e eficientes, mas logo franziu a testa ao perceber que não levara uma dama de companhia. Edimburgo não era tão perigosa quanto Londres, mas uma dama não deveria sair sozinha daquela forma. Quando se casassem, aquele comportamento teria que mudar.

E eles *iam* se casar. Assunto encerrado.

Mas àquela altura ele já sabia que seria necessária certa dose de elegância ao tratar do assunto. Em retrospecto, sabia que tinha errado ao mandar o bilhete dizendo que a perdoava. Sabia muito bem que ela se irritaria só de ler, mas não conseguira se conter. Ainda mais considerando o olho roxo que o recebia toda vez que se olhava no espelho.

Miranda entrou no parque e passou alguns minutos caminhando até encontrar um banco livre. Bateu a poeira e se sentou, tirando um livro da bolsa.

A cerca de cinquenta metros dali, Turner sorriu. Gostava de observá-la. Ficou surpreso ao notar a felicidade que sentia só de estar ali, debaixo de uma árvore, vendo Miranda ler um livro. Ela arqueava os dedos graciosamente para virar cada página. Turner foi tomado por uma visão repentina de Miranda sentada à escrivaninha da saleta que ficava ao lado do quarto dele, na Nortúmbria. Escrevia uma carta, provavelmente para Olivia, e sorria ao narrar os eventos do dia.

De repente, ele entendeu que casar-se com ela não era apenas a coisa certa a fazer: era uma *boa* coisa a se fazer. Soube que seria feliz com ela.

Assobiando sozinho, foi até o banco e se aboletou ao lado dela.

– Olá, boneca.

Ela ergueu o rosto para ele e suspirou, revirando os olhos.

– Ah. É você.

– Eu sinceramente espero que nenhum outro cavalheiro chame você por um apelido carinhoso.

Ela torceu o nariz ao ver o rosto dele e disse:

– Sinto muito pelo seu olho.

– Ora, mas já a perdoei por isso, se é que não se lembra.

Ela se retesou.

– Eu me lembro muito bem.

– Sim – murmurou ele. – Imagino.

Ela aguardou. Então, quando ele não foi embora, ela voltou ostensivamente ao livro e anunciou:

– Estou tentando ler.

– Percebi. E faz você muito bem. Gosto de mulheres que expandem a mente. – Turner tomou o exemplar das mãos dela e o virou para ler o título. – *Orgulho e preconceito*. Está gostando?

– *Estava.*

Ele ignorou a grosseria dela e abriu na primeira página, marcando a dela com o dedo indicador.

– "É uma verdade universalmente reconhecida" – leu ele, em voz alta – "que um homem solteiro dotado de considerável fortuna estará à procura de uma esposa."

Miranda tentou agarrar o livro, mas ele o tirou de seu alcance.

– Hum – provocou ele. – Colocação interessante. Eu, sem dúvida, estou à procura de uma esposa.

– Pois então vá para Londres – retorquiu ela. – Vai encontrar mulheres às pencas.

– E tenho uma fortuna considerável. – Turner inclinou-se para a frente, sorrindo para ela. – Caso ainda não tenha percebido.

– Não tenho nem palavras para expressar o meu alívio por saber que você nunca vai morrer de fome.

Ele deu uma risadinha.

– Ah, Miranda – disse ele –, por que não desiste de uma vez? Você não vai conseguir ganhar essa.

– Não consigo imaginar onde você vai encontrar um padre capaz de realizar um matrimônio sem o consentimento da mulher.

– Ah, mas você vai consentir – acrescentou ele, em um tom afável.

– É mesmo?

– Você me ama, esqueceu?

Miranda crispou os lábios.

– Amava. Isso foi há muito tempo.

– Quanto tempo, dois, três meses? Não é muito. Logo, logo o sentimento vai voltar.

– Com você se comportando dessa forma? Duvido.

– Que língua afiada. – Ele deu um sorriso arteiro e inclinou-se ainda mais perto. – Mas, se quer saber, é uma das suas qualidades de que mais gosto.

Ela teve de se segurar para não esganá-lo.

– Creio que, por hoje, já esteja bom de ar fresco – anunciou ela, levantando-se, abraçando o livro junto ao peito. – Vou para casa.

Ele se levantou na mesma hora, dizendo:

– Então irei acompanhá-la, lady Turner.

Ela girou nos calcanhares.

– O que que você disse?

– Só estava testando seu novo sobrenome – murmurou ele. – Acho que combinou com você. Recomendo que vá se acostumando com ele desde já.

Miranda balançou a cabeça e se pôs a caminhar para casa. Tentou tomar a dianteira, mas as pernas dele eram muito mais compridas e Turner não teve a menor dificuldade de acompanhar.

– Veja bem – falou ele, cortês –, vou deixá-la em paz se você conseguir me dar apenas um bom motivo pelo qual nós não deveríamos nos casar.

– Não gosto de você.

– É mentira, então não conta.

Ainda assim caminhando o mais rápido possível, ela ficou pensativa por alguns instantes.

– Não preciso do seu dinheiro.

– Sei que não. Ano passado, Olivia me disse que sua mãe lhe deixou uma pequena herança. O suficiente para você viver bem. Mas é um tanto irracional dizer que não quer se casar com alguém porque não gostaria de ter *mais* dinheiro, não acha?

Ela continuava andando, de cara fechada. Chegaram aos degraus da casa dos avós e Miranda subiu, enérgica. Antes que conseguisse entrar, no entanto, Turner segurou o pulso dela com força apenas suficiente para mostrar que não estava mais brincando.

Embora tenha sido com um sorriso que disse:

– Viu só? Nem sequer um único motivo.

Ela deveria ficar nervosa.

– Talvez – retrucou Miranda, com a voz gélida –, mas também não há um único motivo para nos casarmos.

– Sua reputação não é motivo suficiente? – perguntou ele, baixinho.

Ela o encarou, ressabiada.

– Mas a minha reputação não está em risco.

– Será?

Ela arquejou.

– Você não chegaria a esse ponto.

Ele deu de ombros, e o sutil movimento provocou um arrepio pelas costas dela.

– Não costumo ser um homem inclemente, Miranda – avisou ele –, mas não me subestime. Eu *vou* me casar com você.

– Mas por que raios você *quer* se casar comigo? – gritou ela.

Ele não precisava fazer isso. Nada nem ninguém o obrigava. Miranda praticamente entregara a liberdade a ele em uma bandeja de prata.

– Porque sou um cavalheiro. Assumo a responsabilidade pelas minhas transgressões.

– Então sou uma transgressão para você? – Ela só conseguiu sussurrar, porque parecia não haver restado ar algum em seus pulmões.

Nunca vira Turner tão desconfortável quanto naquele momento, ali de pé diante dela.

– Eu não deveria ter seduzido você. Deveria ter tido mais juízo. E não deveria ter abandonado você nas tantas semanas que se seguiram. Como justificativa, não tenho nada além dos meus próprios defeitos. Mas não vou permitir que minha honra seja colocada de lado. E você vai se casar comigo.

– Você me quer, ou quer a sua honra? – murmurou Miranda.

Ele a olhou como se ela tivesse deixado passar alguma informação primordial, e então respondeu:

– São a mesma coisa.

∽

28 de agosto de 1819

Casei com ele.

∽

Foi um casamento pequeno. Minúsculo, na verdade; os únicos convidados foram os avós de Miranda, a esposa do vigário e, por insistência de Miranda, MacDownes.

Por insistência de Turner, partiram para a casa dele na Nortúmbria logo depois da cerimônia, que, também por insistência dele, ocorrera de manhã bem cedo, para que eles pudessem ganhar tempo na viagem para Rosedale, a mansão da época da Restauração que seria o novo lar do casal.

Miranda se despediu dos avós e Turner a ajudou a subir na carruagem, detendo a mão na cintura dela por alguns instantes antes de dar a impulsão. Foi dominado por um sentimento peculiar e inédito, e com certo espanto compreendeu que estava contente.

O casamento com Leticia envolvera muitas coisas, mas nunca paz. Turner se lançara ao matrimônio em um arroubo frívolo de desejo e excitação que logo se transformara num ambiente opressor de desilusão e pesar. E então, quando tudo terminara, restou apenas raiva.

Ele gostava da ideia de estar casado com Miranda. Ela era confiável. Jamais o trairia, nem com o corpo nem com as palavras. E, embora não sentisse o mesmo desvario que o acometia nos tempos de Leticia, ele desejava Miranda, e com uma intensidade inacreditável. Toda vez que a via, que sentia seu cheiro ou ouvia sua voz... Ele a desejava. Sentia vontade de tocar o braço dela, de sentir o calor de seu corpo. Sentia vontade de chegar bem perto, de inspirar o ar à volta dela.

Sempre que fechava os olhos via-se de novo na cabana de caça, deitado sobre ela, movido por uma força que vinha do âmago, uma força primitiva e possessiva e um pouco selvagem.

Ele a possuíra. E a possuiria outra vez.

Turner entrou na carruagem e se sentou ao lado dela, embora guardasse certa distância. Tudo o que ele queria era se acomodar e puxá-la para o colo, mas sentiu que ela ainda precisava de tempo.

Passariam muitas horas naquela carruagem. Ele podia ser paciente.

Conforme a carruagem deixava Edimburgo para trás, ele observava Miranda. Estava agarrada às saias do vestido de noiva, de um verde-água clarinho. Os nós dos dedos dela estavam brancos, o que indicava o estado de nervos em que se encontrava. Turner fez menção de tocá-la duas vezes, mas logo recuou, sem saber ao certo se o gesto seria bem-vindo. Depois de mais alguns minutos, contudo, acabou dizendo, baixinho:

– Se quiser chorar, não vou julgá-la.

Ela nem se virou.

– Estou bem.

– Está mesmo?

Ela engoliu em seco.

– Claro. Acabo de me casar. Esse não é o maior desejo de toda mulher?

– Mas era o seu desejo?

– É um pouco tarde demais para se preocupar com isso, não acha?

Ele deu um sorriso torto.

– Não sou tão horrível assim, Miranda.

Ela soltou uma risada tensa.

– É claro que não. Você é tudo o que eu sempre quis. Não foi isso que passou os últimos dias me afirmando? Afinal, faz séculos que eu amo você.

Ele notou que queria muito que aquelas palavras não tivessem sido ditas em um tom tão irônico.

– Venha cá – disse ele, puxando-a para si.

– Estou bem aqui... espere... Ei!

Ele passou o braço pelo ombro dela, segurando-a com firmeza.

– Bem melhor, não acha?

A resposta foi amarga:

– Agora não estou mais vendo a paisagem.

– Nada que você já não tenha visto. – Ele empurrou a cortina e olhou lá fora. – Vejamos, árvores, grama, um casebre aqui, outro ali. Nada de mais. – Pegou a mão dela, acariciando-lhe os dedos com leveza. – Gostou do anel? Sei que é um tanto singelo, mas minha família tem o costume de usar alianças simples de ouro.

Miranda sentiu a respiração acelerar, as carícias dele aquecendo suas mãos.

– É lindo – respondeu ela. – Eu... eu não gostaria de ter que usar uma joia muito chamativa.

– Sei que não. Você é muito elegante, boneca.

Ela ruborizou, retorcendo a aliança com certo nervosismo, e respondeu:

– Ah, mas quem escolhe todas as minhas roupas é Olivia.

– Ainda assim, tenho certeza de que você não permitiria que ela escolhesse nada chamativo ou escandaloso.

Ela o olhou de soslaio. Turner sorria de forma gentil, quase bondosa, mas as carícias dele eram uma descarga em seu pulso naquele momento. Provocavam faíscas e arrepios que lhe desciam por todo o corpo. Então ele levou a mão dela aos lábios, pousando em seu pulso um beijo devastadoramente suave.

– Tenho um presente para você – murmurou.

Miranda não se atreveu a olhar para ele. Tinha medo de perder até o último fiapo de compostura.

– Olhe para mim – pediu ele, mas com delicadeza. Então ergueu o queixo dela, virando seu rosto em direção ao dele, e enfiou a mão no bolso, de onde tirou uma caixinha de veludo. – Na pressa da semana, acabei não lhe dando um anel de noivado.

– Ah, mas não precisava – atalhou ela, sem muita sinceridade.

– Fique quieta, boneca. – Ele deu um sorriso zombeteiro. – E aceite o presente de bom grado.

– Sim, senhor – murmurou ela, abrindo a caixa e revelando um diamante com lapidação oval, ladeado por duas pequenas safiras. – Turner, é lindo... – sussurrou ela. – Combina com os seus olhos.

– Posso garantir que não foi essa a intenção – disse ele, com a voz rouca, tirando o anel da caixa e colocando-o no dedo fino dela. – Coube?

– Ficou perfeito.

– Tem certeza?

– Absoluta. Turner, eu... obrigada. Foi muito atencioso de sua parte.

Antes que pudesse se dissuadir, ela se esticou e plantou um beijinho na bochecha dele.

Ele tomou o rosto dela nas mãos.

– Não sou um marido tão terrível quanto você pensa, você vai ver.

Foi se aproximando até roçar os lábios dela em um beijo delicado. Seduzida pelo calor do corpo de Turner e pela sensualidade de sua boca, ela foi se deixando levar.

– Você é tão suave – murmurou ele, tirando os grampos do cabelo dela para acariciar os fios. – Tão suave e tão doce. Eu jamais imaginei...

Miranda inclinou o pescoço para trás, abrindo caminho para os lábios dele.

– Jamais imaginou o quê?

Ele beijava a pele dela com doçura.

– Que você seria assim. Que eu a desejaria dessa forma. E que poderia ser tão bom.

– Eu sempre soube. Sempre.

Miranda disse aquilo sem pensar, mas logo decidiu que não importava. Não naquele momento em que ele a beijava com tamanha sofreguidão, respirando com a mesma dificuldade que ela.

– Tão esperta... – murmurou ele. – Eu deveria ter dado ouvidos a você desde o começo.

Ele começou a soltar o vestido dela, afrouxando o decote nos ombros, e então beijou a curva dos seios com um ardor que foi demais para Miranda.

Ela arqueou as costas contra o corpo dele e não ofereceu a menor resistência quando Turner começou a desabotoar o vestido. Ele conseguiu baixar a peça com facilidade e em poucos segundos encontrou o mamilo.

Miranda gemeu de surpresa e de prazer.

– Ah, Turner, eu... – Ela ofegou. – Quero mais...

– Com o maior prazer.

Ele passou para o outro seio, repetindo aquela doce tortura.

Beijou e sugou cada um, deixando as mãos explorarem livremente o restante do corpo dela. Alisou a coxa, apertou a cintura – era como se estivesse tentando marcá-la, apossar-se dela para sempre.

Miranda se sentia lasciva. Feminina. E então sentiu uma fome, um desejo ardente que vinha também do âmago.

– Eu quero você – sussurrou ela, enterrando os dedos nos cabelos dele. – Eu quero...

Ele levou os dedos à maciez entre as pernas dela.

– Quero *isso* – concluiu.

Com o rosto enterrado no pescoço dela, ele deu uma risadinha.

– Ao seu dispor, lady Turner.

Miranda nem teve tempo de ficar surpresa com o novo nome. Turner já estava fazendo alguma coisa – por Deus, ela nem sequer *sabia* o que ele estava fazendo –, e ela teve que se segurar para não gritar.

Então ele afastou – não os dedos (pois ela o teria matado), mas o rosto, apenas o suficiente para encará-la com um sorriso delicioso e provocar:

– Tem outra coisa que sei que você vai gostar.

Boquiaberta de surpresa, Miranda perdeu todo o ar quando ele ficou de joelhos no chão da carruagem.

– Turner... – sussurrou ela, porque como ele poderia fazer qualquer coisa estando com o rosto lá embaixo? Decerto não haveria de...

Ela ofegou quando ele enfiou a cabeça embaixo das saias dela.

E depois ofegou outra vez ao sentir os beijos ardentes e famintos com que ele cobria sua coxa.

Não restavam mais dúvidas sobre a intenção de Turner. Os dedos dele, que a haviam estimulado de forma tão habilidosa, aninharam-se entre as pernas dela, abrindo-a, separando-a. Em um momento de delírio, ela entendeu que aquilo era apenas um prenúncio para...

A boca dele.

Passado o momento de surpresa, Miranda perdeu totalmente a razão. Tudo o que sentira na primeira vez – e a primeira vez fora, de fato, muito boa – não chegava aos pés do que estava sentindo naquele momento. Ele a sorvia com lábios devassos, enfeitiçando-a. Quando enfim chegou ao clímax, as sensações reverberaram em cada centímetro de seu corpo, cada gota de sua alma.

Meu Deus do céu, pensou, com dificuldade até para respirar. *Como é possível sobreviver a uma coisa dessas?*

De repente o rosto sorridente de Turner voltou para perto do dela.

– Seu primeiro presente de casamento – disse ele.

– Eu... eu...

– Não precisa dizer nada, um "obrigada" já basta – atalhou ele, atrevido como sempre.

– Obrigada – falou ela, ainda sem ar.

Turner lhe deu um beijo suave.

– Disponha, hoje e sempre.

Miranda ficou observando Turner arrumar o vestido dela com cuidado, terminando com um tapinha brincalhão em seu braço. O desejo dele havia esfriado por completo, mas ela ainda se sentia consumida por chamas que vinham de dentro para fora.

– Você... hã... você não...

Um sorriso ousado tomou o rosto dele.

– É o que eu mais quero, mas a não ser que você queira que sua noite de núpcias ocorra dentro de uma carruagem em movimento, vou dar um jeito de me abster.

– Isso não foi a nossa noite de núpcias? – perguntou ela, incrédula.

– Não. Foi apenas um agrado.

– Ah.

Miranda nem conseguia lembrar por que se opusera tanto àquele casamento. Passar a vida inteira recebendo agrados assim era uma perspectiva maravilhosa.

Exausta, ela sentiu o corpo tomado pela languidez e se aninhou em Turner, sonolenta.

– Vamos repetir isso? – murmurou ela, acomodando-se na calidez dele.

– Ah, com toda a certeza. – Sorriu, satisfeito consigo mesmo, enquanto ela adormecia. – Eu prometo.

Capítulo dezesseis

Para os padrões aristocráticos, Rosedale tinha proporções modestas. A residência acolhedora e elegante pertencia aos Bevelstokes havia muitas gerações e era costume que o primogênito a usasse como casa de campo antes de ascender ao título de conde e fazer jus à bem mais grandiosa Haverbreaks. Turner amava Rosedale, com suas paredes de pedra nua, as ameias nos telhados. Acima de tudo, amava a paisagem selvagem, domesticada apenas pelas centenas de roseiras que abundavam nos arredores da casa.

Chegaram tarde da noite; mais cedo, haviam parado para um almoço sossegado perto da fronteira. Miranda dormia profundamente – ela o havia advertido de que o movimento da carruagem sempre a deixava sonolenta –, mas Turner não se incomodava. Gostava do ar tranquilo da noite, preenchido apenas pelo som dos cavalos, da carruagem e do vento. Gostava do luar que se infiltrava pelas janelas. E gostava de observar sua nova esposa, que já não era tão elegante ao dormir: sua boca estava aberta e, para ser sincero, ela roncava um tantinho. Mas ainda assim ele gostava. Não sabia por quê, mas gostava.

E gostava de *saber* que gostava.

Desceu da carruagem e, quando um dos sentinelas se aproximou para ajudar, Turner pediu silêncio, se abaixou e tomou Miranda nos braços. Ela nunca fora a Rosedale, embora não fosse tão longe assim da região dos Lagos. Turner torcia para que ela viesse a amar a propriedade tanto quanto ele. Achava bem possível, pois começava a entender que a conhecia muito bem. Não sabia em que momento isso ocorrera, mas sentia-se capaz de olhar determinada coisa e pensar "Miranda ia gostar disso".

Na subida para a Escócia, quando fora resgatá-la, Turner dera uma passada por ali e instruíra os criados a aprontar tudo. E de fato foi assim que encontrou a casa. No entanto, como não notificou sobre a data exata da chegada, os criados não se apresentaram para conhecer a nova viscondessa. Turner achou bom, pois preferia não ter que acordar Miranda.

Ao entrar em seus aposentos, ficou grato ao encontrar a lareira acesa. Podia ser agosto, mas a Nortúmbria tinha uma friagem característica. Enquanto punha Miranda na cama com muita delicadeza, dois lacaios trouxeram as parcas bagagens do casal. Aos sussurros, Turner informou o mordomo que a nova senhora da casa conheceria a criadagem na manhã seguinte, ou talvez mais à tarde, e depois fechou a porta.

Miranda, cujo sono passara do ronco a um murmúrio inquieto, mudou de posição e abraçou um travesseiro. Turner voltou para o lado dela e a acalentou, sussurrando ao pé do ouvido. Mesmo dormindo, parecia que ela reconhecia a voz dele; ela soltou um suspiro contente e rolou para o outro lado.

– Ainda não é hora de dormir – murmurou ele. – Primeiro temos que tirar essa roupa. – Ela estava deitada de costas para ele, de modo que Turner começou a desabotoar a parte de trás do vestido. – Pode sentar só um instante? Preciso tirar o seu vestido.

Feito uma criança sonolenta, Miranda permitiu que o marido a pusesse sentada.

– Onde estamos? – Ela bocejou, semiacordada.

– Em Rosedale. Sua nova casa. – Ele puxou o vestido na altura dos quadris para poder tirá-lo por cima da cabeça.

– Ah, que agradável. – Ela se largou na cama outra vez.

Ele deu um sorriso indulgente e a pôs sentada novamente.

– Só mais um pouquinho. – Com um movimento habilidoso, tirou o vestido por cima da cabeça dela, deixando-a só de combinação.

– Que bom – murmurou Miranda, tentando se enfiar embaixo das cobertas.

– Ei, mocinha, ainda não. – Ele a pegou pelo tornozelo. – Nesta casa, não se dorme de roupa.

A combinação foi parar no chão, ao lado do vestido. Mal percebendo que estava nua, Miranda finalmente se enfiou entre as cobertas, suspirando de puro contentamento, e adormeceu na mesma hora.

Turner deu uma risadinha e balançou a cabeça, observando a esposa. Já tinha notado antes como os cílios dela eram longos? Talvez fosse só efeito da luz das velas. Como estava cansado também, tirou as roupas com movimentos rápidos e eficientes e foi para a cama. Ela estava deitada de lado, encolhida como uma criança, então ele passou um braço por baixo dela e a puxou para o meio da cama, aninhando-se na calidez do corpo da esposa. A pele de Miranda era insuportavelmente macia, e ele acariciou o abdômen dela. Ela deve ter sentido cócegas, pois deu um leve grunhido esganiçado e rolou para o outro lado.

– Vai ficar tudo bem – sussurrou ele.

Havia afeição e atração entre eles, o que era mais do que havia entre a maioria dos casais. Inclinou-se sobre ela e beijou-lhe a boca adormecida, traçando os contornos de leve com a ponta da língua.

Ela abriu os olhos.

– Ora, ora! Você deve ser a Bela Adormecida – murmurou ele –, já que despertou com um beijo.

– Onde estamos? – perguntou ela, com a voz sonolenta.

– Em Rosedale. Você já me perguntou isso.

– Já? Nem lembrava.

Sem conseguir se conter, ele a beijou outra vez.

– Ah, Miranda, como você é doce...

Ela suspirou, contente com o beijo, mas estava claro que mal conseguia manter os olhos abertos.

– Turner...

– O que foi, boneca?

– Desculpe.

– Pelo quê?

– Desculpe. Mas não vou... não vou conseguir, estou muito cansada. – Bocejou. – Não estou em condições de cumprir o meu dever.

Ele deu um sorriso torto, puxando-a para os braços.

– Shhh – sussurrou, dando um leve beijo na têmpora dela. – Não pense nisso como um dever. É maravilhoso demais para ser visto assim. E eu não sou um calhorda, não vou forçar nada com uma mulher exausta. Ainda temos muito tempo. Não se preocupe.

Mas ela já estava dormindo de novo. Ele beijou de leve os cabelos dela, murmurando:

– Temos a vida inteira.

Na manhã seguinte, Miranda acordou primeiro, dando um grande bocejo assim que abriu os olhos. A luz do dia entrava pelas frestas das cortinas, mas não era o sol que deixava a cama tão quentinha e confortável. Em algum momento durante a noite, Turner passara o braço pela cintura dela, de modo que estava aninhada contra o corpo dele. Senhor, aquele homem era uma fonte inesgotável de calor.

Ela se virou para poder vê-lo dormir. O rosto dele sempre tivera um charme juvenil e o efeito se exacerbava durante o sono. Turner parecia um anjo perfeito, sem nenhum traço do cinismo que às vezes anuviava seus olhos.

– Cortesia de Leticia – murmurou Miranda, acariciando a bochecha dele com toques leves.

Ele se agitou, murmurando, mas sem despertar.

– Ainda não, meu amor – sussurrou ela; já que ele não a ouvia, sentiu-se encorajada a usar um tratamento mais carinhoso. – Gosto de olhar você dormindo.

Turner continuou adormecido e ela ficou ouvindo a respiração dele.

Era o paraíso.

Depois de um tempo ele começou a despertar, esticando o corpo antes mesmo de abrir os olhos. E então lá estava ele, sorrindo, observando-a com olhos sonolentos.

– Bom dia – cumprimentou ele, grogue.

– Bom dia.

Turner bocejou.

– Está acordada há muito tempo?

– Só um pouquinho.

– Está com fome? Posso mandar vir o café da manhã.

Miranda balançou a cabeça.

Ele bocejou outra vez, sorrindo para ela.

– Você fica bem rosinha pela manhã – comentou.

– Rosinha? – Ela ficou intrigada com o comentário.

– Aham. Sua pele... ela brilha...

– Não brilha, não.

– Brilha, sim. Pode confiar.

– Minha mãe sempre disse que eu deveria desconfiar de homens que dissessem para confiar neles.

– Ah, mas, veja bem, sua mãe não me conhecia direito – comentou ele, pousando o indicador nos lábios dela. – Seus lábios também são rosados.

– São? – ela deixou escapar.

– São. Muito. Mas creio que não sejam tão rosa quanto outras partes do seu corpo.

Miranda ruborizou violentamente.

– Isso aqui, por exemplo – murmurou ele, deslizando as palmas sobre os mamilos dela, depois tomando o rosto de Miranda nas mãos com carinho. – Ontem à noite você estava muito cansada.

– Estava, sim.

– Cansada demais até para cuidar de uma questão muito importante.

Ela engoliu em seco, nervosa, tentando reprimir um gemido de prazer que lhe escapou quando ele deslizou a mão pelas costas dela.

– Mas acho que está na hora de consumarmos esse casamento – murmurou ele com os lábios quentes de desejo ao pé do ouvido dela.

Então Turner a puxou para perto, e Miranda sentiu na pele quão ávido ele estava para resolver a questão. Ela deu um sorriso recriminatório, mas bem-humorado.

– Acho que já cuidamos disso há algumas semanas. De modo bastante prematuro, se bem se lembra.

– Aquela vez não conta – rebateu ele, descartando o comentário. – Não estávamos casados.

– Claro que conta. Se não contasse, nós não estaríamos casados.

Turner deu um sorriso travesso, concordando.

– Bem, suponho que tenha razão. Mas tudo se acertou, no fim das contas. Imagino que você não tenha queixas sobre a minha tremenda virilidade.

Miranda podia ser bem inocente, mas até ela sabia que convinha revirar os olhos diante de tal comentário. Contudo, não conseguiu dizer nada, porque ele já estava com a mão em seu seio e ela poderia jurar que tudo o que ele fazia em seu mamilo reverberava bem no meio das pernas.

Sentiu o corpo deslizar para baixo, tirando a cabeça do travesseiro, mas também sentiu-se deslizar para dentro de si, como se cada toque derretesse seu corpo centímetro a centímetro. Ele beijava os seios, a barriga, as pernas dela. Parecia que não havia nenhum pedacinho do corpo de Miranda que não o interessava. Ela não sabia o que fazer. Deitada de costas, recebendo toda a atenção da boca e das mãos exploradoras dele, ela gemia e se contorcia sempre que as sensações a dominavam.

– Está gostando? – murmurou ele, inspecionando com os lábios a parte de trás do joelho dela.

– De tudo – respondeu ela, arquejando.

Turner voltou a subir e beijou-a na boca.

– Não tenho nem palavras para expressar o quanto isso me deixa feliz – disse ele.

– Tudo isso me parece muito indecoroso.

– Mas menos indecoroso do que o que eu fiz na carruagem.

Ela ruborizou só de lembrar, mordendo o lábio para não ter que pedir a ele que repetisse.

Mas ele leu a mente de Miranda – ou, no mínimo, o semblante – e ronronou de prazer, descendo pelo corpo dela até chegar ao meio das pernas. Primeiro beijou a parte interna da coxa, depois passou para a outra.

– Ai, isso... – suspirou ela.

Àquela altura, Miranda já estava além do limite de qualquer pudor. Não ligava se parecia uma libertina. Só o prazer interessava.

– Tão doce – murmurou ele, pousando a mão sobre seus pelos para abri-la ainda mais. O hálito dele a aquecia. De repente, ela sentiu as pernas ficarem tensas, mesmo sabendo que desejava muito o que estava para acontecer. – Não, não, não – brincou ele, abrindo caminho com os lábios até o ponto mais sensível do corpo dela.

Incapaz de emitir qualquer frase coerente, Miranda ganiu sob os beijos dele. Aquilo era prazer ou dor? Não tinha certeza. Então ela enterrou os dedos nos cabelos de Turner e seus quadris começaram a se mexer junto com ele. Turner fez menção de levantar o rosto, mas ela segurou a cabeça dele no lugar com firmeza. Por fim, ele se soltou e subiu para colar o rosto ao dela.

– Achei que não fosse nem me deixar recobrar o fôlego – murmurou ele.

Embora julgasse não estar em posição para tal, Miranda ruborizou.

Turner mordiscou a orelha dela.

– Gostou?

Ela assentiu, incapaz de encontrar as palavras.

– Você ainda precisa conhecer muitas, muitas coisas.

– Posso...? – Ora, como perguntar?

Ele deu um sorriso leniente e indagou:

– Pode o quê?

Ela engoliu em seco, enfrentando a vergonha, e disse:

– Posso *tocar* você?

Em resposta, ele guiou a mão dela à sua virilha. Ao encostar no membro dele, ela recolheu a mão em um ato reflexo. Estava muito mais quente do que imaginou, e muito, muito mais duro. Com paciência, Turner voltou a guiar a mão dela, e dessa vez ela o acariciou com gestos inexperientes, impressionada com a maciez da pele dele.

– É tão diferente – comentou ela, espantada. – Tão curioso.

Ele deu uma risadinha, em parte porque isso o ajudava a conter o desejo que irrompia dentro dele, e disse:

– Nunca me pareceu curioso.

– Quero ver.

– Ah, meu Deus, Miranda... – disse ele, entre os dentes.

– Não, eu quero mesmo. – Miranda puxou as cobertas, deixando-o completamente nu. – Ai, meu Deus do céu...

Como aquilo tudo coubera dentro dela? Ela mal podia acreditar. Ainda movida pela curiosidade, envolveu o membro dele com as mãos e apertou de leve.

Turner quase caiu da cama.

Ela soltou na mesma hora.

– Machuquei você?

– Não. – A voz dele saía rouca. – Faça de novo.

Miranda deu um sorriso de satisfação muito feminino e repetiu a carícia.

– Posso beijar? – perguntou ela.

– Melhor não – respondeu ele, muito, muito rouco.

– Ah. Pensei que, como você tinha me beijado lá...

Turner emitiu um grunhido primitivo e, num movimento ágil, deitou-a de costas na cama e se postou entre as coxas dela.

– Depois. Você pode, mas depois.

Incapaz de seguir contendo o desejo, os lábios dele tomaram a boca de Miranda com uma força avassaladora, demarcando seu território. Com o joelho, ele empurrou a perna dela, abrindo-a ainda mais.

Por instinto, Miranda angulou o quadril para facilitar a entrada. Ele a penetrou sem esforço, e ela ficou impressionada com a capacidade do próprio corpo de se expandir para acomodá-lo. Turner entregou-se a um vaivém lento e cadenciado, gemendo:

– Ah, Miranda. Meu Deus...

– Eu sei. Eu sei.

Ela oscilava a cabeça de um lado para o outro. Estava presa pelo peso do corpo dele, mas não conseguia ficar imóvel.

– Você é minha – rosnou ele, acelerando o ritmo. – Toda minha.

Ela respondeu com um gemido de prazer.

Então ele parou, com um olhar estranho e penetrante, e pediu:

– Diz pra mim.

– Eu sou sua – sussurrou ela.

– Cada centímetro de você. Cada centímetro delicioso de você. Aqui... – Ele apertou o seio dela. – Aqui... – Correu o dedo pela face. – E aqui. – Turner recuou o quadril, deixando só a pontinha dentro de Miranda, então arremeteu com vontade até o fundo.

– Ai, meu Deus, Turner... Eu te dou tudo o que você quiser...

– Eu quero *você*.

– Eu sou sua. Juro.

– E de nenhum outro, Miranda. Prometa.

Mais uma vez, ele recuou até quase sair.

Ela se sentiu tão vazia, tão oca, que quase gritou.

– Eu prometo – arquejou ela. – Por favor... por favor, volte para mim.

Ele a penetrou outra vez, provocando um suspiro de alívio e de desejo.

– Você não vai ter mais nenhum outro homem, ouviu bem?

Miranda sabia que a urgência na voz dele era resquício da traição de Leticia, mas estava tão absorta no desejo que nem pensou em repreendê-lo por compará-la à falecida esposa.

– Eu juro, nenhum outro homem. Nunca desejei ninguém além de você.

– E nem vai desejar. – A firmeza dele era tamanha que parecia capaz de moldar a própria realidade.

– Jamais! Por favor, Turner, por favor... eu preciso de você. Eu preciso...

– Eu sei do que você precisa.

Ele tomou o mamilo dela nos lábios, arremetendo mais rápido. Ela sentiu a pressão dentro de seu corpo aumentar cada vez mais, os espasmos de prazer irradiando pela barriga, pelos braços e pelas pernas. E então, quando achou que não seria capaz de sobreviver mais nem um instante, sentiu o corpo inteiro convulsionar, contraindo-se ao redor do membro de Turner como se ela mesma fosse uma luva de veludo. Miranda gritou o nome dele, cravando os dedos nos braços musculosos, e seus ombros chegaram a se levantar da cama com a força do orgasmo.

Miranda era uma visão tão sensual que Turner perdeu o controle, soltando um grito rouco enquanto arremetia pela última vez, enterrando-se bem fundo nela. O prazer era tão intenso que ele ficou surpreso com a velocidade de seu jorro. E então desabou sobre ela, exaurido. Nunca tinha sido tão bom assim, jamais. Nem mesmo na última vez com Miranda. Agora que sabia que ela era dele e de mais ninguém, parecia que cada movimento, cada toque, era ainda mais intenso. Turner estava espantado com a própria possessividade, perplexo por tê-la feito jurar fidelidade, enojado consigo mesmo por ter manipulado o desejo dela apenas para fazer suas vontades infantis.

Será que ela estava com raiva? Será que o detestava por ter feito o que fizera? Turner ergueu a cabeça e fitou o rosto dela. Miranda estava de olhos fechados e seus lábios se curvavam em um meio sorriso. Era a personificação da mulher satisfeita e ele constatou que, se não estava ofendida com as ações e demandas dele, ele é que não ia discutir com ela.

– Você está toda rosinha, boneca – murmurou, acariciando a face dela.

– Ainda? – Ela estava tão lânguida que nem abriu os olhos.

– Ainda mais.

Turner sorriu, apoiando-se no cotovelo para aliviar o peso de cima dela. Correu o dedo por toda a sua face, começando no canto da boca e subindo até a parte delicada dos olhos. Brincou com os cílios.

– Abra os olhos.

– Bom dia – disse ela, olhando para ele.

– De fato. – Turner deu um sorriso travesso.

Mas o olhar intenso dele a inquietou.

– Não está ficando desconfortável assim?

– Gosto dessa posição.

– Mas seus braços...

– Eles são fortes o bastante para me segurar assim por um bom tempo. Além disso, gosto de olhar para você.

Encabulada, ela desviou o olhar.

– Não, não, não. Você não vai fugir. Olhe para mim. – Ele segurou o queixo dela e virou o rosto para o dele. – Você é linda, sabia?

– Não sou, não. – A voz dela indicava que Miranda tinha *certeza* de que ele estava mentindo.

– Será que dá para parar de me contrariar nesse aspecto? Sou mais velho que você e já conheci muitas mulheres.

– *Conheceu*? – perguntou ela, com uma insinuação no olhar.

– Isso, minha cara esposa, é uma outra história que não é passível de discussão. O que eu quis dizer é que certamente sou melhor *connoisseur* de mulheres do que você, e que você deveria acatar o meu veredito. Se digo que é linda, é porque é linda.

– Turner, você é mesmo muito amável, mas...

Ele inclinou-se sobre ela, ficando nariz a nariz de tão perto.

– Esposa, você está começando a me irritar.

– Céus, desculpe! Eu é que não quero irritar você.

– Acho bom.

Ela abriu um sorriso levemente malicioso.

– Você é muito bonito.

– Obrigado – disse ele, magnânimo. – Viu só a graça com que eu aceitei o seu elogio?

– Pena que estragou o efeito com esse comentário.

Ele balançou a cabeça, dizendo:

– Essa língua, sempre afiada. Vou ter que dar um jeito de calar essa sua boca já.

– Com um beijo? – falou ela, esperançosa.

– Hum, pode ser. – Ele contornou os lábios dela com a ponta da língua. – Muito boa. Muito saborosa.

– Do jeito que você fala, parece até que eu sou uma tortinha de frutas – disse ela.

– Lá vai a língua ferina de novo – falou ele, suspirando.

– Talvez você tenha que ficar me beijando o tempo todo.

Ele suspirou, como se a tarefa fosse hercúlea.

– Ah, está bem então.

Dessa vez, a língua dele penetrou em sua boca, correndo pela superfície lisa de seus dentes. Ao erguer o rosto, viu que ela estava radiante. Não havia outra palavra para descrever a luminosidade que irradiava de sua pele.

– Meu Deus, Miranda – disse ele, rouco. – Você é mesmo linda. – Ele se deitou de lado, puxando-a para os seus braços. – Nunca vi uma mulher tão linda quanto você está agora, neste instante – murmurou, abraçando-a com mais força. – Vamos ficar só mais um pouquinho aqui deitados desse jeito.

Turner adormeceu, pensando que era um ótimo jeito de começar um casamento.

6 de novembro de 1819

Hoje marca a décima semana do meu casamento – a terceira de atraso das minhas regras. Não me surpreende que eu já tenha engravidado outra vez. Turner é um marido muito atencioso.

Não tenho do que reclamar.

—

12 de janeiro de 1820

Hoje à noite, ao entrar na banheira, juro que percebi um leve volume no meu ventre. Agora eu acredito. Agora acredito que o bebê veio para ficar.

—

30 de abril de 1820

Céus, estou imensa. E ainda me restam uns três meses de gestação. Parece que Turner adora meus contornos rechonchudos. Está convencido de que é uma menina. Vive sussurrando "Eu te amo" para a barriga.

Mas só para a barriga. Não para mim. Para ser justa, eu também não disse essas palavras a ele, mas tenho certeza de que ele sabe que eu o amo. Afinal, antes mesmo de nos casarmos eu já havia falado, e ele próprio disse uma vez que ninguém se desapaixona com tanta facilidade.

Sei que ele gosta de mim. Mas por que não me ama? E, se ama, por que não me diz?

Capítulo dezessete

Os meses se passaram e os recém-casados logo desenvolveram uma rotina confortável e carinhosa. Turner, que vivera o inferno ao lado de Leticia, vivia surpreso com os deleites proporcionados por um casamento com a pessoa certa. Para ele, Miranda era sempre fascinante. Amava vê-la ler um livro, escovar o cabelo, dar instruções à governanta – amava vê-la fazer qualquer coisa. E vivia arrumando pretextos para tocá-la. Encontrava uma poeirinha inexistente no vestido só para poder espaná-la ou notava uma madeixa rebelde só para poder arrumá-la.

E ela parecia muito bem com isso. Às vezes, quando estava bastante ocupada, enxotava a mão dele, mas em geral simplesmente sorria – de vez em quando também aproximava o rosto, aninhando-se na mão dele.

Outras vezes, porém, Turner a flagrava fitando-o com intensidade e anseio. Mas ela sempre desviava o olhar tão rápido que ele chegava a se perguntar se o momento de fato acontecera. No fundo sabia que sim, porque, ao fechar os olhos para dormir, sempre entrevia um lampejo de tristeza no último vislumbre dos olhos dela, o que o deixava aflito.

Ele sabia bem o que ela queria. Deveria ser fácil. Três palavrinhas simples. E por que não dizer logo de uma vez? Mesmo que não fosse inteiramente verdade, deixá-la feliz não valia o esforço?

Ele chegava a tentar, se forçava a pronunciar as palavras, mas sempre acabava com um nó na garganta e uma sensação sufocante no peito.

E a maior ironia era que achava que a amava. Sabia que ficaria completamente devastado caso acontecesse algo com ela. Por outro lado, também havia se convencido de que amava Leticia, e aonde isso o levara? Tinha certeza de que amava tudo *em* Miranda, desde o nariz levemente arrebitado até o senso de humor sarcástico do qual ela nunca o poupava. Mas isso era o mesmo que amar a pessoa em si?

E, se era, como saber? Dessa vez, ele queria ter certeza absoluta antes de dizer. Queria alguma evidência científica ou coisa assim. Já havia cometido o erro de se declarar com base apenas na fé, acreditando que a mistura eufórica de desejo e obsessão só podia ser amor. O que mais seria, afinal?

Mas agora ele era mais velho. E também mais sábio, o que era bom, e mais cético, o que não era tão bom assim.

Na maior parte do tempo, conseguia tirar essas preocupações da cabeça. Era homem e, na verdade, é isso que os homens fazem. As mulheres que ficassem discutindo e remoendo à vontade (e provavelmente voltando ao assunto depois para discutir tudo de novo). Ele preferia ponderar uma vez, talvez duas, e ponto final.

E era por isso que ficava atônito por não conseguir se desvencilhar desse problema. Sua esposa era linda. Alegre. Maravilhosa. Ele não deveria desperdiçar tempo e energia sondando os desígnios do próprio coração. Deveria ser capaz de aproveitar cada uma das bênçãos que tinha, em vez de ficar *pensando* tanto.

E era isso que o ocupava (a variedade de motivos para querer *não* estar pensando em tudo isso) quando ouviu alguém bater na porta do escritório.

– Pode entrar!

Miranda enfiou a cabeça pela fresta da porta.

– Atrapalho?

– Não, claro que não. Entre.

Turner teve que conter um sorriso ao vê-la. Nos últimos tempos, parecia que a barriga chegava uns cinco segundos antes dela.

– Estou enorme, não é? – comentou ela, notando seu sorriso.

– Está, sim.

Miranda suspirou.

– Você podia ter poupado meus sentimentos e mentido. Mulheres na minha condição ficam muito emotivas, sabe?

Ela fez menção de se sentar na poltrona perto da escrivaninha, apoiando-se nos braços do móvel. Na mesma hora, Turner saltou de onde estava para ajudá-la.

– Acho que gosto de você desse jeito.

Ela deu uma risada sarcástica.

– Você gosta é de ficar vendo uma prova cabal da própria virilidade.

Isso arrancou um sorriso dele.

– Ela já chutou hoje?

– Não, e eu não teria tanta certeza assim de que é *ela*.

– Ora, mas é claro que é *ela*. É óbvio.

– Presumo, então, que planeja se especializar como parteiro vidente?

Ele ergueu a sobrancelha.

– Olha essa boca...

Miranda revirou os olhos e entregou a ele um papel.

– Hoje recebi uma carta da sua mãe. Imagino que você queira ler.

Turner pegou a carta das mãos da esposa e andou pelo escritório enquanto lia. Ele adiara o máximo dar a notícia do casamento para a família, mas depois de dois meses Miranda o convencera de que não dava mais para evitar. Como esperado, todos ficaram chocados (com exceção de Olivia, que já fazia ideia do que estava acontecendo) e correram para Rosedale na mesma hora para avaliar a situação. Ele praticamente ouvia a mãe murmurando "Eu sonhei tanto..." centenas de vezes e soube que Winston ficara cabisbaixo, mas no geral Miranda fizera uma transição tranquila de Cheever para Bevelstoke. Afinal, já era praticamente da família.

– Winston andou aprontando em Oxford – murmurou Turner, correndo os olhos pelas palavras da mãe.

– Bem, sim, presumo que isso fosse esperado.

Achando graça, ele ergueu os olhos para ela.

– Como assim?

– Não pense que nunca ouvi falar das *suas* peripécias na universidade.

Ele sorriu.

– Sou muito mais maduro hoje em dia.

– Acho bom.

Ele se aproximou dela e a beijou, primeiro na ponta do nariz, depois na barriga.

– Quem me dera estudar em Oxford – lamentou-se ela. – Adoraria assistir a todas aquelas aulas.

– Nem todas. Pode acreditar, algumas eram execráveis.

– Ainda assim, acho que eu teria gostado.

Ele deu de ombros.

– Talvez. Você é muito mais inteligente do que a maioria dos homens que conheci na universidade.

– Depois de passar quase meia temporada em Londres, devo dizer que não é difícil ser mais inteligente do que a maioria dos cavalheiros.

– Exceto, espero, sua atual companhia.

Ela aquiesceu de forma graciosa.

– Claro.

Ele voltou para a escrivaninha. O que mais amava no casamento com Miranda era exatamente aquilo: os diálogos sagazes que preenchiam o cotidiano. Pegou o documento que estava lendo antes de ela entrar.

– Parece que terei de ir a Londres.

– Agora? Mas tem alguém lá nessa época do ano?

– Quase ninguém – admitiu ele; o Parlamento estava em recesso e a maior parte da alta sociedade andava pelo interior. – Mas um grande amigo está lá e precisa da minha ajuda com uma questão de negócios.

– Gostaria que eu fosse com você?

– Nada me deixaria mais feliz, mas, a essa altura da sua gestação, não quero que se arrisque na viagem.

– Estou me sentindo perfeitamente bem.

– E eu acredito, mas ainda assim me parece leviano correr riscos desnecessários. Além do mais, não há como escapar do fato de que você está ficando um tanto... – ele pigarreou – pesada.

Miranda fechou a cara.

– Você poderia muito bem ter pensado em um comentário mais elogioso dada a minha condição.

Ele deu um sorrisinho e beijou a bochecha dela.

– Não vou demorar. Uma quinzena, no máximo.

– Uma quinzena? – queixou-se ela.

– São no mínimo quatro dias de viagem para ir e para voltar. Com o tanto que tem chovido, as estradas estarão péssimas.

– Vou sentir saudade.

Ele hesitou por um instante.

– Também vou.

Primeiro ela não disse nada. Depois suspirou, um som melancólico que fez o coração dele ficar apertado. Mas então a postura dela mudou e pareceu mais animada ao dizer:

– Bem, suponho que eu tenha o bastante para me ocupar aqui. – Suspirou. – Ficaria bem contente em redecorar o salão oeste. Os revestimentos estão desbotados de dar dó. Talvez convide Olivia para vir me visitar. Ela tem muito jeito com essas coisas.

Turner deu um sorriso satisfeito. Ficava feliz em ver que Miranda estava começando a amar a casa tanto quanto ele.

– Confio no seu julgamento. Não precisa do aval de Olivia.

– Mas eu gostaria da companhia dela enquanto você estiver fora.

– Então faça isso, peça para ela vir. – Ele olhou o relógio. – Está com fome? Já passa e muito do meio-dia.

Distraída, ela acariciou a barriga.

– Não muito. Mas até que eu comeria um pouquinho.

– Mais do que um pouquinho – afirmou ele. – Bem mais. Afinal, está comendo por duas, não é?

Miranda olhou com tristeza o ventre carregado.

– Nem me fale, Turner. Nem me fale.

Ele se levantou e foi até a porta.

– Vou até a cozinha buscar algo para comer.

– Por que não manda buscar?

– Não, não, assim vai ser bem mais rápido.

– Mas eu não...

Tarde demais. Ele já estava no corredor e nem ouviu o que ela disse. Miranda sorriu sozinha e se acomodou na poltrona, recolhendo as pernas. Não havia dúvidas a respeito do zelo com que Turner cuidava daquela gravidez. Ele afofava os travesseiros antes de Miranda se deitar, sempre a provia de alimentos da melhor qualidade, e especialmente colava o ouvido na barriga dela todas as noites para ouvir o bebê se mexer.

– Acho que ela chutou! – exclamava ele, animado.

Um dia, Miranda implicou com ele:

– Deve ter sido só um arroto.

Alheio ao sarcasmo na voz dela, Turner erguera o rosto com o semblante preocupado.

– Eles arrotam dentro da barriga? Isso é normal?

Ela dera uma bela gargalhada.

– Sei lá, Turner.

– Talvez convenha perguntar ao médico.

Ela pegara a mão dele e o puxara para que se deitasse ao lado dela.

– Tenho certeza de que está tudo bem.

– Mas...

– Se mandar chamar o médico, ele vai achar que você está louco.

– Mas...

– Vamos dormir. Isso, me abrace. Mais forte. – Miranda suspirava, aninhando-se nele. – Pronto. Agora vou dormir bem.

Ainda no escritório, Miranda sorriu ao se lembrar desse momento. Ele fazia umas cem coisinhas assim todos os dias, demonstrando quanto a amava. Mas... ele a amava, não? Como poderia olhar para ela com tamanho afeto e não a amar? Por que ela vivia sempre tão insegura a respeito dos sentimentos dele?

Porque ele nunca disse em voz alta, respondeu a si mesma. É claro que sempre a elogiava e vivia comentando como estava *satisfeito* por ter se casado com ela.

Era a mais cruel das torturas, e ele não fazia a menor ideia. Porque achava que estava sendo gentil e atencioso, e estava mesmo.

Mas toda vez que olhava para ela e sorria daquele jeito secreto e acolhedor, ela pensava – por um segundo eufórico – que ele iria se aproximar e sussurrar...

Eu te amo.

E toda vez que isso não acontecia e ele só plantava um beijinho em sua bochecha ou acariciava seu cabelo ou perguntava se tinha gostado do maldito pudim...

Algo dentro dela desmoronava. Era um pequeno aperto, um pequeno vinco, mas as ranhuras no coração iam se acumulando pouco a pouco, e a cada dia ficava ainda mais complicado fingir que ela levava a vida que sempre sonhara.

Tentara ser paciente. A última coisa que desejava era que ele mentisse. Seria devastador ouvir um "eu te amo" sabendo que a frase era vazia.

Mas não queria pensar nisso. Afinal, ele andava muito doce e atencioso. Ela deveria ficar completamente feliz com isso.

E estava mesmo. Completamente. Ou quase. O pedacinho dela que continuava insistindo no assunto era ínfimo, e a coisa estava começando a dar nos nervos, porque ela não queria ficar desperdiçando tanta energia pensando em algo que estava fora do seu controle.

Queria viver o momento e se deleitar com as muitas bênçãos em sua vida, sem ter que ficar pensando *tanto* no assunto.

Turner voltou exatamente nesse momento, atravessando o escritório a passos largos para dar um beijo carinhoso na cabeça dela.

– A Sra. Hingham disse que a comida virá em alguns minutos.

– Estava falando que você nem precisava ter ido lá embaixo – repreendeu Miranda. – Eu sabia que ainda não ia ter nenhuma comida pronta.

– Se eu não tivesse ido, teria que ter esperado que uma criada viesse ver o que eu queria, depois teria que ter esperado ela descer e então esperado a Sra. Hingham preparar a nossa comida e depois...

– Está bem! – Miranda ergueu a mão. – Já entendi.

– Foi mais rápido assim. – Ele inclinou o rosto com uma expressão maliciosa. – Não sou uma pessoa paciente.

Nem eu, pensou Miranda, melancólica.

O marido, contudo, alheio à perturbação dela, só deu um meio sorriso enquanto olhava pela janela. Uma leve camada de neve cobria as árvores.

Logo chegaram um lacaio e uma criada, trazendo a comida e arrumando tudo na escrivaninha.

– Mas e os seus papéis? – perguntou Miranda.

– Não tem problema.

Ele pegou todos e fez uma pilha.

– Mas assim não vai misturar tudo?

Ele deu de ombros.

– Estou com fome. Isso é o que importa. *Você* é o que importa.

Ao ouvir as palavras românticas, a criada deu um leve suspiro. Miranda deu um sorriso contido. A criadagem devia achar que ele se derretia de amores por ela sempre que estavam sozinhos.

– Vejamos... – Turner voltou a falar, compenetrado. – Temos carne ensopada com legumes. Boneca, quero que coma tudinho.

Miranda olhou de esguelha para a terrina que ele pusera na frente dela. Era comida para um batalhão de grávidas.

– Você só pode estar brincando – disse ela.

– Nem um pouco.

Ele pegou a colher cheia e levou até ela.

– Sério, Turner, eu não consigo...

Ele enfiou a colher em sua boca mesmo assim.

Por um segundo ela quase se engasgou de tamanha surpresa, então mastigou e engoliu.

– Sou plenamente capaz de comer sozinha.

– Mas assim é muito mais divertido.

– Talvez para vo...

E lá veio a colher de novo.

Miranda comeu e reclamou:

– Isso é ridículo.

– Bobagem.

– Por acaso isso é mais um jeito de tentar me ensinar a não falar tanto?

– Não, embora eu tenha perdido uma ótima oportunidade com essa sua última frase.

– Turner, você não tem je...

Ele pegou a colher outra vez, e completou por ela:

– Jeito?

– Sim – gaguejou ela.

– Ah, não – disse ele. – Você está com o queixo sujo.

– Quem está controlando a colher é você.

– Fique parada... – Ele se inclinou e lambeu a gota de molho que havia na pele dela. – Hum, delicioso.

– Então trate de me acompanhar – disse ela. – Tem comida de sobra.

– Ah, mas eu não quero privar você desses valiosos nutrientes.

Ela bufou em resposta.

– Mais uma colherada... Céus, errei a sua boca de novo!

E lá estava ele mais uma vez, os lábios prontos para limpar o caldo no queixo dela.

– Você fez de propósito!

– Acha mesmo que desperdiçaria a comida do prato da minha esposa grávida de propósito? – Fingindo afronta, ele levou a mão ao peito. – Você deve achar que sou um calhorda.

– Não um calhorda, mas certamente um...

– Vitória!

De dedo em riste, Miranda o repreendeu.

– *Mmph grmphng gtrmph...*

– Não fale de boca cheia. Olhe os modos!

Ela engoliu.

– Eu disse que ainda vou me vingar, seu... – Ela se calou quando a colher atingiu seu nariz.

– Ah, olhe só o que você fez – falou ele, balançando a cabeça com exagero. – Está se mexendo tanto que errei sua boca. Fique paradinha.

Ela comprimiu os lábios, mas não conseguiu reprimir um sorrisinho.

– Boa garota – murmurou ele.

Ele encostou a boca na ponta do nariz dela e sugou de levinho até limpar todo o molho.

– Turner!

– Temos aqui a única mulher no mundo que sente cócegas no nariz. – Ele riu. – E eu tive o bom senso de me casar com ela.

– Pare com isso já!

– Isso o quê? Sujar você de molho, ou te beijar?

Ela arquejou.

– Sujar meu rosto. Não precisa de pretexto para me beijar.

Ele avançou.

– Não?

– Não.

– Mas que alívio. – Ele encostou o nariz no dela.

– Turner...

– Hmmm?

– Se você não me beijar logo, acho que vou enlouquecer.

Ele a provocou com o mais leve dos beijos.

– Isso é suficiente?

Ela fez que não com a cabeça, então ele a beijou com mais intensidade.

– E agora?

– Ainda não.

– O que você quer? – sussurrou ele, os lábios colados aos dela.

– O que *você* quer? – rebateu ela.

Miranda correu as mãos pelos braços dele e parou nos ombros. Por hábito, começou a massageá-los.

O que provocou nele um ardor aparentemente instantâneo.

– Meu Deus, Miranda – grunhiu, relaxando o corpo. – Que delícia! Não, não pare. Por favor, não pare.

– Impressionante – falou ela, com um leve sorriso. – Parece que tenho mesmo você na palma da mão.

– Faço qualquer coisa – gemeu ele. – Só não pare.

– Por que está tão tenso?

Ele abriu os olhos e a encarou com uma expressão sugestiva.

– Você sabe muito bem.

Ela ruborizou. Na última visita, o médico informara que eles deveriam interromper as relações. Turner passara uma semana inteira reclamando.

– Eu me recuso a acreditar – disse ela, parando a massagem e sorrindo quando ele protestou. – Eu me recuso a acreditar que sou o único motivo das suas dores nas costas.

– Estou tenso por não poder fazer amor com você, além do desgaste físico de ter que carregar esse seu corpanzil escada acima...

– Você nunca teve de me carregar, nem uma única vez!

– Ora, isso é verdade, mas já pensei nisso, e foi o suficiente para me dar uma tremenda dor nas costas. Bem... – ele torceu o braço para trás, indicando um ponto nas próprias costas – ... aqui.

Miranda fez bico, mas começou a massagear o local indicado.

– Milorde é um tremendo de um bebezão.

– Aham – concordou ele. – Se incomodaria se eu me deitasse? Acho que vai facilitar para você também.

Miranda ficou se perguntando como ele conseguira a façanha de convencê-la a massageá-lo nas costas ali mesmo, no tapete do escritório. Mas ela também estava se divertindo. Amava tocar o corpo dele, memorizar cada contorno. Sorrindo sozinha, puxou a camisa de Turner para fora da calça e enfiou as mãos por baixo, tocando diretamente a pele quente e sedosa. Correu as mãos pelo corpo dele (porque era impossível se conter) só para sentir aquela suavidade dourada que lhe era tão característica.

– Seria tão bom se massageasse as minhas costas... – ela se ouviu dizer.

Já fazia semanas que não conseguia se deitar de barriga para baixo.

Ele se virou para ela e sorriu; dando um leve gemido, se sentou.

– Sente-se aqui – falou ele, virando-a para massageá-la.

E o toque foi divino.

– Ah, Turner! – suspirou ela. – Está tão bom...

Ele soltou um gemido e ela se virou, como pôde, para ver o rosto dele.

– Sinto muito – disse ela, franzindo a testa ao ver desejo e autocontrole travando uma guerra no semblante do marido. – Se serve de consolo, eu também sinto falta.

Ele a abraçou o mais forte possível, cuidando para não pôr muita pressão na barriga.

– Não é culpa sua, boneca.

– Eu sei, mas mesmo assim. Sinto muito a sua falta. – Num sussurro, acrescentou: – Sinto falta, sobretudo, das vezes em que você vai tão fundo dentro de mim que parece alcançar o meu coração.

– Não fale assim – disse ele, a voz já rouca.

– Desculpe.

– E, pelo amor de Deus, pare de se desculpar.

Ela quase riu.

– Desc... Não, esqueça. Mas eu sinto muito, sim, que você esteja passando por essa... hã... situação. Não me parece justo.

– É mais do que justo. Para ter uma esposa saudável e um belo bebê, só o que preciso fazer em troca é me segurar por alguns meses.

– Mas você não deveria ter que passar por isso – murmurou ela de modo insinuante, correndo as mãos até a frente da calça dele. – Não mesmo.

– Miranda, pare com isso. Não vou suportar.

– E nem deve – repetiu ela, erguendo a camisa dele e beijando o abdômen teso.

– O que... Ah, meu Deus, Miranda... – Ele gemeu, arquejante.

Miranda desceu ainda mais.

– Ah, meu Deus... Miranda!

∽

7 de maio de 1820

Sou uma desavergonhada.

Meu marido, no entanto, jamais reclamou.

Capítulo dezoito

Na manhã seguinte, Turner acordou a esposa com um beijo suave na testa.

– Você vai ficar bem sem mim?

Miranda engoliu em seco e assentiu, segurando as lágrimas que havia jurado não derramar. Ainda estava escuro lá fora, mas Turner queria ganhar tempo na viagem para Londres. Ela estava sentada na cama com as mãos na barriga, observando o marido se vestir.

– Seu camareiro vai ter um ataque apoplético. Como bem sabe, ele acha que você não consegue se vestir direto sozinho.

Só de calça, Turner foi até ela e se sentou na cama.

– Tem certeza de que não se incomoda que eu vá?

– É claro que me incomodo. Preferia que você ficasse. – Um sorriso trêmulo tocou o rosto dela. – Mas vou ficar bem. Além do mais, sem você aqui para me distrair, acho que serei muito mais produtiva.

– Ah, é mesmo? Eu a distraio tanto assim?

– Muito. – Ela deu um sorriso tímido. – Embora, nos últimos tempos, eu já não possa ser tão "distraída" assim por você.

– Hum. Infelizmente, é verdade. Eu, por outro lado, fico distraído o tempo inteiro. – Ele tomou o rosto dela nas mãos e a beijou de forma apaixonada e carinhosa. – Fico distraído toda vez que vejo você – murmurou ele.

– Toda vez? – perguntou ela, incrédula.

Ele assentiu com solenidade.

– Mas estou parecendo uma vaca.

– Aham. – Ele não afastava os lábios dos dela. – Uma vaca muito atraente por sinal.

– Seu insolente! – Ela se desvencilhou e deu um soquinho brincalhão no ombro dele.

Ele respondeu com um sorriso travesso.

– Parece que essa viagem a Londres vai fazer bem para a minha saúde. Pelo menos, para o meu corpo. Ainda bem que eu não sou propenso a hematomas.

Ela fez uma careta para ele.

Ele estalou a língua para ela, levantando-se e atravessando o quarto.

– Vejo que a maternidade não lhe trouxe maturidade.

Miranda atirou o travesseiro nele.

Em um instante, Turner já estava de volta à cama, deitando-se ao lado da esposa.

– Talvez eu devesse ficar aqui para manter você sob rédea curta.

– Talvez.

Ele a beijou outra vez, mal contendo seu desejo e seus sentimentos.

– Eu já disse – murmurou ele, beijando a tez macia da esposa – como eu amo estar casado com você?

– H-hoje não.

– Ainda está cedo. Queira perdoar o meu lapso. – Mordeu o lóbulo da orelha dela. – Tenho certeza de que disse ontem mesmo.

E anteontem, pensou Miranda, dividida entre a ternura e o amargor. *E antes de anteontem.* Mas ele nunca dissera que a amava. Por que era sempre "amo estar com você" e "amo fazer coisas com você", e nunca "amo você"? Ele não conseguia dizer sequer "eu adoro você". "Adoro estar casado com você" era, claramente, uma escolha mais segura.

Turner notou a melancolia no semblante dela.

– Algum problema, boneca?

– Não, não – mentiu ela. – Não é nada. É só que... vou sentir saudade, só isso.

– Também vou sentir saudade.

Ele a beijou pela última vez, então se levantou e vestiu a camisa.

Sob o olhar de Miranda, ele andava pelo quarto, reunindo seus pertences. Embaixo das cobertas, os punhos cerrados dela agarravam o lençol, retorcendo-o em espirais furiosas. Ele não diria nada se ela não desse o primeiro passo. E por que ele faria isso? Estava claro que ele andava perfeitamente contente com as coisas do jeito que estavam. Ela teria que tomar a iniciativa, mas tinha medo – muito medo de que ele não a tomasse nos braços e dissesse que estava apenas esperando ouvir mais uma vez que ela o amava. Mas o maior medo de Miranda era que ele engolisse em seco, desconfortável, e dissesse algo como "Você sabe o quanto eu *gosto* de você, Miranda..."

Só de pensar, ela estremeceu de pavor, suspirando laboriosamente.

– Tem certeza de que está se sentindo bem? – perguntou ele, em um tom de preocupação.

Teria sido tão fácil mentir. Era só dizer meia dúzia de palavras e ele não sairia mais do lado dela, tomando-a nos braços acolhedores à noite e beijando-a com tamanha ternura que ela quase poderia se convencer de que era amada. Mas era essencial que houvesse verdade e nada mais que a verdade entre eles, então ela apenas aquiesceu, dizendo:

– Estou bem, Turner. Bem mesmo. Foi só um tremelique de quem acaba de acordar. Acho que meu corpo ainda está dormindo.

– Você deveria estar dormindo por inteiro. Não quero que se desgaste muito enquanto eu estiver fora. Está a menos de dois meses de parir.

Ela deu um sorriso sardônico.

– Como se eu fosse capaz de me esquecer.

– Acho bom. Afinal, é o meu bebê que está aí dentro. – Turner vestiu o casaco e se inclinou para dar um beijo de despedida.

– O bebê é meu também.

– Hum, eu sei. – Ele endireitou as costas, pronto para sair. – É por isso que eu já amo tanto essa bebê.

– Turner!

Ele se virou. Havia uma nota estranha na voz dela, quase de medo.

– O que foi, Miranda?

– Só queria dizer... enfim, só queria que você soubesse...

– Soubesse o quê, Miranda?

– Só queria que você soubesse que eu te amo. – As palavras se atropelaram ao sair, como se ela tivesse medo de perder a coragem se falasse com mais calma.

Ele congelou como se o próprio corpo não lhe pertencesse. Mas a verdade é que já estava esperando por isso. Não estava? E não era *bom*? Não queria tanto o amor dela?

Os olhos deles se encontraram, e Turner quase *ouvia* os pensamentos dela...

Não parta meu coração, Turner. Por favor, não parta meu coração.

Turner abriu a boca, hesitou. Durante todos aqueles meses, andava dizendo a si mesmo que queria que ela declarasse seu amor mais uma vez, porém, feito isso, só sentia um nó apertando cada vez mais a garganta. Não conseguia respirar. Não conseguia pensar. E não conseguia ver direito, pois sua visão estava tomada por aqueles imensos olhos castanhos e pelo desespero estampado neles.

– Miranda, eu... – Ele engasgou com as próprias palavras.

Por que não conseguia dizer? Não era amor o que sentia? Por que era tão difícil?

– Não, Turner – cortou ela, com a voz trêmula. – Não diga nada. Esqueça.

Apesar da garganta apertada, ele ainda conseguiu dizer:

– Você sabe o quanto eu gosto de você.

– Divirta-se em Londres.

A voz dela estava devastadoramente oca, e ele sabia que não podia deixá-la dessa maneira.

– Miranda, por favor...

– Não me dirija a palavra! – gritou ela. – Não quero ouvir suas desculpas e não quero ouvir banalidades! Não quero ouvir nada que saia da sua boca!

Exceto "eu te amo".

As palavras não ditas pesaram no ar entre eles. Turner sentia Miranda se afastando cada vez mais dele, e viu-se impotente diante do crescente abismo que se abria entre eles. Sabia o que fazer, e não devia ser difícil. Misericórdia, eram só três palavrinhas! E ele queria dizê-las. Mas sentia que estava diante de alguma coisa muito profunda e, por mais que tentasse, não conseguia dar o último passo.

Não era racional. Não fazia sentido. Ele não sabia se tinha medo de amá-la ou de ser amado. Não sabia nem se sentia mesmo esse medo. Talvez estivesse apenas morto por dentro, com o coração tão maltratado pelo primeiro casamento que era incapaz de agir de forma lógica e normal.

– Querida... – começou ele, tentando pensar em algo que a deixasse feliz de novo. Ou, na pior das hipóteses, que ao menos afugentasse um pouco a expressão devastada em seus olhos.

– Não me chame assim – murmurou ela, tão baixo que mal se fazia ouvir. – Me chame pelo meu nome.

Ele quis gritar. Quis berrar. Quis chacoalhar os ombros dela até fazê-la entender que *ele* não entendia. Mas não foi capaz de nenhuma dessas coisas, de modo que apenas assentiu e declarou:

– Então nos vemos em algumas semanas.

Ela aquiesceu. Uma única vez. E desviou o olhar.

– Creio que sim.

– Adeus – disse ele, baixinho, fechando a porta ao sair.

~

– Verde é certamente uma cor muito versátil – disse Olivia, examinando as cortinas puídas do salão oeste. – E você sempre fica muito bem quando usa essa cor.

– Eu não vou vestir as cortinas – respondeu Miranda.

– Eu sei, mas, tendo a chance de compor sua beleza com o ambiente, convém fazer isso em seu próprio salão, não acha?

– Com certeza convém – respondeu Miranda, caçoando da fala afetada de Olivia.

– Ah, pare com isso. Se não queria meus conselhos, não devia ter me convidado. – Olivia abriu um sorriso sincero. – Mas ainda bem que convidou. Eu estava morrendo de saudades, Miranda. Haverbreaks é um tédio só no inverno. Fiona Bennet vive mandando me chamar.

– Uma perspectiva pavorosa – concordou Miranda.

– De tanto tédio, vou acabar aceitando um dos convites dela.

– Ah, não faça isso.

– Não acredito que você ainda se ressente daquele incidente das fitas no meu aniversário de 11 anos!

– Só um pouquinho – disse Miranda, demonstrando a ínfima quantidade com o polegar e o indicador.

– Céus, Miranda, deixe isso para lá! Você acabou fisgando o Turner no fim das contas. E bem debaixo do nosso nariz! – Olivia ainda estava ligeiramente mordida porque o irmão e a melhor amiga haviam se envolvido sem que ela soubesse. – Embora eu deva dizer que acho um acinte ele ter ido para Londres e largado você aqui, sozinha.

Miranda deu um sorriso tenso, repuxando as saias.

– Não é tão ruim assim – murmurou ela.

– Mas você já está tão perto do parto – protestou Olivia. – Ele não deveria ter deixado você sozinha.

– Ele não deixou – afirmou Miranda, tentando desviar a questão. – Você está aqui comigo.

– Sim, sim, e eu ficaria até o parto se pudesse, mas mamãe disse que não é apropriado para uma moça solteira.

– Não consigo pensar em nada que seja mais apropriado – respondeu Miranda. – Como se você não fosse estar nessa mesma situação em alguns anos.

– Sim, mas antes eu preciso de um marido – lembrou-lhe Olivia.

– Não prevejo nenhuma dificuldade nesse aspecto. Quantos pedidos você recebeu este ano? Seis?

– Oito.

– Então nada de reclamar.

– Não estou reclamando, é só... Ah, deixa para lá. Ela disse que posso ficar em Rosedale, só não posso ficar junto com você na hora.

– Cortinas – disse Miranda, lembrando o assunto em questão.

– Ah, sim, é claro – falou Olivia, logo voltando aos negócios. – Se usarmos um tecido verde para revestir as paredes, podemos usar um tom que contraste nas cortinas. Talvez uma cor secundária.

Miranda aquiescia e sorria sempre que necessário, mas seus pensamentos estavam longe. Em Londres, para ser exata. Turner se infiltrava em seus pensamentos a cada segundo do dia. No meio de uma conversa com a governanta, o sorriso dele aparecia bem diante de seus olhos. Não conseguia terminar o livro que estava lendo porque seus ouvidos ainda ecoavam a risada dele. E à noite, pouco antes de adormecer, seus lábios formigavam com os leves beijos dele e ela ansiava pela calidez de seu corpo.

– Miranda? Miranda!

Ela se deu conta de que Olivia repetia o nome dela com impaciência.

– O quê? Ah, sinto muito, Livvy. Eu estava com os pensamentos longe.

– Eu sei. Ultimamente parece que seus pensamentos estão em qualquer lugar menos em Rosedale.

Miranda forçou um suspiro ressentido.

– Presumo que seja o bebê. Ando com a cabeça meio ruim.

Pensou com tristeza que em dois meses já não poderia mais pôr seus lapsos momentâneos de razão na conta da gravidez – e então, o que ia fazer?

Deu um sorriso tranquilizador para Olivia e disse:

– O que você queria me dizer?

– Só ia observar que, se não gosta de verde, podemos usar nas paredes do salão um tom meio cor-de-rosa queimado. Você poderia chamar de salão rosé. Acho que seria muito apropriado para Rosedale.

– Não acha que seria feminino demais? – perguntou Miranda. – Turner também usa bastante este salão.

– Ah, sim. Eu não sabia.

Miranda só reparou que estava de punhos cerrados quando as unhas começaram a ferir as palmas. Curioso como a mera menção ao nome dele era capaz de desestruturá-la assim.

– Por outro lado – disse, estreitando os olhos de forma perigosa. – Sempre gostei de cor-de-rosa queimado. Está decidido.

– Tem certeza? – Agora quem estava incerta era Olivia. – Mas o Turner...

– Que se dane o Turner – interrompeu Miranda, com uma veemência que fez com que Olivia erguesse a sobrancelha. – Se ele queria opinar na decoração, não tinha nada que ter ido para Londres.

– Não precisa ser tão rude – apaziguou Olivia. – Tenho certeza de que ele está com muita saudade de você.

– Absurdo. Aposto que ele nem sequer pensa em mim.

Ela o assombrava.

Depois de quatro dias intermináveis de viagem na carruagem fechada, Turner pensou que seria capaz de tirar Miranda da cabeça, considerando Londres e todas as distrações que lá havia.

Mas ele estava errado.

A última conversa que tiveram não parava de se repetir em sua mente, mas sempre que tentava mudar as falas, tentava fingir que respondera outra coisa, que tinha sequer *pensado* em outra coisa para responder, a cena inteira desaparecia. A lembrança se dissolvia, deixando apenas a imagem daqueles imensos olhos castanhos entorpecidos de dor.

A culpa era uma emoção estranha para ele. Queimava, ardia, sufocava a garganta. Raiva era muito, muito mais fácil. Raiva era limpa. Precisa. E nunca tinha a ver com ele.

Tinha a ver com Leticia. Com seus amantes. Mas nunca com ele.

Mas a culpa... culpa era diferente. E ele não sabia como ia conseguir viver assim. Eles podiam voltar a ser felizes, não podiam? Ele era feliz antes daquela conversa. Ela também era. Miranda podia reclamar das falhas dele, mas Turner sabia que ela tinha sido feliz.

Jurou, então, que ela voltaria a sentir-se assim. Quando Miranda aceitasse que ele nutria por ela todo o afeto de que era capaz, poderiam voltar à existência confortável que haviam construído desde o casamento. Ela teria o bebê. Eles seriam uma família. Ele faria amor com ela usando as mãos, usando os lábios, usando tudo menos palavras.

Ele já a conquistara uma vez. Podia conquistá-la de novo.

~

Duas semanas depois, Miranda estava sentada em seu novo salão rosé tentando ler um livro porém passando muito mais tempo olhando pela janela. Turner mandara avisar que estava para chegar, e ela não conseguia reprimir as palpitações sempre que ouvia qualquer som que lembrasse uma carruagem se aproximando.

O sol estava se pondo quando ela enfim notou que não tinha lido uma única página do livro. Preocupada, uma das criadas trouxe o almoço que ela se esquecera de pedir e, mal tendo terminado a sopa, Miranda logo adormeceu no sofá.

Poucas horas depois, a carruagem pela qual Miranda esperara com tamanha diligência chegou à entrada da casa, e Turner, cansado da viagem, mas ansioso para ver a esposa, desceu. Abriu uma das bolsas e tirou um embrulho feito com esmero, deixando o resto da bagagem a cargo dos lacaios. Olhou para a casa e viu que não havia nenhuma luz no quarto deles. Torceu para que Miranda não estivesse dormindo; não teria coragem de acordá-la, mas queria muito conversar com ela ainda naquela noite para consertar as coisas.

Subiu os degraus da frente batendo os pés com força, tentando livrar as botas de um pouco de lama. O mordomo, que passara quase tanto tempo quanto Miranda esperando por ele, abriu a porta antes mesmo que Turner precisasse bater.

– Boa noite, Brearley – cumprimentou Turner, afável.

– Bem-vindo de volta, milorde.

– Obrigado. Minha esposa ainda está acordada?

– Creio que esteja no salão rosé, meu senhor. Lendo, se não me engano.

Turner tirou o casaco.

– O que ela gosta muito de fazer.

– Temos sorte que a senhora da casa seja uma dama tão letrada – acrescentou Brearley.

– Mas, Brearley, nesta casa não tem um salão rosé.

– Agora tem, meu senhor. É o antigo salão oeste.

– É mesmo? Então ela redecorou. Que bom. Quero que ela se sinta em casa aqui.

– Todos nós, meu senhor.

Turner sorriu. Miranda angariara uma intensa lealdade por parte de toda a criadagem. As aias a idolatravam.

– Vou surpreendê-la.

Então atravessou o vestíbulo, pegando a direita até chegar ao que costumava ser o salão oeste. Pela fresta da porta, Turner viu o bruxulear de uma vela. Ah, aquela danada... Com certeza ela sabia que era necessário mais do que uma única vela para ler.

Abriu a porta e pôs a cabeça para dentro. Miranda dormia no sofá, com a boca relaxada e entreaberta. Havia um livro aberto sobre a barriga; na mesinha ao lado, uma refeição por terminar. Ela estava tão linda e inocente que o coração dele chegou a doer. Sentira falta da esposa durante a viagem – pensara nela, e na partida nada auspiciosa, quase todos os minutos dos dias. Mas foi só naquele momento, vendo-a ali, de olhos fechados, o peito subindo e descendo ao sabor da respiração tranquila, que ele compreendeu a profundidade e o calibre de sua saudade.

Havia se convencido de que não iria acordá-la se fosse o caso, mas então reconsiderou, decidindo que só valeria se ela já estivesse na cama. Ela teria que ser despertada para subir para o quarto de qualquer forma, então por que não acordá-la imediatamente?

Seguiu até o sofá, tirou o prato da mesinha e se apoiou nela, pousando o pacote no colo.

– Acorde, querida... – Ele se deteve, lembrando, tarde demais, que ela o proibira de usar termos carinhosos. Tocou o ombro dela. – Acorde, Miranda.

Piscando, ela despertou.

– Turner? – Sua voz estava embargada de sono.

– Olá, boneca.

Decidiu mandar a restrição às favas. Ia, sim, usar o termo carinhoso que bem entendesse.

– Eu quase... – Ela bocejou. – Eu quase desisti de esperar você chegar.

– Eu avisei que chegaria hoje.

– Mas as estradas...

– Não estavam tão ruins assim.

Ele sorriu para ela. A mente sonolenta de Miranda ainda não se dera conta de que ela estava brava com ele, e Turner não via por que relembrar. Tocou a face dela.

– Estava com saudade.

Miranda bocejou de novo.

– Ah, é?

– Muita saudade. – Ele hesitou. – Sentiu saudade de mim?

– Eu... senti, sim. – Ela percebeu que não havia por que mentir. Ele já sabia que ela o amava. – A viagem foi boa? – perguntou, educadamente.

– Teria sido melhor se você estivesse comigo.

Ele estava medindo as palavras, como se a frase tivesse sido pesada com cuidado para não ofender. E então, com a mesma educação, perguntou:

– Você se divertiu na minha ausência?

– Olivia passou alguns dias aqui comigo.

– É mesmo?

Miranda assentiu, e então falou:

– Tirando isso, tive muito tempo para pensar.

Fez-se um longo silêncio, e então:

– Entendo.

Enquanto ela o observava em silêncio, ele deixou o embrulho de lado, se levantou e foi até a vela solitária.

– Está muito escuro aqui. – Havia uma certa afetação no tom dele, e ela lamentou não ver o rosto de Turner enquanto ele usava a chama para acender várias outras velas.

– Ainda estava claro lá fora quando adormeci – declarou ela, porque... bem, porque parecia haver entre eles uma espécie de acordo tácito para manter a conversa cordial e civilizada e cautelosa, o que significava que qualquer assunto mais profundo deveria ser evitado.

– Entendo – disse ele. – Tem escurecido muito cedo. Você devia estar muito cansada.

– Carregar outra vida na barriga é exaustivo.

Ele sorriu. Finalmente.

– Não falta muito.

– Não, mas quero que esse último mês seja o mais agradável possível.

As palavras dela pesaram no ar. Não tinham sido ditas de forma leviana, e ele captara muito bem a inflexão por trás delas.

– O que você quer dizer com isso? – Ele pronunciou cada palavra com tamanha leveza e precisão que ela imediatamente notou a seriedade do tom.

– Quero dizer que... – Engoliu em seco, desejando que estivesse de pé com as mãos na cintura, de braços cruzados, em qualquer outra posição menos vulnerável do que deitada no sofá. – Quero dizer que as coisas não podem mais ser como eram.

– Mas nós éramos felizes – falou ele, com cautela.

– Éramos, sim. Eu era. Digo... era, mas não era.

– Boneca, ou era, ou não era. Um ou outro.

– Ambos – insistiu ela, reprovando o tom taxativo dele. – Você não entende, não é? – E então olhou bem para ele. – Vejo que não.

– Não sei o que você quer de mim – falou ele, sem rodeios.

Mas ambos sabiam que ele estava mentindo.

– Preciso saber o que eu sou para você.

– O que você é para mim? – Ele parecia incrédulo. – O que você é para mim? Mas que inferno, mulher! Você é minha esposa. O que mais precisa saber?

– Preciso saber se você me ama! – vociferou ela, levantando-se de forma desajeitada. Como ele não respondeu nada, só ficou ali parado com um tremelique na face, ela prosseguiu: – Ou então, que não me ama.

– Que diabo você quer dizer com isso?

– Preciso saber o que sente. Preciso saber o que você sente por mim. Se você não... se você não... – Ela fechou os olhos com força, cerrando os punhos, tentando raciocinar em busca das palavras certas. – Não me interessa se você não se importa com isso – falou, por fim. – Mas eu preciso saber.

– Mas que conversa é essa? – Furioso, ele correu a mão pelo cabelo. – Eu passo cada minuto de cada dia dizendo o quanto a adoro.

– Você não diz que me adora. Diz que adora estar casado comigo.

– E qual é a diferença? – Ele praticamente gritou.

– Talvez você adore estar casado. Ponto.

– Depois de estar casado com Leticia? – vociferou ele.

– Sinto muito. – E ela sentia muito mesmo. Mas só por Leticia, não por todo o resto. – Só que há uma diferença. Uma diferença enorme – argumentou ela, com a voz grave. – Quero saber se você gosta de *mim*, não apenas de como se sente quando está comigo.

Turner se apoiou no parapeito, largando nele o peso do corpo, com os olhos fixos na janela. Embora estivesse de costas para ela, Miranda ouviu muito bem quando ele disse:

– Não sei do que você está falando.

– Você não quer saber – atalhou ela. – Você tem *medo* de pensar nisso. Você...

Turner se virou na mesma hora, calando-a com o olhar mais severo que ela já vira em seu rosto. Até mesmo naquela primeira noite em que ele a beijara, quando estava se embebedando sozinho depois do enterro de Leticia, ele não se mostrara tão áspero quanto agora.

Então foi se aproximando dela com movimentos lentos e deliberados, exalando raiva.

– Não sou um marido dominador, mas minha clemência termina quando você me chama de covarde. Escolha com mais cuidado as suas palavras, *esposa*.

– E você, *marido*, escolha com mais cuidado as suas atitudes – retorquiu ela, sentindo na espinha a rispidez do tom dele. – Eu não sou nenhum... – Ela tremia da cabeça aos pés, procurando as palavras. – Não sou nenhum *bibelô*, nenhuma desmiolada para que você me trate dessa forma.

– Ah, Miranda, pelo amor de Deus! Quando foi que eu a tratei desse jeito? Quando? Por favor, diga para mim, estou morrendo de curiosidade.

Miranda hesitou, incapaz de sustentar o argumento, e então disse:

– Não gosto nem um pouco de ser tratada com esse tom arrogante, Turner.

– Então não me provoque. – A expressão dele se aproximava perigosamente de um esgar.

– “Não me provoque?” – vociferou ela, incrédula, avançando na direção dele. – Não me provoque, *você*!

– Eu não fiz porcaria nenhuma, Miranda! Num instante nós estávamos perfeitamente felizes e, no outro, você me atacou com uma fúria tamanha, me acusando sabe-se lá de qual atrocidade, e...

Ele parou ao sentir os dedos dela se cravando em seus antebraços.

– Você achava mesmo que nós éramos perfeitamente felizes? – sussurrou ela.

Ele olhou para ela e, por um momento, pareceu até que estava simplesmente surpreso.

– Ora, mas é claro – respondeu ele. – Eu dizia isso o tempo inteiro. – Mas então ele balançou a cabeça, revirou os olhos e se desvencilhou. – Ah, mas eu já ia me esquecendo. Tudo o que fiz, tudo o que eu disse... nada disso importa. Você não *se importa* se eu sou feliz com você. Não quer nem saber se eu gosto de estar com você. Só o que importa para você é saber o que eu sinto por você.

E então, porque ela não tinha como não dizer, murmurou:

– E o que, afinal, você sente por mim?

Foi como se ela o tivesse estourado com um alfinete. Turner era sempre feito de energia e ação, sempre despejando palavras sarcásticas uma atrás da outra, mas naquele instante... Naquele instante ele só ficou parado, sem dizer nada, encarando-a como se ela tivesse invocado a Medusa na sala de estar deles.

– Miranda, eu... eu...

– Você o quê, Turner? Você o quê?

– Eu... Jesus Cristo, Miranda, não é justo.

– Você não consegue dizer.

O horror tomou os olhos dela. Até aquele instante, ela ainda tinha alguma esperança de que as palavras fossem irromper da boca dele, de que talvez Turner ainda estivesse pensando em tudo e, na hora certa, no auge da paixão, a frase pudesse escapar aos lábios dele e ele percebesse, enfim, que a amava.

– Meu Deus – murmurou Miranda. Em um único segundo, a minúscula parte do coração dela que sempre acreditara que ele poderia vir a amá-la murchou e morreu, levando consigo boa parte da alma. – Meu Deus – repetiu ela. – Você não consegue dizer.

Turner viu o vazio nos olhos da esposa e soube que a havia perdido.

– Não quero machucar você – falou ele, de forma patética.

– Tarde demais. – Ela se engasgou nas palavras enquanto caminhava, devagar, em direção à porta.

– Espere!

Miranda parou e se virou.

Turner entregou a ela o pacote que trouxera.

– Pegue – falou ele, com a voz oca. – Trouxe isso para você.

Miranda pegou o embrulho e acompanhou com os olhos a partida dele. Com as mãos trêmulas, abriu o pacote. *A morte de Arthur.* Aquele mesmo exemplar da livraria de cavalheiros que ela tanto desejara.

– Ah, Turner... – sussurrou ela. – Por que você foi fazer algo tão gentil? Tudo o que eu queria era poder odiá-lo.

Horas depois, ela limpava o livro com um lenço, torcendo para que o sal de suas lágrimas não manchasse a encadernação de couro.

7 de junho de 1820

Lady Rudland e Olivia chegaram hoje para esperar o nascimento "do herdeiro", que é como todo o clã Bevelstoke se refere ao bebê. O doutor acha que ainda vou demorar um mês ou mais para entrar em trabalho de parto, mas lady Rudland disse que não quer arriscar.

Tenho certeza de que elas já perceberam que Turner e eu já não dormimos mais no mesmo quarto. Naturalmente é incomum que duas pessoas casadas durmam no mesmo quarto, mas como nós dormíamos da última vez em que elas estiveram aqui, tenho certeza de que estão curiosas para entender o ocorrido. Já faz duas semanas que levei meus pertences para outro aposento.

O quarto é frio e minha cama, gelada. Estou odiando.

Nem o nascimento da criança me entusiasma.

Capítulo dezenove

As semanas seguintes foram horríveis. Turner criou o hábito de fazer as refeições no escritório; ficar uma hora por noite diante de Miranda era mais do que ele era capaz de suportar. Tinha certeza de que a perdera de vez, e ver aqueles olhos tão vazios, tão despidos de emoção, era uma verdadeira agonia.

Se Miranda parecia entorpecida, Turner, por sua vez, estava excessivamente sensível.

Estava furioso com ela por pressioná-lo daquela forma, por tentar forçá-lo a admitir sentimentos que ele nem sabia se tinha.

Estava possesso por ela ter decidido abandonar o casamento só porque ele não passara em um teste qualquer que ela lhe impunha.

Estava culpado por deixá-la tão triste. Não sabia como deveria tratá-la e morria de medo de nunca mais conseguir reconquistá-la.

Estava com raiva da própria incapacidade de dizer que a amava e sentia-se completamente inepto, já que sequer identificava se estava ou não apaixonado.

Acima de tudo, sentia-se sozinho. Sentia-se sozinho sem a esposa. Sentia falta dela, de seus comentários engraçados e suas expressões excêntricas. De vez em quando, ao cruzar com ela no corredor, forçava-se a encará-la, tentando captar o menor vislumbre da mulher com quem se casara. Mas ela não estava mais lá. Era outra Miranda. Parecia não se importar. Não se importava com nada.

A mãe dele, que viera ficar com eles até o nascimento do bebê, avisara que Miranda mal vinha tocando na comida. Ele xingara baixinho. Miranda deveria saber que isso não era saudável. Mas não tivera forças para ir falar com ela e botar algum juízo em sua cabeça. Apenas instruíra os criados a ficarem de olho.

Eles lhe davam notícias diárias, geralmente à noitinha, quando ele estava no escritório contemplando o álcool e seus efeitos entorpecentes. Não foi diferente naquela noite; estava no terceiro copo de conhaque quando ouviu uma batida rápida à porta.

– Entre.

Para sua surpresa, quem entrou foi a mãe. Ele a cumprimentou com um meneio de cabeça e logo disse:

– Imagino que tenha vindo me repreender.

Lady Rudland cruzou os braços.

– E por que você acha que precisa ser repreendido?

Ele deu um sorriso amarelo.

– Por que a senhora não me diz? Imagino que tenha uma lista imensa.

– Você viu a sua esposa alguma vez durante essa semana que passou? – exigiu saber a mãe.

– Não, creio que nã... Ah, sim... – Bebeu um gole de conhaque. – Passei por ela no corredor há alguns dias. Terça-feira, se não me falha a memória.

– Ela já passa dos oito meses de gestação, Nigel.

– Sei muito bem disso.

– Você está agindo como um canalha ao deixá-la assim sozinha nessa hora tão delicada.

Ele bebeu mais um gole imenso.

– Para seu governo, quem me deixou foi ela, não o contrário! E não me chame de Nigel.

– Vou chamá-lo do jeito que eu bem entender!

Turner ergueu a sobrancelha. Jamais ouvira a mãe proferir uma frase tão ríspida e deselegante.

– Parabéns, mãe. Desceu ao meu nível.

– Me dê isso aqui! – De um salto, ela arrancou o copo da mão de Turner, entornando o líquido âmbar na escrivaninha. – Estou estarrecida com o seu comportamento, Nigel. Você está agindo da mesma forma que agia nos tempos de Leticia. Anda rude, detestável... – As palavras morreram quando ele agarrou o pulso dela.

– Nunca mais cometa o disparate de comparar Miranda a Leticia. – O tom dele era ameaçador.

– Mas eu não comparei! – Ela arregalou os olhos, surpresa. – Jamais faria tal coisa.

– Ótimo.

Subitamente, ele a soltou e foi até a janela. A paisagem estava tão lúgubre quanto seu humor.

Lady Rudland ficou algum tempo em silêncio, e então perguntou:

– O que pretende fazer para salvar seu casamento, Turner?

Ele suspirou dolorosamente.

– De onde vem essa certeza toda de que sou eu que preciso fazer algo para salvá-lo?

– Pelo amor de Deus, basta olhar para a garota! Está claro que ela é apaixonada por você.

Ele cravou os dedos no parapeito da janela.

– Não tenho visto nenhum indício disso nos últimos tempos.

– Como espera ver qualquer coisa se faz semanas que você nem sequer a olha? Pelo seu próprio bem, espero que não tenha matado qualquer sentimento que ela nutrisse por você.

Turner não disse nada. Só queria que aquela conversa terminasse.

– Ela não é a mesma mulher que eu vi aqui há alguns meses – prosseguiu a mãe. – Ela estava tão feliz... Sei que teria feito qualquer coisa para agradar você.

– Mãe, as coisas mudam.

– E podem voltar a ser o que eram. – A voz de lady Rudland era suave, porém insistente. – Venha jantar conosco hoje. Os jantares têm sido muito desconfortáveis sem a sua presença.

– Posso assegurá-la de que será mais desconfortável se eu estiver lá.

– Então me permita formar a minha própria opinião sobre o assunto.

Turner se empertigou, respirando fundo. Será que a mãe tinha razão? Haveria alguma chance de ele e Miranda resolverem suas diferenças?

– Leticia ainda se faz sentir nesta casa, sabe? – falou a mãe dele, baixinho. – Você precisa deixá-la ir, Turner. Permita que Miranda cure seu coração. Tenho certeza de que ela é capaz, mas para isso você precisa dar uma chance a ela.

Ele sentiu a mão da mãe no ombro, mas não se virou, pois era orgulhoso demais para permitir que ela visse seu semblante magoado.

A primeira pontada veio cerca de uma hora antes do horário do jantar. Alerta, Miranda pôs a mão no ventre. O médico dissera que o parto deveria acontecer em cerca de duas semanas.

– Bem, parece que você vai chegar mais cedo do que o esperado – disse ela, baixinho. – Só aguente um pouco mais, até o fim do jantar, pode ser? Estou com fome, para variar. Faz semanas que ando sem apetite, sabe? Preciso comer.

O bebê respondeu com um chute.

– Ah, é assim que vai ser? – sussurrou Miranda, sorrindo pela primeira vez em semanas. – Vamos fazer um trato. Você me deixa jantar em paz e eu juro que não chamo você de Efigênia.

Outro chute.

– Se for menina, é claro. Se for menino, prometo não chamar você de... Nigel! – O som da própria risada lhe soou estranho, porém... agradável. – Prometo não chamar você de Nigel.

O bebê sossegou.

– Ótimo. Agora vamos nos vestir para o jantar.

Miranda chamou a criada e, uma hora depois, desceu as escadas, agarrando-se com força ao corrimão. Não sabia bem por quê, mas não queria contar a ninguém que o bebê estava chegando. Talvez fosse por sua aversão natural a chamar atenção. Além disso, tirando uma dor a cada dez minutos, sentia-se bem. Estava sem a menor vontade de ficar confinada à cama tão cedo. Só queria que o bebê esperasse até o fim do jantar. Afinal, não tinha a menor vontade de aprender sobre os aspectos constrangedores do parto bem à mesa.

– Ah, Miranda, aí está você – chamou Olivia. – Estamos tomando uma bebida no salão rosé. Quer se juntar a nós?

Miranda assentiu, seguindo a amiga.

– Você está um pouquinho estranha – prosseguiu Olivia. – Está se sentindo bem?

– Só estou me sentindo imensa, obrigada.

– Bem, muito em breve você vai diminuir.

Bem mais cedo do que vocês imaginam, pensou Miranda.

Lady Rudland entregou uma limonada a ela.

– Obrigada – respondeu Miranda. – De repente, me deu uma baita sede.

Indiferente aos bons modos, Miranda bebeu tudo de uma só vez. Lady Rudland não disse palavra enquanto ela tornava a encher o copo. Miranda bebeu o segundo quase tão rápido quanto o primeiro.

– Será que o jantar está pronto? – perguntou ela. – Estou faminta.

Na verdade, isso era só um dos motivos para sua pressa. Se demorassem muito, Miranda ia acabar parindo na mesa de jantar.

– Com certeza – respondeu lady Rudland, um tanto surpresa com a avidez de Miranda. – Pode ir na frente, querida. A casa é sua, afinal.

– Pois sim.

Segurando a barriga como se isso fosse ajudar a retardar o processo, ela rumou para o corredor.

Na mesma hora, topou com Turner.

– Boa noite, Miranda.

Ao som da bela voz grave do marido, ela sentiu um tremor bem no fundo do coração.

– Está passando bem, espero.

Ela assentiu, tentando evitar o olhar dele. Passara o último mês inteiro se adestrando para não se transformar em uma poça de saudade e desejo toda vez que o via. Aprendera a manter o semblante neutro e impassível. Todos sabiam que ele partira seu coração; a última coisa que queria era que todos se lembrassem disso sempre que ela adentrasse o recinto.

– Com licença – murmurou ela, passando por ele e seguindo na direção do salão de jantar.

Turner pegou o braço dela.

– Permita-me acompanhá-la, boneca.

O lábio dela estremeceu. O que ele estava tentando fazer? Se estivesse se sentindo menos confusa (ou menos grávida), ainda teria feito uma tentativa de se desvencilhar da mão dele, mas acabou aquiescendo e permitindo que ele a conduzisse.

Durante os primeiros pratos, Turner não disse nada, o que foi ótimo para Miranda, que estava mais do que satisfeita em evitar a conversa e se concentrar na comida. Lady Rudland e Olivia até tentaram puxar assunto, mas Miranda sempre dava um jeito de estar de boca cheia. Sua estratégia para fugir das respostas era estar sempre mastigando ou engolindo, e então murmurar: "Estou faminta."

Funcionou durante os três primeiros pratos, mas então o bebê parou de cooperar. Miranda achava que estava disfarçando muito bem as dores, mas em determinado momento ela deve ter deixado transparecer, pois Turner lhe lançou um olhar penetrante e perguntou:

– Algum problema?

Ela deu um sorriso ameno, mastigou, engoliu e murmurou:

– Nenhum. Só estou mesmo com muita fome.

– Estamos vendo. – O comentário seco de Olivia lhe rendeu um olhar reprobatório da mãe.

Miranda comeu mais um pedaço de frango com amêndoas e se encolheu de novo. Dessa vez, Turner não teve dúvidas.

– Você fez, sim, um barulho. Eu ouvi. O que está acontecendo?

Ela mastigou e engoliu.

– Nada. Embora eu esteja mesmo com uma fome considerável.

– Talvez esteja comendo rápido demais – sugeriu Olivia.

Miranda aceitou prontamente a desculpa.

– Ah, sim, deve ser isso. Vou comer mais devagar.

Por sorte, o rumo da conversa mudou quando lady Rudland confrontou Turner a respeito de uma lei que ele havia apoiado no Parlamento. Miranda deu graças aos céus que a atenção dele agora estivesse voltada para outra coisa; Turner a vinha observando muito atentamente e estava ficando mais difícil manter o rosto plácido a cada contração.

A barriga dela se contraiu novamente, e dessa vez ela perdeu a paciência.

– Pare com isso – sussurrou ela, olhando para baixo –, ou vai mesmo se chamar Efigênia.

– Miranda, disse alguma coisa? – perguntou Olivia.

– Ah, não, nada.

Alguns minutos depois, mais um apertão.

– Pare, Nigel – sussurrou ela. – Tínhamos um trato.

– Agora eu tenho certeza de que você disse alguma coisa – insistiu Olivia.

– Por acaso você me chamou de Nigel? – perguntou Turner.

Miranda pensou que era mesmo curioso que o tivesse aborrecido mais ao chamá-lo de Nigel do que ao se mudar para outro quarto.

– É claro que não! Você deve estar imaginando coisas. Mas, nossa, como estou cansada! Se não se importam, acho que vou me retirar. – Miranda fez menção de se levantar, mas então sentiu um líquido quente escorrendo pelas pernas e voltou a se sentar. – Pensando bem, vou esperar a sobremesa.

Lady Rudland se retirou, dizendo que estava de regime e que não queria ter que assistir aos demais comendo pudim. Com a saída dela, ficou mais difícil evitar a conversa, mas Miranda fez o melhor que pôde, fingindo estar concentrada na comida e torcendo para que ninguém lhe perguntasse nada. Quando finalmente a refeição chegou ao fim, Turner se levantou e foi até ela, oferecendo-lhe o braço.

– Não, obrigada, acho que vou ficar mais um pouco aqui. Estou cansada demais, sabe?

Miranda sentia o rubor subindo pela nuca. Deus do céu! Nunca vira um livro de etiqueta que ensinasse o que fazer diante de um bebê determinado a nascer no meio de um jantar formal. Miranda estava mortificada e com medo de não conseguir sequer se levantar.

– Quer mais sobremesa? – ofereceu Turner, secamente.

– Sim, por favor – respondeu ela, a voz falhando.

Assim que Turner foi chamar um lacaio, Olivia perguntou:

– Miranda, tem certeza de que está se sentindo bem? Você está com uma cara estranha.

– Vá buscar sua mãe – disse Miranda. – Agora.

– Mas já é...?

Miranda fez que sim com a cabeça,

– Ah, meu Deus! – Olivia engoliu em seco. – Está na hora!

– Hora de quê? – perguntou Turner, irritado, mas então viu a expressão de pavor no rosto de Miranda. – Maldito inferno de Deus! Está na hora!

Num instante ele já estava ao lado da esposa, pegando-a no colo, alheio às manchas que se entranhavam no tecido caro do paletó quando tocou nas saias encharcadas.

Miranda agarrou-se ao corpo forte dele, esquecendo sua resolução de agir com indiferença. Enterrou o rosto no seu pescoço, absorvendo sua força. Nas horas seguintes, ela ia precisar de toda a força que conseguisse reunir.

– Sua tolinha – murmurou ele. – Quanto tempo você passou sentada sentindo dor?

Ela preferiu não responder, ciente de que seria duramente repreendida se dissesse a verdade.

Turner subiu as escadas, levando-a para um quarto de hóspedes que já estava preparado para o parto. Mal a pusera na cama quando lady Rudland entrou no cômodo, apressada.

– Muito obrigada, Turner – disse ela, prontamente. – Agora vá mandar chamar o médico.

– Brearley já se incumbiu disso – respondeu ele, olhando para Miranda com ansiedade.

– Ótimo, então vá se manter ocupado. Vá pegar uma bebida.

– Não estou com sede.

Lady Rudland suspirou.

– Meu filho, quer que eu desenhe? Saia daqui!

– Por quê? – Turner ficou incrédulo.

– Um homem não tem nada que estar presente no nascimento de um bebê.

– Na hora da concepção minha presença não foi tão dispensável – resmungou ele.

Miranda ruborizou.

– Turner, por favor! – implorou ela.

Ele a encarou.

– Você quer que eu saia?

– Quero. Não quero. Não sei.

Com as mãos na cintura, ele enfrentou a mãe:

– Acho que eu deveria ficar. A filha é minha também.

– Pois bem. Então fique ali naquele cantinho e não atrapalhe – enxotou lady Rudland.

Miranda foi castigada por outra contração.

– Uuuugh! – gemeu ela.

– O que foi? – Num piscar de olhos, ele já estava ao lado dela outra vez. – É normal isso? É normal ela estar...

– Turner, se acalme! – ralhou lady Rudland. – Você vai acabar deixando Miranda ainda mais tensa. – Ela se virou para a nora e pôs uma toalha úmida em sua testa. – Não ligue para ele, minha querida. Tudo isso é perfeitamente normal.

– Eu sei. Eu... – Miranda fez uma pausa, recobrando o fôlego. – Posso tirar esse vestido?

– Ah, céus, mas é claro. Mil desculpas, eu esqueci. Você deve estar muito desconfortável. Turner, venha cá me ajudar.

– Não! – exclamou Miranda.

Ele estacou, com uma expressão gélida no rosto.

– Faça a senhora ou peça para ele fazer – disse Miranda à sogra. – Mas não os dois ao mesmo tempo, pelo amor de Deus!

– Ah, é efeito do parto – tranquilizou lady Rudland. – Você não está falando coisa com coisa.

– Não! Se a senhora quiser, ele pode tirar meu vestido porque ele... ele já me viu sem vestido antes. Ou a senhora pode tirar, porque é mulher. Mas não quero ser vista ao mesmo tempo pelos dois. Será que a senhora não entende? – Miranda apertou o braço dela com uma força atípica.

No cantinho dele, Turner reprimiu um sorriso.

– Mãe, vou deixar que a senhora faça as honras.

Ele estava se esforçando para deixar a voz neutra, caso contrário, perigava cair na risada. Assentindo, saiu do quarto. Forçou-se a chegar pelo menos ao meio do corredor antes de soltar uma bela gargalhada. Como era curiosamente escrupulosa, aquela esposa dele.

No quarto, com os dentes trincados, Miranda passava por mais uma contração enquanto lady Rudland tirava seu vestido totalmente estragado.

– Ele já foi? – Miranda ainda desconfiava que Turner fosse voltar para espiar em algum momento.

– Ele não vai mais incomodar – respondeu a sogra.

– Não é um incômodo – disse Miranda, antes mesmo de pensar.

– Claro que é. Lugar de homem não é no trabalho de parto. É um processo doloroso, faz muita sujeira e homem nenhum consegue ser útil. Melhor que eles fiquem do lado de fora, pensando em formas de recompensar a esposa por todo o trabalho.

– Ele me deu um livro de presente – sussurrou Miranda.

– É mesmo? Eu estava pensando mais em diamantes...

– Seria ótimo também – respondeu Miranda, bem fraquinho.

– Pode deixar que vou dar essa indireta. – Lady Rudland vestiu a camisola em Miranda e afofou os travesseiros às costas da nora. – Prontinho. Está confortável?

Mais uma pontada na barriga.

– Nem. Um. Pouco – disse ela, entre os dentes.

– Outra contração? – perguntou lady Rudland. – Meu Deus, estão muito próximas! Creio que talvez tenhamos aqui um parto atipicamente rápido. Espero que o Dr. Winters chegue logo.

Prendendo a respiração durante a onda de dor, Miranda aquiesceu.

Lady Rudland apertou a mão dela, franzindo a testa com compaixão.

– Não sei se é de alguma ajuda, mas saiba que é muito pior quando são gêmeos.

– Não é, não – disse Miranda, ofegando.

– Não é de alguma ajuda?

– Não.

Lady Rudland suspirou.

– Para ser sincera, imaginei que não seria. Mas não se preocúpe – acrescentou ela, animando-se um pouco. – Logo estará acabado.

Vinte e duas horas depois, Miranda desejava uma nova definição para a palavra "logo". Estava com o corpo todo dolorido, a respiração saía em arquejos entrecortados e nenhuma inspiração parecia levar uma quantidade suficiente de ar aos pulmões. E as contrações não paravam, uma pior que a outra.

– Aí vem mais uma... – gemeu ela.

Na mesma hora, lady Rudland enxugou diligentemente a testa dela com uma toalha.

– Faça força, meu bem.

– Não consigo... estou muito... Maldito inferno de Deus! – gritou, recorrendo ao epíteto preferido do marido.

No corredor, Turner se empertigou ao ouvir o berro. Depois de tirar o vestido sujo de Miranda, a mãe puxara o filho de lado e o convencera de que o melhor para todos era que ele ficasse no corredor. Olivia pegara duas cadeiras em uma saleta próxima, trazendo-as para a porta do quarto. Zelosa, dispôs-se a fazer companhia ao irmão e tentava não estremecer ao som dos gritos de dor.

– Parece que essa foi ruim, hein? – comentou ela, nervosa, tentando puxar assunto.

Ele apenas a olhou torto. Foi a coisa errada a se dizer.

– Tenho certeza de que não vai demorar muito mais – falou Olivia com mais esperança do que certeza. – Não vai piorar mais.

Miranda gritou outra vez. A agonia era evidente.

– Eu acho – acrescentou Olivia, debilmente.

Turner enterrou o rosto nas mãos.

– Nunca mais vou nem chegar perto dela – gemeu ele.

– Ele nunca mais vai nem chegar perto de mim! – urrou Miranda, dentro do quarto.

– Bem, parece que você e sua esposa estão de acordo nessa questão – comentou Olivia, tentando alegrá-lo. Roçou de leve o punho no queixo dele. – Anime-se, irmãozão. Você está prestes a ser pai.

– Espero que seja em breve – murmurou ele. – Não sei quanto tempo mais vou ser capaz de suportar esse tormento.

– Se você está achando ruim, imagine só o que Miranda está passando.

Ele a fuzilou com os olhos. Mais uma vez, a coisa errada a se dizer. Olivia calou a boca.

De volta ao quarto, Miranda apertava furiosamente a mão da sogra.

– Faz essa dor parar – gemeu ela. – Por favor, faz essa dor parar!

– Prometo que logo, logo tudo vai passar.

Miranda puxou a mão da sogra para baixo, trazendo o rosto dela para perto do seu.

– Você me falou isso *ontem*!

– Com licença, lady Rudland...

Era o Dr. Winters, que chegara uma hora após o início das contrações.

– Podemos dar uma palavrinha?

– Sim, sim, é claro. – Com cuidado, lady Rudland soltou a mão do aperto mortal de Miranda. – Eu já volto, querida. Prometo.

Miranda assentiu e se agarrou aos lençóis, sentindo a necessidade de apertar alguma coisa no auge de mais uma contração. A cabeça pendia de um lado para o outro e ela tentava respirar fundo. Onde estava Turner? Ele não estava vendo que ela precisava dele? Ela precisava do calor de seu corpo, de seu sorriso, mas, acima de tudo, precisava de sua força, porque ela já não sabia mais se as dela bastariam.

Mas teimosa como era, orgulhosa como era, não queria se rebaixar ao ponto de perguntar a lady Rudland onde ele estava. De modo que apenas trincou os dentes de novo, tentando não gritar de dor.

– Miranda... – Lady Rudland voltara para o lado dela e estava com um semblante preocupado. – Miranda, querida, o doutor disse que você precisa empurrar com ainda mais força. O bebê está precisando de ajuda para sair.

– Estou exausta – choramingou ela. – Não consigo mais.

Eu preciso dele. Mas ela não conseguia pronunciar as palavras.

– Consegue, sim. É só fazer um pouquinho mais de força na próxima contração que tudo vai acabar mais rápido.

– Não consigo... não consigo... eu... aaaaah!

– Isso mesmo, lady Turner – incentivou o Dr. Winters. – Empurre, agora!

– Eu... ai, está doendo muito... muito!

– Empurre! Estou vendo a cabeça.

– Está? – Miranda tentou levantar a cabeça.

– Sssh! Relaxe o pescoço, querida – disse lady Rudland. – Você não vai conseguir ver nada. Pode confiar.

– Continue empurrando – pediu o médico.

– Estou tentando. Estou tentando! – Miranda trincou os dentes com mais força e empurrou. – Qual é o... já dá para... – Ela respirou fundo várias vezes. – Já dá para ver o que é?

– Ainda não – respondeu o Dr. Winters. – Espere. Um minuto... prontinho. – Depois que a cabeça passou, o resto do corpinho logo escorregou para fora. – É menina.

– É? – sussurrou Miranda, soltando um suspiro exausto. – Mas é claro que é. Turner sempre consegue exatamente o que quer.

Enquanto o médico assistia a bebê, lady Rudland abriu uma fresta da porta e pôs a cabeça para fora do quarto.

– Turner?

Ele ergueu o rosto, abatido.

– Turner, acabou. É menina. Você tem uma filha.

– É menina? – ecoou Turner.

A longa espera no corredor o havia deixado exausto e, depois de tantas horas ouvindo a esposa gritar de dor, ele não conseguia acreditar que tudo havia terminado e que era pai.

– Ela é linda – disse lady Rudland. – Perfeita, em todos os aspectos.

– É menina – repetiu ele, maravilhado, balançando a cabeça. Então voltou-se para a irmã, que passara a noite inteira ao seu lado. – É menina, Olivia. Eu sou pai de uma menina! – E então, surpreendendo ambos, ele a puxou para um forte abraço.

– Isso mesmo, isso mesmo. – Até Olivia lutava contra as lágrimas.

Turner abraçou a irmã uma última vez, então a soltou e se virou para a mãe, perguntando:

– Qual a cor dos olhos dela? São castanhos?

Um sorriso alegre se espalhou pelo rosto de lady Rudland.

– Ah, querido, não sei. Nem prestei atenção. Mas é muito comum que a cor dos olhos de um bebê mude com o tempo. Acho que ainda vai demorar um pouco para saber ao certo.

– São castanhos – afirmou Turner, convicto.

De repente, Olivia compreendeu. Arregalou os olhos e disse:

– Você a ama.

– Hein? O que foi que você disse, pirralha?

– Você a ama. Você ama Miranda.

Curioso, mas o aperto na garganta que sempre sentia à menção da palavra "amor" havia desaparecido por completo.

– Eu... – Turner estacou, surpreso e boquiaberto.

– Você a ama – repetiu Olivia.

– Acho que amo – disse ele, distraído. – Eu a amo. Eu amo Miranda.

– Já não era sem tempo de você se dar conta disso – comentou a mãe, com certa impertinência.

Turner mal conseguia acreditar como tudo se tornara tão *fácil*. Por que levara tanto tempo para perceber? Deveria ter sido claro como o dia, desde o início. Ele amava Miranda. Amava tudo nela, desde a curva delicada da sobrancelha, passando pelas tiradas sarcásticas, até o jeito como ela inclinava o rosto para o lado quando estava curiosa. Amava sua inteligência, sua bondade, sua lealdade. Amava até a distância um tantinho curta entre os olhos dela. E agora ela lhe dera uma filha. Passara horas e horas deitada naquela cama em um trabalho de parto dolorosíssimo para lhe dar uma filha. Os olhos dele ficaram marejados, e Turner quase engasgou ao dizer:

– Quero vê-la.

– O médico ainda está preparando a bebê – disse a mãe.

– Não. Quero ver Miranda.

– Ah. Bem, imagino que não haja problema. Espere só um instante. Dr. Winters?

Ouviu-se uma exclamação apressada e a bebê foi atirada nos braços da avó.

Na mesma hora, Turner escancarou a porta.

– O que houve?

– Miranda está perdendo muito sangue – falou o médico, preocupado.

Turner olhou para a esposa e quase caiu para a frente, aterrorizado. Havia sangue por todo lado e parecia estar vindo dela, que estava com o rosto lívido como a morte.

– Ah, meu Deus... – Turner emitiu um gemido estrangulado. – Ah, Miranda...

Hoje eu trouxe você ao mundo. Ainda não sei seu nome. Ainda não me deixaram segurar você. Acho que vou batizá-la em homenagem à minha mãe. Ela era uma mulher maravilhosa, sempre me dava os melhores abraços antes de dormir. Chamava-se Caroline. Espero que Turner goste, porque nunca discutimos qual seria seu nome.

Será que estou dormindo? Dá para ouvir todos à minha volta. Mas não estou vendo ninguém. Estou tentando gravar essas palavras na memória para escrever depois.

Acho que estou mesmo dormindo.

Capítulo vinte

O médico conseguiu estancar o sangramento, mas, ao lavar as mãos, apenas balançava a cabeça.

– Ela perdeu muito sangue – disse, pesaroso. – Está muito fraca.

– Mas vai sobreviver? – perguntou Turner, sôfrego.

Dr. Winters deu de ombros, melancólico.

– Só nos resta torcer.

Detestando a resposta, Turner passou pelo médico e sentou-se na cadeira ao lado da cama de Miranda. Pegou a mão frouxa da esposa e apertou bem forte.

– Ela vai sobreviver – disse, com a voz rouca. – Tem que sobreviver.

Lady Rudland pigarreou.

– Dr. Winters, o senhor tem alguma ideia do que pode ter causado todo esse sangramento?

– Pode ter sido uma ruptura no útero. Provavelmente durante a expulsão da placenta.

– É um quadro comum?

O médico assentiu, depois disse:

– Infelizmente, eu preciso ir. Há uma outra dama prestes a dar à luz aqui nas redondezas e preciso estar descansado para poder atendê-la.

– Mas Miranda... – As palavras de lady Rudland morreram na garganta ao olhar para a nora, tomada pelo medo e pela tristeza.

– Não há mais nada que eu possa fazer por ela, milady. Só o que podemos fazer agora é rezar para que o corpo dela consiga curar a ruptura e que ela não volte a sangrar.

– E se voltar? – perguntou Turner, muito direto.

– Se voltar, estanquem com bandagens limpas, como eu estava fazendo. E mandem me chamar.

– E, se isso acontecer, qual é a sua chance real de chegar aqui em tempo hábil? – A acidez de Turner deixava claro que a dor e o medo suplantaram a polidez.

O médico preferiu não responder, apenas balançou a cabeça.

– Lady Rudland. Lorde Turner – despediu-se ele.

Assim que a porta se fechou, lady Rudland atravessou o quarto e se postou ao lado do filho.

– Turner, descanse um pouco. Você passou a noite em claro.

– Assim como a senhora.

– Sim, mas eu... – A voz dela se extinguiu. Se o marido estivesse no leito de morte, ela iria querer estar com ele. Então deu um beijo na cabeça do filho, dizendo: – Vou deixá-lo sozinho com ela.

Ele se virou na mesma hora, os olhos banhados de um brilho ameaçador.

– Mas que inferno, mãe! Não estou aqui para me despedir de Miranda. Não há por que falar como se ela estivesse morrendo.

– É claro que não, meu filho.

Mas os olhos dela, tomados de dor e compaixão, diziam algo diferente, e lady Rudland saiu do quarto em silêncio.

Turner analisou o rosto pálido de Miranda, sentindo um espasmo na garganta.

– Eu devia ter falado que te amo. Eu devia ter falado. Isso era o que você mais queria ouvir, não é? Mas fui burro demais para entender. Ah, minha querida, acho que eu te amo desde o começo. Desde o começo. Desde aquele dia na carruagem, quando você finalmente disse que me amava. Eu fiquei...

Hesitou quando pensou ter visto um movimento no rosto dela. Mas fora só a própria sombra atravessando a pele dela enquanto ele se balançava para a frente e para trás. Quando, enfim, reencontrou a voz, prosseguiu:

– Eu fiquei surpreso, só isso. Surpreso em saber que alguém era capaz de me amar sem querer ter nenhum tipo de poder sobre mim. Surpreso porque você me amava sem querer que eu mudasse em nada meu jeito de ser. E eu... eu simplesmente achava que não *conseguia* mais amar ninguém. Só que eu estava errado! – Os dedos dele se contraíram, e Turner precisou lutar contra o ímpeto de pegá-la pelos ombros e sacudi-la. – E, maldição... Como eu estava errado! E a culpa não foi sua. A culpa não foi sua, boneca. Foi minha. Ou talvez de Leticia, mas definitivamente não foi sua.

Pegou a mão dela, levando-a aos lábios.

– Não foi mesmo culpa sua, boneca – disse ele, carinhosamente. – Então volte para mim. Por favor. Juro por Deus, você está me assustando. E você não quer me assustar, não é verdade? Pode ter certeza de que não é uma visão bonita.

Nenhuma resposta. Ele desejou que ela tossisse, ou mudasse de posição, qualquer coisa. Mas ela só continuou ali deitada, tão inerte que, tomado pelo mais puro pavor, ele se sentiu compelido a pegar a mão dela e checar a pulsação. Suspirou aliviado quando sentiu o pulso. Suave, mas constante.

Ele suspirou com dificuldade. Estava exausto, suas pálpebras pesavam, mas não podia adormecer. Tinha que ficar ali com ela. Tinha que vê-la, ouvir sua respiração, ou mesmo só observar as luzes e sombras fazendo sua dança sobre a pele dela.

– Está escuro demais – murmurou ele, se levantando. – Está parecendo um necrotério aqui dentro.

Então ficou de pé e pôs-se a vasculhar o quarto, procurando em gavetas e armários até, enfim, encontrar mais velas. Acendeu-as com pressa, pondo-as nos candelabros. Ainda estava escuro demais. Foi até a porta a passos largos, abriu-a com força e gritou:

– Brearley! Mãe! Olivia!

Na mesma hora, temendo o pior, oito pessoas atenderam ao chamado de Turner.

– Preciso de mais velas. – A voz dele evidenciava todo o seu pânico e toda a sua exaustão.

No mesmo instante, as criadas correram para atender ao pedido.

– Mas já está tão claro aqui dentro... – disse Olivia, espiando o interior do quarto e perdendo o ar ao ver a amiga de infância naquele estado de inércia. – Miranda vai ficar bem? – sussurrou ela.

– Vai ficar ótima – disse Turner –, desde que coloquemos mais luzes neste quarto.

Olivia pigarreou.

– Gostaria de entrar e dizer algumas palavras a ela.

– Ela não vai morrer! – vociferou Turner. – Ouviu bem? Ela não vai morrer. Não há a menor necessidade de falar desse jeito. Você não tem nada que se despedir.

– Mas, se ela morrer – persistiu Olivia, lágrimas escorrendo pelas faces –, eu ficaria muito...

Perdendo todo o autocontrole, Turner agarrou a irmã e a imprensou contra a parede.

– Ela não vai morrer! – A voz dele era grave e mortífera. – E eu agradeceria muito se você parasse de agir como se fosse.

Olivia aquiesceu com veemência.

De repente, Turner largou a irmã e encarou as mãos como se fossem objetos estranhos.

– Meu Deus! – exclamou, com a voz rouca. – O que está acontecendo comigo?

– Tudo bem, Turner. – Olivia acalentou o irmão, tocando com delicadeza o ombro dele. – Você tem todo o direito de estar descompensado.

– Não tenho, não. Ela precisa que eu seja forte. – Ele voltou ao quarto e se sentou ao lado da esposa. – Não sou importante agora – murmurou ele, engolindo em seco sem parar. – Nada é importante. Só ela.

Uma criada de olhos marejados trouxe mais velas, e Turner ordenou:

– Acenda todas. Quero que fique claro como o dia aqui dentro. Ouviu? Claro como o dia. – Então se voltou para Miranda e alisou a sobrancelha dela com afeto. – Ela amava os dias de sol. – Horrorizado com o ato falho, ele olhou para a irmã, corrigindo-se: – Digo... ela *ama* os dias de sol.

Incapaz de ver o irmão naquele estado de tamanho pesar, Olivia aquiesceu e saiu do quarto.

Algumas horas depois, lady Rudland voltou, trazendo um embrulhinho em um lençol rosa-bebê.

– Trouxe a sua filha – falou ela, baixinho.

Turner ergueu o rosto, pasmo por ter se esquecido completamente da existência daquela pessoinha. Ele a encarou, perplexo.

– Ela é tão pequena...

A mãe dele sorriu.

– Bebês geralmente são assim.

– Eu sei, mas... olhe só para ela.

Turner tocou com o indicador a mãozinha da bebê. Os dedos minúsculos agarraram o dele com uma firmeza surpreendente. Turner olhou para a mãe. Seu semblante desolado também refletia arrebatamento diante daquela nova vida.

– Posso segurá-la?

– Claro. – Lady Rudland pôs o pacotinho nos braços dele. – Afinal de contas, ela é sua filha.

– É mesmo, não é? – Ele olhou o rostinho rosado e tocou o nariz dela. – Oi... Como vai? Bem-vinda ao mundo, boneca.

– Boneca? – riu-se lady Rudland. – Que apelido curioso.

– Não é curioso, não. É absolutamente perfeito. – Olhou para a mãe e perguntou: – Ela vai ser pequena assim durante quanto tempo?

– Ah, não sei. Um tempinho. – Lady Rudland foi até a janela e abriu um pouco as cortinas. – O sol está começando a nascer. Olivia disse que você queria mais luz aqui no quarto.

Ele assentiu, incapaz de tirar os olhos da filha. Lady Rudland deixou as cortinas de lado e voltou a ele.

– E, ah, Turner... ela tem olhos castanhos.

– Tem mesmo? – Ele olhou mais uma vez para a filha, que, adormecida, estava de olhos fechados. – Bem, eu já sabia.

– Imagino que ela não fosse querer desapontar o pai logo no primeiro dia, não é?

– Nem a mãe.

Turner olhou para Miranda, ainda pálida como a morte, e abraçou mais forte a filha recém-nascida.

Fitando os olhos do filho, de um azul tão parecido com os seus, lady Rudland acrescentou:

– Acho que Miranda estava torcendo para que ela tivesse olhos azuis.

Turner engoliu, desconfortável. Miranda o amava fazia tanto tempo, e com tanta generosidade... E ele a desprezara. Agora corria o risco de perdê-la. Talvez ela jamais viesse a saber que ele havia, enfim, se dado conta da própria estupidez. Talvez jamais viesse a saber que ele a amava.

– Arrisco dizer que a senhora está certa – respondeu Turner, com a voz embargada. – Mas sinto que ela vai ter que esperar nosso próximo filho.

Lady Rudland mordeu o lábio.

– É claro, meu querido – disse ela, em tom consolador. – Vocês já pensaram em opções de nome?

Ele ergueu o rosto, surpreso, como se a ideia nunca tivesse lhe ocorrido.

– Eu... Não. Esquecemos de tocar nesse assunto – admitiu.

– Eu e Olivia pensamos em alguns nomes bem bonitos. O que acha de Julianna? Ou Claire? Sugeri Fiona, mas Olivia não gostou.

– Miranda jamais permitiria que a filha se chamasse Fiona – comentou ele. – Ela sempre odiou Fiona Bennet.

– Aquela mocinha que mora perto de Haverbreaks? Nunca soube.

– Em todo caso, mãe, essa é uma discussão sem sentido, porque eu não vou escolher nome nenhum sem consultar Miranda.

Lady Rudland engoliu em seco mais uma vez.

– Mas é claro. Eu vou... eu vou me retirar agora. Imagino que queira ficar a sós com a sua família.

Turner olhou para a esposa, e então para a filha.

– Olha, é a mamãe... – sussurrou ele. – Ela está muito cansada porque precisou fazer muito esforço para trazer você ao mundo. Só não imagino muito o motivo, porque você não é tão grande. – Ele tocou a ponta de um dos dedos minúsculos da filha. – Acho que ela nem viu você ainda. Mas sei que ela quer muito. Ela quer muito segurar, abraçar e beijar você. Sabe por quê? – Meio sem jeito, ele enxugou uma lágrima. – Porque ela te ama demais. Aposto que ela te ama ainda mais do que ama a mim. E olha que ela deve me amar um bocado, porque eu andei me comportando muito mal.

Deu uma olhadela para Miranda e, como ela ainda não havia acordado, acrescentou:

– Às vezes, os homens são uns idiotas, minha filha. Somos tolos e estúpidos e nem reconhecemos as bênçãos que estão bem na nossa frente. Mas eu reconheço você – acrescentou ele, sorrindo para a filha. – E também reconheço a sua mãe, e espero que ela tenha bondade suficiente no coração para me perdoar uma última vez. E na verdade eu acho que tem, sim. Sua mãe tem um coração de ouro.

A bebê gorgolejou baixinho. Encantado, Turner sorriu.

– Parece que você concorda comigo. Você é muito inteligente para alguém que só tem um dia de vida, hein? Mas eu não deveria ficar surpreso. Sua mãe também é muito inteligente.

A bebezinha arrulhou.

– Fico lisonjeado, boneca. Por ora, vou deixar que você continue pensando que eu também sou inteligente. – Olhando para Miranda, ele sussurrou: – É melhor que só eu e você saibamos que eu fui um idiota.

A bebê soltou mais um barulhinho, de modo que Turner teve certeza de que a filha era a criança mais inteligente de todas as Ilhas Britânicas.

– Quer conhecer a sua mãe, boneca? Aqui, deixe eu apresentar vocês.

Com movimentos desajeitados, pois nunca tinha segurado um bebê antes, ele deu um jeito de pôr a filha nos braços da mãe.

– Pronto. Hum, está quentinho. Adoraria trocar de lugar com você. A sua mãe tem a pele muito macia. – Ele acariciou a bochecha da filha. – Mas não tanto quanto a sua. Você, filha, é perfeita.

A bebê começou a se remexer e já chorava com vontade.

– Ah, céus – murmurou Turner, sem saber o que fazer. Então tornou a pegar a filha nos braços, tomando o cuidado de apoiar bem a cabeça, conforme vira a mãe fazer. – Pronto, meu amor, pronto. Sssh. Quietinha. Fique quietinha.

Contudo, seus esforços foram infrutíferos, pois ela continuava urrando no ouvido dele.

Ouviu-se uma batida, e lady Rudland abriu a porta.

– Quer que eu a leve, Turner?

Ele fez que não com a cabeça, pois não queria ficar longe da filha.

– Ela deve estar com fome. A ama de leite já está esperando logo ao lado.

– Ah. É claro, tudo bem então. – Ele entregou a bebê à mãe, ligeiramente envergonhado. – Pronto.

Assim, viu-se sozinho outra vez com Miranda. Durante a vigília dele, ela nem se mexera, tirando o sutil subir e descer do peito.

– Amanheceu, Miranda. – Ele tomou a mão dela, tentando convencê-la a abandonar a inconsciência. – Hora de se levantar. Por favor, acorde. Se não por você, então por mim. Estou exausto, mas você sabe que eu não vou dormir enquanto você não acordar.

Mas ela continuou inerte. Não se virou para o lado, não roncou. Continuou ali deitada, apavorando Turner.

– Miranda – murmurou ele, ouvindo o pânico na própria voz –, agora já chega. Ouviu? Chega. Você tem que...

A voz dele morreu. Sem conseguir continuar, segurou a mão dela com força e desviou o rosto, com a visão borrada pelas lágrimas. Como ele poderia continuar vivendo sem ela? Como criaria a filha sozinho? Como batizaria a filha, se nem sabia por qual nome chamá-la? E, o pior de tudo, como conviveria com a culpa se Miranda morresse sem ouvir dos lábios dele que ele a amava?

Com determinação renovada, Turner enxugou as lágrimas e virou-se para ela outra vez.

– Eu te amo, Miranda – disse alto e em bom som, na esperança de alcançá-la atrás da neblina que a envolvia, mesmo que talvez ela não viesse a despertar nunca mais. A voz dele ficou mais urgente. – Eu amo *você*. Não as coisas que você faz, ou como eu me sinto quando estou com você.

Um leve som escapou dos lábios dela, tão leve que Turner chegou a achar que havia imaginado.

– Você disse alguma coisa? – Ele perscrutou o rosto dela, procurando desesperadamente qualquer vestígio de movimento.

Os lábios dela estremeceram mais uma vez, e o coração dele se encheu de alegria.

– O que foi, Miranda? Repita só mais uma vez. Não consegui ouvir.

Ele levou o ouvido aos lábios dela. A voz de Miranda estava fraca porém nítida ao dizer:

– Acho bom.

Turner começou a rir. Não se aguentou. Era tão típico de Miranda dar uma resposta atrevida, mesmo que estivesse em seu suposto leito de morte.

– Você vai ficar bem, não vai?

Ela aquiesceu, um movimento mínimo, mas que aconteceu.

Alucinado de alegria e alívio, ele correu para a porta, gritou a boa notícia para a família inteira, e não ficou surpreso quando, em um instante, a mãe, Olivia e a maioria dos criados chegaram correndo.

– Ela vai ficar bem! – engasgou-se ele, indiferente às lágrimas que lavavam o seu rosto. – Ela vai ficar bem!

– Turner.

Um ruído rouco veio da cama.

– O que foi, meu amor? – Ele correu para o lado dela.

– Caroline – sussurrou ela, usando todas as forças que lhe restavam para abrir um leve sorriso. – O nome dela é Caroline.

Ele deu um beijo cortês na mão dela.

– Caroline será. Você me deu uma filha perfeita, meu amor.

– Você sempre consegue o que quer – murmurou ela.

Ele virou-se para ela com um olhar amoroso, dando-se conta enfim do tamanho do milagre que a trouxera de volta à vida.

– É verdade – disse ele com sua típica voz rouca. – Parece que é verdade mesmo.

Poucos dias depois, Miranda já estava se sentindo muito melhor. Havia pedido para ser levada de volta ao quarto que compartilhara com Turner durante os primeiros meses de casamento. O ambiente a reconfortava, e ela queria mostrar ao marido que desejava ter um casamento de verdade. Ficavam melhor juntos do que separados. Simples assim.

Ainda estava de repouso, mas já recobrara boa parte das forças, e sua tez rosada voltava a assumir o viço saudável de sempre. Mas talvez fosse só o efeito do amor. Miranda nunca se sentira tão amada na vida. Turner parecia incapaz de falar duas frases sem se declarar, e Caroline evocava um amor tão imenso, em ambos, que Miranda não conseguia sequer descrever.

Olivia e lady Rudland também viviam cuidando dela muito de perto, mas Turner, que queria a esposa só para si, tentava garantir que a interferência das duas se restringisse ao mínimo possível. Um dia, quando Miranda acordou de uma soneca, encontrou-o sentado ao seu lado.

– Boa tarde – murmurou ele.

– Tarde? Jura? – Ela bocejou com vontade.

– Com certeza já passa do meio-dia.

– Céus! Estou mais preguiçosa do que nunca.

– Você merece – assegurou ele, com os olhos azuis transbordando de amor. – Merece cada minuto de descanso.

– Como está nossa filha?

Turner sorriu. Ela sempre conseguia introduzir a pergunta durante o primeiro minuto de qualquer conversa.

– Está muito bem. Devo dizer que ela tem um par e tanto de pulmões.

– Ela é um doce, não é?

Ele assentiu e disse:

– Igualzinha à mãe.

– Ah, mas eu não sou tão doce assim.

Ele deu um beijo no nariz dela.

– Debaixo desse gênio todo, você é, sim, muito doce. Eu sei porque já provei.

Ela ruborizou.

– Você é terrível.

– Eu sou *feliz* – corrigiu ele. – Muito, muito feliz.

– Turner...

Notando a hesitação na voz dela, ele a encarou.

– O que foi, meu amor?

– O que aconteceu?

– Como assim? Acho que não entendi...

Ela abriu a boca, mas logo fechou, tentando encontrar as palavras certas.

– Por que você... percebeu tão de repente...

– Que eu amava você?

Calada, ela assentiu.

– Eu não sei. Acho que o sentimento sempre esteve aqui dentro de mim. Só era cego demais para ver.

Ela engoliu em seco, nervosa.

– Não foi porque eu quase morri?

Miranda não sabia bem o porquê, mas não lhe agradava muito a ideia de que ele só tivesse se dado conta de que a amava diante da possibilidade real de perdê-la.

Ele balançou a cabeça, dizendo:

– Foi porque você me deu a Caroline. No instante em que a ouvi chorar, o som foi tão... tão... não consigo nem descrever, mas eu a amei no mesmo instante. Ah, Miranda, ser pai é uma coisa tão maravilhosa... Quando estou com ela nos braços... Queria tanto que você pudesse saber como é.

– Talvez pareça com ser mãe, presumo – disse ela.

Pousando o indicador nos lábios dela, ele falou:

– Mas que língua afiada. Posso terminar minha história? Bem, meus amigos que têm filhos já tinham me falado sobre as maravilhas de ter uma nova vida que era um pedaço deles mesmos. Mas eu... – Ele pigarreou. – Eu percebi que amava a nossa filha não porque ela era um pedaço de mim. Percebi que eu a amo porque ela é um pedaço de você.

Miranda ficou com os olhos cheios de lágrimas.

– Ah, Turner...

– Não, eu preciso terminar. Não sei o que eu fiz, não sei o que disse para merecer você, Miranda, mas agora que você é minha, não vou deixá-la nunca mais. Eu te amo tanto. – Turner engoliu em seco, engasgando-se com as próprias palavras. – Mas tanto...

– Ah, meu amor... Eu também te amo. Você sabe muito bem disso.

– Sim, e eu sou muito grato. Seu amor é o presente mais precioso que já recebi na vida.

– Seremos muito felizes, não é? – Ela abriu um sorriso trêmulo para ele.

– Inacreditavelmente felizes, meu amor.

– E vamos ter mais filhos?

O rosto dele assumiu uma expressão severa.

– Desde que você não me dê outro susto que nem esse. Além do mais, a melhor forma de evitar filhos é a abstinência, algo que eu não seria capaz de manter.

Ela enrubesceu, mas também falou:

– Ótimo.

Ele se inclinou e deu um beijo apaixonado na esposa. Depois, lembrando-se de que ela ainda estava frágil, afastou-se com relutância e disse:

– Melhor deixar você descansar.

– Não, não. Por favor, não vá! Não estou cansada.

– Tem certeza?

Como era maravilhoso ter alguém que se importasse tanto com ela...

– Tenho – afirmou Miranda. – Mas quero que você busque uma coisa para mim. Pode me fazer esse favor?

– Mas é claro. O que você quer?

Ela apontou, dizendo:

– Na minha mesa na sala de estar há uma caixa revestida de seda. Dentro dela há uma chave.

Turner ergueu a sobrancelha, mas seguiu as instruções dela.

– Uma caixa verde? – gritou ele, do outro cômodo.

– Isso.

– Prontinho. – Ele voltou ao quarto com a chave na mão.

– Ótimo. Agora volte à minha mesa e pegue, na última gaveta, uma caixa grande de madeira.

Turner voltou à sala de estar.

– Achei. Mas, céus, como é pesada! O que tem aqui dentro? Pedras?

– Livros.

– Livros? Que livros são esses que são tão preciosos a ponto de ficarem trancados a chave?

– Meus diários.

Ele voltou ao quarto, carregando a caixa nos braços.

– Diários? Ora, mas eu não sabia...

– Foi sugestão sua.

Ele se virou para ela, dizendo:

– Minha? Não é possível.

– Mas é verdade. Você disse isso no dia em que nos conhecemos. Eu estava falando de Fiona Bennet e sobre como ela me tratara mal, e você disse que eu deveria escrever um diário.

– Disse?

– Sim. E me lembro das suas palavras exatas. Perguntei por que escrever um diário e você me disse: "Porque um dia a senhorita vai crescer e aparecer, e será tão bonita quanto já é inteligente. E então poderá reler o diário e perceber como Fiona Bennet e as meninas do tipo dela são bobas. Garanto que vai morrer de rir ao se lembrar de como sua mãe dizia que suas pernas começavam nos ombros. E talvez ainda reste um pequeno sorriso para dedicar a mim quando se lembrar deste dia e desta nossa conversa agradável."

Ele a encarou, perplexo, à medida que a vaga lembrança se tornava um pouco mais nítida.

– E você disse que dedicaria um sorriso *enorme* para mim – lembrou ele.

Ela assentiu.

– Decorei cada palavra. Foi a coisa mais gentil que já tinha ouvido.

– Meu Deus, Miranda – arquejou ele, com reverência. – Você me ama mesmo, não é?

– Amo. Desde aquele dia. Aqui, traga a caixa para mim.

Ele pôs a caixa na cama e entregou a chave a Miranda. Ela abriu e tirou vários cadernos dali de dentro. Alguns tinham encadernação de couro, outros eram encapados com tecidos florais, mas ela pegou o mais simples, um caderninho parecido com os que ele mesmo usava na época da escola.

– Este foi o primeiro – disse ela, alisando a capa com reverência. – E eu realmente amo você desde sempre. Está vendo isso aqui?

Ele baixou os olhos e leu o primeiro registro.

2 de março de 1810

Hoje eu me apaixonei.

Turner ficou com os olhos marejados.

– Eu também, meu amor. Eu também.

CONHEÇA OS LIVROS DE JULIA QUINN

OS BRIDGERTONS

O duque e eu
O visconde que me amava
Um perfeito cavalheiro
Os segredos de Colin Bridgerton
Para Sir Phillip, com amor
O conde enfeitiçado
Um beijo inesquecível
A caminho do altar
E viveram felizes para sempre

QUARTETO SMYTHE-SMITH

Simplesmente o paraíso
Uma noite como esta
A soma de todos os beijos
Os mistérios de sir Richard

AGENTES DA COROA

Como agarrar uma herdeira
Como se casar com um marquês

IRMÃS LYNDON

Mais lindo que a lua
Mais forte que o sol

OS ROKESBYS

Uma dama fora dos padrões
Um marido de faz de conta
Um cavalheiro a bordo

TRILOGIA BEVELSTOKE

História de um grande amor
O que acontece em Londres
Dez coisas que eu amo em você